LE MAÎTRE
DU HAUT CHÂTEAU

PHILIP K. DICK

LE MAÎTRE DU HAUT CHÂTEAU

ROMAN

Traduit de l'anglais (États-Unis)
par Jean Sola

Collection dirigée par Thibaud Eliroff

Titre original :
THE MAN IN THE HIGH CASTLE

À ma femme, Anne. Sans son silence,
jamais ce livre n'aurait vu le jour.

CHAPITRE PREMIER

M. R. Childan avait beau scruter son courrier avec anxiété depuis une semaine, le précieux colis en provenance des Rocheuses n'arrivait pas. Lorsqu'il ouvrit son magasin, le vendredi matin, seules quelques lettres l'attendaient à l'intérieur, devant la porte. *Je connais un client qui ne va pas être content*, se dit-il.

Il prit une tasse de thé instantané au distributeur mural à cinq *cents*, s'empara du balai et se mit au travail. Quelques minutes plus tard, la devanture d'American Artistic Handcrafts Inc. était prête : propre comme un sou neuf, la caisse enregistreuse pleine de monnaie, un vase de soucis frais sur le comptoir, une discrète musique de fond, diffusée par la radio. Sur le trottoir, des hommes d'affaires se hâtaient vers leurs bureaux de Montgomery Street. Plus loin, un tramway passait ; Childan s'interrompit le temps de le suivre des yeux avec plaisir. Des femmes en longues robes de soie colorées... il les suivit des yeux aussi. Ce fut alors que le téléphone sonna. Il pivota pour décrocher.

« Oui », lança une voix familière en réponse à son salut. Son cœur se serra. « Ici M. Tagomi. Mon affiche de recrutement de la guerre de Sécession est-elle enfin arrivée, monsieur ? Je vous prie de ne pas oublier que vous me l'aviez promise pour la semaine dernière. » La brusquerie tatillonne, tout juste polie, tout juste dans les limites permises par le code. « Je vous ai bien remis un acompte à cette condition, n'est-il pas vrai ? Il s'agit d'un cadeau, comprenez-vous. Je vous l'ai expliqué. Pour un client.

— M. Tagomi, l'enquête que j'ai menée à mes frais sur le paquet attendu – paquet qui, vous en êtes conscient, provient d'une région du monde extérieure et donc...

— Il n'est pas arrivé.

— Non, monsieur, en effet. »

Silence glacial. Puis : « Je ne peux attendre plus longuement.

— Non, monsieur. »

Childan fixait d'un regard morose les immeubles de bureaux de San Francisco, baignés d'un soleil éclatant.

« Alors un substitut. Vos recommandations, M. Chil*dan* ? »

La prononciation volontairement erronée de son nom constituait d'après le code une insulte qui lui échauffa les oreilles. Chacun restait à sa place, situation terriblement humiliante. Ses aspirations, ses peurs, ses angoisses s'épanouirent, se déployèrent, l'engloutirent, lui paralysèrent la langue. Il se mit à bégayer, la main moite autour du combiné. La musique et l'odeur des soucis baignaient toujours le magasin, mais il lui semblait sombrer dans quelque lointain océan.

« Eh bien... parvint-il à balbutier. Une baratte. Une sorbetière des années 1900. » Son esprit refusait de fonctionner. À l'instant où on oubliait ; à l'instant où on se persuadait que. Il avait trente-huit ans ; il se souvenait de l'avant-guerre, d'une autre époque. Franklin D. Roosevelt et l'Exposition universelle ; le monde meilleur d'autrefois. « Désirez-vous que j'apporte divers artefacts du plus grand intérêt à vos bureaux, monsieur ? » marmonna-t-il.

Rendez-vous fut pris à deux heures de l'après-midi. *Je vais devoir fermer*, se dit-il en raccrochant. *Obligé. Il faut rester en bons termes avec ce genre de clients ; les affaires en dépendent.*

Ébranlé par le coup de fil, il prit soudain conscience que quelqu'un venait d'entrer. Un couple. Jeune, beau, bien habillé. L'idéal. Childan, calmé, s'approcha des nouveaux venus avec l'aisance du professionnel, le sourire aux lèvres. Penchés sur un présentoir, ils examinaient un charmant cendrier. Mariés, probablement. Installés aux Brumes Onduleuses, le nouveau quartier sélect dominant Belmont.

« Bonjour », lança-t-il.

Il se sentait mieux. Les inconnus lui sourirent sans la moindre condescendance, tout de gentillesse. Le contenu de ses vitrines les avaient un peu impressionnés – c'était vraiment ce qui se faisait de mieux dans le genre, sur la côte. Childan s'en aperçut et leur en fut reconnaissant : ils comprenaient.

« Très belles pièces, monsieur », déclara l'homme.

Son hôte s'inclina spontanément.

Le regard chaleureux que les visiteurs fixaient sur lui s'expliquait par le lien d'humanité, mais aussi par l'admiration qu'ils éprouvaient pour les œuvres exposées dans sa boutique, par les goûts et les plaisirs qu'ils partageaient avec lui ; ils le remerciaient d'offrir à leur vue des objets pareils, de leur donner l'occasion de les toucher, de les examiner, de les manipuler sans même les acheter. Oui, se dit Childan, ils savent dans quel genre d'endroit ils se trouvent ; il ne s'agit pas de cochonneries pour touristes, de plaques en séquoia gravées – MUIR WOODS, MARIN COUNTY, P.S.A. –, de pancartes idiotes, de bagues en toc ou de cartes postales du

Golden Gate. Ses yeux à elle surtout, immenses et sombres. *Je tomberais facilement amoureux d'une femme pareille. Ma vie serait une tragédie. Comme si tout n'allait pas déjà assez mal.* Les cheveux noirs élégants, les ongles vernis, les oreilles percées pour les longues boucles d'oreille artisanales en cuivre oscillantes.

« Ces bijoux… murmura-t-il. Vous les avez trouvés ici, peut-être ?

— Non, répondit-elle. Chez nous. »

Il hocha la tête. Pas d'art américain contemporain ; seul le passé avait droit de cité dans une boutique telle que la sienne.

« Vous comptez rester un peu dans la région ?

— Je suis en poste pour une durée indéterminée, expliqua le jeune homme. À la Commission d'Enquête Préparatoire pour le Niveau de Vie des Régions Défavorisées. »

Son travail lui inspirait visiblement une certaine fierté. Ce n'était pas un militaire, un de ces appelés mal dégrossis qui mâchouillaient du chewing-gum, de ces paysans avides qui parcouraient Market Street en ouvrant de grands yeux devant les affiches des spectacles indécents, des films obscènes, des clubs de tir, des boîtes de nuit bon marché – où s'étalaient en vitrine des photos de blondes trop mûres à l'air polisson, soulevant leurs seins de leurs mains ridées –, des bouges de jazz. Ces bicoques branlantes avaient colonisé de leurs tôles et de leurs planches presque toute la zone plane de San Francisco, où elles avaient poussé sur les ruines avant même que ne s'abatte la dernière bombe. Mais cet homme-là faisait partie de l'élite. Cultivé, instruit, plus encore que M. Tagomi, lequel n'était après tout qu'un membre éminent de l'Estimable Mission Commerciale de la côte Pacifique ; un vieillard, aux attitudes forgées à l'époque du Cabinet de guerre.

« Désirez-vous vous procurer des objets d'art ethnique traditionnel pour les offrir en cadeaux ? s'enquit Childan. À moins que vous ne songiez à la décoration de l'appartement chargé d'abriter votre séjour dans la région ? »

Si cette supposition se révélait exacte... Son pouls s'emballa.

« Vous avez deviné, dit la jeune femme. Nous commençons à décorer. Non sans hésitation. Peut-être pourriez-vous nous informer ?

— Je peux prendre mes dispositions pour me rendre à votre domicile, oui, acquiesça Childan. Apporter quelques mallettes. Vous conseiller dans le contexte. Mon domaine d'expertise, évidemment. » Il baissa les yeux afin de dissimuler ses espoirs. Des milliers de dollars étaient peut-être en jeu. « Je vais recevoir sous peu une table de Nouvelle-Angleterre en érable, entièrement chevillée de bois, sans le moindre clou. D'une beauté et d'une valeur extrêmes. Un miroir de l'époque de la seconde guerre d'Indépendance. Ainsi que des objets d'art aborigènes : un lot de petits tapis en poil de chèvre colorés à la teinture végétale.

— Personnellement, je préfère l'art citadin, intervint le jeune homme.

— Bien sûr, monsieur, acquiesça Childan avec empressement. Figurez-vous que je dispose d'un original de la période W.P.A[1]. de la Poste, peint sur

1. La *Works Progress Administration*, établie en 1935 puis revivifiée en 1939, était censée fournir du travail aux chômeurs à une échelle jusquelà inégalée. Le *Federal Arts Project* permit notamment à de nombreux artistes de décorer bureaux de poste, écoles et autres bâtiments publics de leurs tableaux et sculptures. *(Toutes les notes sont du traducteur.)*

quatre panneaux en bois, représentant Horace Greeley[1]. Une pièce de collection sans prix.

— Ah. »

Le regard de l'inconnu étincelait.

« Et d'un Victrola[2] transformé en bar.

— Ah.

— Et, rendez-vous compte, monsieur, d'une *photographie dédicacée et encadrée de Jean Harlow.* » Le visiteur ouvrait maintenant de grands yeux. « Peut-être pourrions-nous prendre rendez-vous ? » continua Childan, profitant de l'instant psychologique. Il tira de sa poche intérieure son calepin et son stylo. « Je vais noter vos nom et adresse, messieurs-dames. »

Lorsque le couple repartit d'un pas tranquille, il resta immobile à regarder dehors, les mains derrière le dos. Heureux. Si toutes ses journées de travail ressemblaient à ça… mais œuvrer au succès de son magasin n'avait rien d'un simple travail. C'était une chance de rencontrer de jeunes Japonais dans un contexte social, en partant du principe qu'ils considéraient l'homme en lui, pas le *yank* ou, au mieux, le marchand d'art. Oui, les jeunes de ce genre, la génération montante qui n'avait aucun souvenir de l'avant-guerre ni même de la guerre – cette génération incarnait l'espoir du monde entier. Les différences de position ne représentaient rien pour elle.

On n'en parlera plus, se dit Childan. *Un jour. L'idée même de position. Ni gouvernants ni gouvernés, juste des gens.*

---

1. Horace Greeley (1811-1872), rédacteur en chef du *New York Tribune* des années 1840 aux années 1870, devint extrêmement célèbre pour ses éditoriaux et ses prises de position politiques intrépides (mais ne connut pas le même succès quand il se lança dans la carrière politique).
2. Gamme de meubles/phonographes produite par la Victor Talking Machine Company à partir de 1906.

Il tremblait pourtant de peur en s'imaginant frapper à leur porte. Un coup d'œil à ses notes. Les Kasoura. Ils le recevraient ; ils lui offriraient sans doute une tasse de thé. Se conduirait-il convenablement ? Saurait-il dire et faire à chaque instant ce qu'on attendrait de lui ? Ou se déshonorerait-il telle une bête par un lamentable faux pas ?

La jeune femme s'appelait Betty. Elle avait l'air si compréhensive. Des yeux pleins de douceur, de compassion. Sans doute les quelques instants passés dans le magasin lui avaient-ils suffi pour entrevoir les espoirs et les défaites de Childan.

Ses espoirs... il en eut soudain le tournis. N'avait-il pas des aspirations quasi démentes, voire suicidaires ? Mais il était de notoriété publique que des relations se nouaient entre Japonais et *yanks*, même s'il s'agissait le plus souvent d'hommes japonais et de femmes *yanks*. Tandis que là... il renâclait à cette idée. Et puis elle était mariée. Il chassa de son esprit la cavalcade de ses pensées involontaires en s'affairant à ouvrir le courrier du matin.

Ainsi s'aperçut-il qu'il avait toujours les mains tremblantes. Alors lui revint le souvenir de son rendez-vous avec M. Tagomi ; le tremblement disparut, tandis que la nervosité cédait le pas à la détermination. *Il faut que je trouve quelque chose d'acceptable.* Mais où ? Comment ? Quoi ? Coups de fil. Informateurs. Capacités commerciales. Assembler une Ford 1929 parfaitement restaurée, y compris le toit en tissu (noir). Grand chelem pour conserver à jamais la clientèle. Trimoteur d'origine de la Poste découvert dans une caisse, au fin fond d'une grange d'Alabama, etc. Tête momifiée de M. B. Bill, y compris les longs cheveux blancs ; artefact américain sensationnel. *Établir ma réputation parmi les cercles de connaisseurs les plus sélects du Pacifique, y compris peut-être dans l'archipel nippon.*

En quête d'inspiration, Childan alluma une cigarette de marie-jeanne de l'excellente marque Land-O-Smiles.

*
* *

Frank Frink se demandait comment se lever. Le soleil qui brillait derrière le store de sa chambre de Hayes Street tombait sur ses vêtements, jetés en tas par terre. Sur ses lunettes aussi. Allait-il marcher dessus ? *Essaie d'aller à la salle de bains par un autre chemin*, se dit-il. *En rampant ou en te roulant par terre.* Il avait mal à la tête, mais n'éprouvait aucun regret. Ne jamais regarder en arrière. L'heure ? La pendule, sur la commode. Onze heures et demie ! *Nom de Dieu.* N'empêche qu'il restait au lit.

Viré.

La veille, il s'était mal débrouillé à l'usine. Il n'avait pas dit ce qu'il fallait à M. Wyndam-Matson aux joues creuses, au nez camus à la Socrate, à la chevalière endiamantée et à la braguette dorée. En d'autres termes, une puissance. Un trône. Les pensées de Frink erraient, titubantes.

Me voilà sur la liste noire. Ça ne me sert à rien d'être doué, je n'ai pas de clientèle. Quinze ans d'expérience. Fini.

Il allait être obligé de comparaître devant la Commission de Justification des Ouvriers pour changer de catégorie de travailleurs. Comme il n'avait jamais réussi à déterminer qui servait d'intermédiaire entre Wyndam-Matson et les *pinocs* – le gouvernement blanc fantoche de Sacramento –, il ne comprenait pas par quels moyens son ex-employeur parvenait à influencer les véritables autorités, c'est-à-dire les Japonais. C'étaient les *pinocs* qui dirigeaient la C.J.O. Il allait donc affronter quatre ou cinq blancs d'âge mûr corpulents, du genre de Wyndam-Matson. S'il n'arrivait pas à obtenir d'eux une justification, il se rendrait à l'une des Missions Commerciales d'Import-Export basées à Tokyo et possédant des bureaux en Californie, en Oregon, dans l'État de Washington et la partie du Nevada intégrée aux États-Pacifiques d'Amérique. Mais si sa requête y était rejetée…

Le regard fixé sur le vieux lustre accroché au plafond, il laissait toutes sortes de plans lui tourner dans la tête. Il pourrait par exemple passer la frontière des États des Rocheuses… lesquels avaient malheureusement de vagues accords avec les P.S.A. et risquaient de l'extrader. Alors le Sud ? Son corps se raidit. Beurk. Pas ça. En tant que blanc, il y trouverait une situation favorable – meilleure que dans les P.S.A., pour tout dire –, mais… il ne voulait pas de ce genre de situation.

Pire encore, le Sud entretenait avec le Reich une véritable toile d'araignée de liens économiques, idéologiques et Dieu savait quoi encore. Or Frank Frink était juif.

Il s'appelait bel et bien Frank Frink, était né sur la côte Est, à New York, et avait été incorporé à l'armée des États-Unis d'Amérique en 1941, juste après l'effondrement de la Russie. Quand les Japonais avaient pris Hawaï, il avait été envoyé sur la côte Ouest. Il s'y trouvait encore à la fin de la guerre, du côté japonais de la ligne de démarcation. Il s'y trouvait toujours, quinze ans plus tard.

En 1947, le jour de la Capitulation, il était plus ou moins devenu fou. Dans sa haine des Japs, il avait juré de se venger. Depuis, ses armes de service, graissées et emballées avec soin, attendaient dans une cave sous trois mètres de terre le jour où ses potes et lui se soulèveraient. Il avait oublié à l'époque que le temps soigne toutes les plaies. Lorsqu'il y repensait maintenant – au grand bain de sang, à la purge des *pinocs* et de leurs maîtres –, il lui semblait feuilleter un de ses albums de classe défraîchis, datant du lycée, et tomber sur un compte rendu de ses aspirations d'adolescent. Frank Frink « le Friqué » sera paléontologiste et fait serment d'épouser Norma Prout. Norma Prout, la *schönes Mädchen* de la classe qu'il avait effectivement fait serment d'épouser. Ça remontait à tellement loin, nom de Dieu, comme les sketchs de Fred Allen ou les films de W.C. Fields. Depuis 1947, Frink avait bien dû croiser six cent mille Japonais, il avait parlé à certains, et l'envie de les écrabouiller, tous ou chacun, ne s'était purement et simplement jamais matérialisée passé les premiers mois. Ce n'était plus pertinent, voilà tout.

Attends, attends. Il y en avait un, un certain M. Omuro, qui avait acheté une vaste zone d'immeubles d'habitation dans le centre de San Francisco et qui avait loué un moment une de ses chambres à Frink. Une vraie pourriture. Un requin qui ne faisait jamais de réparations, divisait les pièces en réduits de plus en plus minuscules, augmentait les loyers... Omuro extorquait leur argent aux pauvres, surtout les anciens appelés au chômage, quasi sans ressources, pendant la dépression du début des années 1950. C'était pourtant une des Missions Commerciales japonaises qui avait fini par avoir sa tête de profiteur de guerre. De nos jours, on n'entendait plus parler de violations pareilles du code civil japonais, sévère, rigide, mais juste. Il fallait porter cette amélioration au crédit des occupants haut placés : ils étaient incorruptibles, notamment les plus jeunes, arrivés après la chute du Cabinet de guerre.

L'évocation de la rude et stoïque honnêteté des Missions Commerciales rassura Frink. Wyndam-Matson en personne y serait écarté d'un geste négligent, telle une mouche bourdonnante. Peu importait qu'il fût propriétaire de la W.-M. Corporation. Du moins était-il permis de l'espérer. *On dirait que je crois vraiment à leur truc, là, l'Alliance Pacifique de Coprospérité*, se dit Frink. *Bizarre. Quand on repense à ses débuts… ça avait tellement l'air d'une arnaque, à l'époque. Propagande pure et simple. Alors que maintenant…*

Il se leva pour gagner la salle de bains d'une démarche hésitante. Pendant qu'il se lavait et se rasait, la radio diffusait les nouvelles de midi.

« … Ne nous gaussons pas de cet effort », disait-elle au moment où il coupa l'eau chaude.

Non, non, nous ne nous en gausserons pas, songeat-il avec amertume. Il savait pertinemment de quel effort il était question. N'empêche que ça avait un côté comique : l'image d'Allemands trapus, renfrognés, très occupés à parcourir Mars, à fouler le sable rouge sur lequel aucun homme n'avait encore jamais posé le pied. Frink se mit à fredonner une petite chanson satirique en se couvrant de mousse le menton et les joues. *Gott, Herr Kreisleiter. Ist dies vielleicht der Ort wo man das Konzentrationslager bilden kann ? Das Wetter ist so shön. Heiss, aber doch schön…*

« … La civilisation de la coprospérité doit à présent prendre le temps de se demander si sa quête, qui vise à une équité équilibrée où devoirs et responsabilités mutuels sont couplés aux rémunérations… » continuait la radio. Le jargon caractéristique de la hiérarchie dominante. « … ne l'a pas empêchée de percevoir l'arène future dans laquelle se joueront les affaires de l'homme, qu'il soit nordique, japonais, négroïde… »

Et ainsi de suite.

En s'habillant, Frink tournait et retournait avec plaisir sa petite satire dans sa tête. *Le temps est beau, oui, si* schön, *mais on ne peut pas respirer…*

Le fait n'en demeurait pas moins : le Pacifique n'avait rien tenté pour coloniser les autres planètes. Il s'était engagé – ou, plutôt, enlisé – en Amérique du Sud. Pendant que les nazis envoyaient avec ardeur dans l'espace d'énormes engins de construction robotiques, les Japonais en étaient toujours à incendier la jungle brésilienne et à bâtir des immeubles en terre de huit étages pour d'anciens chasseurs de têtes. Quand les Japs feraient décoller leur premier vaisseau spatial, les Allemands tiendraient déjà tout le système solaire. À l'époque surannée dont parlaient les livres d'histoire, ils avaient raté le coche alors que les autres pays d'Europe mettaient la touche finale à leurs empires coloniaux. Cette fois, ils n'arriveraient pas bons derniers ; ils avaient appris.

Ce fut alors que Frink pensa à l'Afrique et aux expériences menées par les nazis sur le continent noir. Son sang se figea dans ses veines, hésita puis reprit sa course.

Cette immense ruine déserte.

« … il faut toutefois considérer avec fierté l'accent que nous avons mis sur les besoins physiques des peuples du monde entier, les aspirations sous-spirituelles qu'il convient de… » poursuivait la radio.

Frink l'éteignit. Puis, plus calme, la ralluma.

Par la grande chiasse divine. L'Afrique. Les fantômes des tribus défuntes. Balayées de la surface du globe pour céder la place à un pays de… de quoi ? Qui savait ? Peut-être les maîtres architectes de Berlin l'ignoraient-ils eux-mêmes. Des nuées d'automates, œuvrant et bâtissant. Bâtissant ? Réduisant en poussière. Des ogres tout droit sortis d'une exposition de paléontologie, fabriquant un bol à partir du crâne de leur ennemi qu'ils s'appliquaient en famille à vider de sa cervelle crue – se nourrir avant tout. Ensuite, confectionner de précieux ustensiles avec les os des jambes. Il fallait avoir le sens de l'économie pour penser non seulement à manger les gens qu'on n'aimait pas, mais aussi à les servir dans leur propre crâne. Les premiers techniciens ! L'homme préhistorique dans sa blouse blanche stérile d'un quelconque laboratoire universitaire de Berlin, testant les différents usages auxquels soumettre la peau, les oreilles, la graisse, le squelette humains. *Ja, ja, Herr Doktor.* Une nouvelle utilisation du gros orteil ; il est possible d'en adapter l'articulation pour fabriquer un mécanisme de briquet ultra-rapide, vous voyez. Ah, si seulement Herr Krupp pouvait le produire en quantité…

Cette pensée horrifia Frink : *Le gigantesque cannibale quasi humain d'antan s'est épanoui ; il domine le monde, une fois de plus. On a passé un million d'années à lui échapper, et le voilà de retour. Pas en simple adversaire, non, en maître.*

« … nous pouvons déplorer », disaient à la radio les petits foies jaunes de Tokyo. *Mon Dieu*, songea encore Frink. *Quand je pense qu'on les traitait de singes.* Des gringalets aux jambes arquées qui n'auraient ni installé de grands fours à gaz ni fait fondre leurs femmes pour obtenir de la cire à cacheter. « … et nous avons souvent déploré, par le passé, le terrible gaspillage d'hommes auquel mène la quête fanatique qui coupe la plupart d'entre eux de la communauté légale… » Les Japs attachaient une telle importance à la loi. « … Pour citer un saint occidental bien connu, *Que servirait-il à un homme de gagner tout le monde, s'il perdait son âme ?* » La voix s'interrompit. Frink aussi, qui nouait sa cravate. Les ablutions matinales.

C'est maintenant ou jamais. Il faut que je signe le pacte. Liste noire ou pas, je suis un homme mort si je quitte les territoires contrôlés par les Japonais pour pointer le nez dans le Sud ou en Europe – n'importe où dans le Reich.

Il va bien falloir que je me réconcilie avec ce vieux schnoque de Wyndam-Matson.

Assis sur son lit, une tasse de thé tiède à portée de main, Frink s'empara de son exemplaire du *Yi King* puis tira de leur étui de cuir les quarante-neuf tiges d'achillée. Après quoi il prit le temps de maîtriser ses pensées et de définir ses interrogations.

« De quelle manière dois-je aborder Wyndam-Matson si je veux arriver à une réconciliation satisfaisante pour les deux parties ? » demanda-t-il à voix haute.

Il coucha ensuite la question sur son bloc-notes puis entreprit de se transférer les tiges d'une main dans l'autre jusqu'à obtenir le trait inférieur, le premier. Résultat : un huit, qui éliminait d'office la moitié des soixante-quatre hexagrammes. Nouvelle division des tiges, nouveau trait, le deuxième. Étant donné son expérience, Frink ne tarda pas à disposer aussi des quatre suivants. Il n'eut même pas besoin de consulter la table pour identifier l'hexagramme qu'il venait de représenter : il s'agissait du quinze – K'ien, l'Humilité. Ce qui est en bas s'élève, ce qui est en haut s'abaisse, le puissant s'humilie. Nul besoin non plus de se référer au texte, Frink le connaissait par cœur. Il venait de recevoir un présage encourageant. L'oracle lui était favorable.

Une certaine déception le tenaillait pourtant. Le quinze avait quelque chose d'un peu bêta, de gentillet. *Bien sûr* qu'il allait donner tous les signes d'humilité requis. N'empêche qu'il y avait peut-être quelque chose à retenir de ce tirage. Après tout, il n'avait aucune prise sur W.-M. Il ne pouvait pas obliger son ex-patron à lui redonner du travail. Tout ce qu'il pouvait faire, c'était adopter le point de vue de l'hexagramme ; dans un moment pareil, on en était réduit à solliciter, à espérer et à attendre avec confiance. L'heure venue, le ciel l'élèverait jusqu'à son ancienne position, voire plus haut.

Inutile de lire les commentaires associés aux différents traits : il n'y avait ni neuf ni six ; tout était stable. Terminé, donc. Le quinze ne mutait pas pour donner un autre hexagramme.

Frink pouvait passer à la question suivante.

« J'aimerais savoir si je reverrai Juliana, un jour ou l'autre », lança-t-il à voix haute, après s'être préparé à un nouveau tirage.

Il voulait parler de sa femme. Ou, plutôt, de son ex-femme, car Juliana avait demandé le divorce un an plus tôt. Il ne l'avait pas vue depuis des mois. Il ne savait même pas où elle vivait. De toute évidence, elle avait quitté San Francisco. Voire les P.S.A. Soit elle ne donnait plus de nouvelles à leurs amis communs, soit ils le cachaient à Frink.

Il se remit à diviser les tiges, sans les quitter du regard. Combien de fois n'avait-il pas interrogé l'oracle au sujet de Juliana, pour une raison ou pour une autre ? L'hexagramme apparaissait, porté par les mouvements passifs aléatoires des tiges d'achillée. Aléatoires, mais enracinés dans le moment que vivait le consultant, celui où il était lié à toutes les autres vies et particules de l'univers. L'hexagramme indispensable, dont le motif de traits pleins et brisés représentait la *situation*. Frink, Juliana, l'usine de Gough Street, les Missions Commerciales dominatrices, l'exploration des planètes, les milliards de tas de produits chimiques qu'on ne pouvait même plus qualifier de corps, dispersés en Afrique, les aspirations des milliers de gens alentour, occupants des quartiers pauvres de San Francisco, les fous de Berlin à l'air sensés et aux projets déments – le tout lié, au moment où Frink manipulait les tiges d'achillée pour sélectionner la perle de sagesse parfaitement adéquate dans un livre ébauché dès le xxxe siècle avant Jésus-Christ. Un livre créé cinq mille ans durant par les sages chinois, passé au crible, perfectionné, une superbe cosmologie – une superbe science –, codifiée avant que l'Europe ait seulement découvert la division longue.

L'hexagramme. Le cœur de Frink se serra. Le quarante-quatre, Venir à la Rencontre. Jugement dégrisant. *La jeune fille est puissante. On ne doit pas épouser une telle jeune fille.* Obtenu une fois de plus par rapport à Juliana.

Oy vey. Il reprenait son calme. *Alors elle ne me convenait pas. Je sais bien. Ce n'était pas la question. Pourquoi faut-il que l'oracle me rappelle une chose pareille ? Je n'ai pas eu de chance de faire sa connaissance et d'en tomber amoureux – d'en rester amoureux.*

Juliana… la plus belle femme qu'il ait jamais épousée. Cheveux et sourcils noirs comme le charbon ; traces de sang espagnol réparties en couleur pure jusque sur les lèvres. Démarche élastique, silencieuse ; elle portait encore les chaussures confortables à la mode pendant ses années de lycée. À vrai dire, elle avait toujours quelque chose de dépenaillé, avec ses vêtements à l'air usé, passé. Frink et elle avaient été tellement fauchés tellement longtemps, pendant leur vie de couple, qu'elle s'habillait malgré sa beauté d'un pull en coton, d'une veste en tissu à fermeture, d'une jupe en tweed brun et de soquettes. Elle détestait son mari et sa tenue, qui, d'après elle, lui donnait l'allure d'une joueuse de tennis ou (pire) d'une cueilleuse de champignons.

Mais ce qui avait le plus attiré Frink, chez elle, c'était son expression loufoque ; elle accueillait les inconnus par un sourire de *shmuck* solennel façon Joconde qui les faisait hésiter entre deux réactions, la saluer ou pas. Or elle était si séduisante que, la plupart du temps, ils la saluaient… après quoi elle les dépassait tranquillement de sa démarche glissée. Au début, il l'avait crue myope, tout simplement, mais il avait fini par en arriver à la conclusion que sa conduite dans ces cas-là trahissait au fond une stupidité bien ancrée, par ailleurs indétectable. Aussi s'agaçait-il de ce signal fugace, imprécis, qu'elle adressait à n'importe qui, de même que de la manière dont elle allait et venait – silencieuse, aussi expressive qu'une plante, genre « je me livre à des occupations mystérieuses ». N'empêche que même dans ces moments-là, vers la fin, quand ils passaient leur temps à se disputer, il ne l'avait jamais vue que comme une invention divine pure et simple, lâchée dans sa vie à lui pour des raisons à jamais impénétrables. Une vision qui l'empêchait de surmonter la séparation : il avait une sorte d'intuition religieuse, de foi en elle.

Elle lui semblait si proche à cet instant précis… à croire qu'elle était toujours là. Son esprit, toujours actif dans l'existence de Frink, arpentait la petite chambre à la recherche de… de ce que cherchait Juliana – quoi que ce puisse être. Elle était là dans les pensées de son ex, chaque fois qu'il consultait les deux volumes de l'oracle.

Assis sur son lit, entouré de son désordre de solitaire, prêt à commencer sa journée à l'extérieur, Frank Frink se demanda qui interrogeait le *Yi King* en même temps que lui, dans la vaste cité complexe de San Francisco. Les autres requérants recevaient-ils une réponse aussi lugubre ? Le caractère du Moment leur était-il également défavorable ?

CHAPITRE DEUX

M. Nobusuke Tagomi consultait le cinquième classique divin de la sagesse confucéenne, l'oracle taoïste connu depuis des siècles sous le nom de *Yi King* ou *Livre des mutations*. À midi, une certaine appréhension l'avait envahi à la pensée du rendez-vous de deux heures avec M. Childan.

Ses bureaux, sis au vingtième étage du Nippon Times Building de Taylor Street, avaient vue sur la baie. Le mur de verre lui permettait de contempler les bateaux qui arrivaient en passant sous le Golden Gate. Un cargo se découpait à cet instant précis au-delà d'Alcatraz, mais M. Tagomi n'y prêtait aucune attention. Il s'approcha des grandes vitres pour libérer la cordelette du store en bambou, qu'il laissa descendre devant le paysage. Le vaste bureau central s'assombrit. Plus besoin de plisser les yeux dans la lumière éclatante ; on pouvait maintenant penser clairement.

M. Tagomi en arrivait à la conclusion qu'il n'était pas en son pouvoir de complaire à son client. Peu importait ce qu'apporterait M. Childan, l'inconnu n'en serait pas impressionné. *Affrontons la réalité*, se dit M. Tagomi. *Mais, au moins, évitons le déplaisir de notre hôte.*

Ne l'insultons pas en lui présentant un piètre cadeau.

L'hôte en question ne tarderait pas à arriver à l'aéroport de San Francisco, dans la nouvelle fusée allemande stratosphérique, la Messerschmitt 9-E. M. Tagomi, qui n'avait jamais emprunté ce type d'engin, devrait veiller à prendre l'air blasé en faisant la connaissance de M. Baynes, si imposant que pût être l'appareil. Mieux valait s'exercer. Planté devant le miroir accroché au mur, M. Tagomi se composa une expression de calme vaguement teinté d'ennui en examinant son visage froid, à la recherche du moindre signe d'émotion involontaire. *Oui, en effet, M. Baynes, elles sont extrêmement bruyantes. Impossible de lire. Mais il est vrai qu'on arrive de Stockholm à San Francisco en quarante-cinq minutes seulement.* Peut-être placer un mot sur les échecs allemands en matière de mécanique ? *Je suppose que vous avez écouté la radio. Une fusée s'est écrasée à Madagascar. Il faut bien avouer que les avions à hélices avaient leurs avantages.*

Éviter absolument de parler politique. M. Tagomi ignorait en effet ce que pensait M. Baynes des grands sujets de l'actualité. Il se pouvait pourtant qu'ils se présentent. M. Baynes était suédois, donc neutre. Mais il avait préféré la Lufthansa à la S.A.S. Stratagème prudent… *Il paraît que Herr Bormann est malade. Que le Partei va choisir cet automne un nouveau chancelier du Reich.* S'agissait-il d'une simple rumeur ? Tant de secrets subsistaient, hélas, entre le Pacifique et le Reich.

Dans le dossier posé sur le bureau se trouvait un article du *New York Times* consacré à un discours récent de M. Baynes. M. Tagomi l'examinait à présent d'un œil critique, penché en avant pour compenser la légère imperfection de la correction apportée par ses lentilles de contact. Le discours parlait de la nécessité d'explorer une fois de plus – la quatre-vingt-dix-huitième ? – la Lune, à la recherche d'eau. *« Peut-être parviendrons-nous à résoudre ce terrible dilemme »*, avait dit M. Baynes, d'après le journal. *« Notre plus proche voisine reste la moins gratifiante jusqu'ici, à part dans une optique militaire. » Sic !* se dit le directeur de la Mission Commerciale, en bon latin. *Un indice sur le visiteur. Considère la chose purement militaire avec méfiance.* Il fallait en prendre note.

M. Tagomi pressa le bouton de l'interphone.

« Mlle Ephreikian, voulez-vous bien apporter votre magnétophone, je vous prie ? »

La porte du bureau coulissa, et Mlle Ephreikian fit son entrée, les cheveux joliment ornés de fleurs bleues.

« Du lilas », constata son supérieur, qui avait autrefois cultivé des fleurs en professionnel, sur Hokkaido. La jeune femme, une grande Arménienne brune, s'inclina. « Votre Zip-Track Speed Master est-il prêt ?

— Oui, M. Tagomi. »

Elle s'assit, son magnétophone portable à piles sur les genoux.

« J'ai posé à l'oracle la question : *Ma rencontre avec M. Childan sera-t-elle profitable ?* À ma grande détresse, j'ai obtenu en réponse un hexagramme de mauvais augure. La Prépondérance du Grand. La poutre faîtière ploie, car ses extrémités porteuses sont trop faibles pour la charge. Déséquilibre. Nous sommes manifestement loin du Tao. »

Le magnétophone bourdonnait.

Mlle Ephreikian fixa sur son patron un regard interrogateur. Le bourdonnement s'interrompit.

« Veuillez demander à M. Ramsey de nous rejoindre un instant, je vous prie, dit M. Tagomi.

— Bien, monsieur. »

Elle se leva, posa le magnétophone puis quitta le bureau au rythme battu par ses talons.

M. Ramsey apparut, un gros dossier de polices de chargement sous le bras. Jeune, souriant, arborant la coquette cravate ficelle des plaines du Midwest américain, une chemise à carreaux et le jean serré sans ceinture imposé par la mode.

« Salut, vieux, lança-t-il. Quel temps magnifique aujourd'hui, monsieur. »

Son supérieur s'inclina.

Ce que voyant, M. Ramsey se raidit brusquement puis s'inclina, lui aussi.

« Je viens de consulter l'oracle », déclara M. Tagomi pendant que Mlle Ephreikian se rasseyait, le magnétophone sur les genoux. « Vous êtes conscient que M. Baynes, qui, comme vous le savez, ne va pas tarder à arriver en personne, est le fruit de l'idéologie nordique en ce qui concerne la prétendue culture orientale. Je pourrais faire l'effort de l'éblouir afin de le mener à une meilleure compréhension grâce à d'authentiques peintures sur rouleau ou à des céramiques de la période Tokugawa… mais il n'entre pas dans mes fonctions de le convertir.

— Je vois », acquiesça M. Ramsey, ses traits caucasiens déformés par une concentration douloureuse.

« Voilà pourquoi je m'inclinerai devant ses préjugés et lui offrirai plutôt un artefact américain de grande valeur.

— Certes.

— Vous êtes quant à vous d'ascendance américaine. Bien que vous vous soyez donné la peine de foncer votre peau. »

M. Tagomi scrutait M. Ramsey.

« Bronzage par lampes, murmura le jeune homme. Pour la vitamine D, exclusivement. » Toutefois, la honte qu'il éprouvait manifestement le trahissait. « Je peux vous assurer que je conserve des racines authentiques et que… » Il trébucha sur les mots. « Je n'ai pas coupé les ponts avec... les habitudes ethniques indigènes.

— Reprenez, je vous prie », demanda M. Tagomi à Mlle Ephreikian. Le magnétophone se remit à bourdonner. « En consultant l'oracle, j'ai obtenu l'hexagramme Ta Kouo, le vingt-huit, avec en cinquième position le trait défavorable neuf, d'après lequel :

Un peuplier flétri produit des fleurs.
Une femme d'un certain âge prend mari.
Pas de blâme. Pas de louange.

Ce qui signifie clairement que M. Childan n'aura rien de précieux à nous proposer à deux heures. » M. Tagomi s'interrompit. « Soyons honnêtes. Je ne peux me fier à mon propre jugement en ce qui concerne les œuvres d'art américaines. C'est pourquoi un... » Il prit le temps de bien choisir ses mots. « C'est pourquoi j'ai besoin de vous, M. Ramsey, qui êtes un *indigène*, dirons-nous. Il ne nous reste évidemment qu'à faire de notre mieux. »

M. Ramsey n'avait rien à répondre mais, malgré ses efforts de dissimulation, son expression trahissait à la fois colère et déception – une réaction de frustration muette.

« Bien, continua son supérieur. Je ne me suis pas arrêté là dans la consultation de l'oracle, mais des raisons politiques m'empêchent de vous dévoiler la question suivante. » En d'autres termes, signifiait le ton employé, les *pinocs* dans votre genre ne sont pas admis à connaître les sujets importants qui occupent les hautes sphères. « Il vous suffit de savoir que j'ai obtenu une réponse des plus provocantes, qui m'a conduit à de longues réflexions. »

M. Ramsey et Mlle Ephreikian fixaient tous deux leur patron avec attention.

« Il s'agit de M. Baynes », déclara-t-il.

Ils hochèrent la tête.

« La question que je lui ai consacrée m'a mené par les rouages occultes du Tao à l'hexagramme Cheng, le quarante-six. Un jugement favorable, où le six occupait la première position et le neuf la deuxième. »

M. Tagomi avait demandé : *Réussirai-je à traiter avec M. Baynes ?* Le neuf en deuxième position représentait une réponse positive :

Si l'on est sincère,
Il est avantageux de présenter une offrande, même petite.
Pas de blâme.

De toute évidence, M. Baynes s'estimerait satisfait du cadeau de l'Estimable Mission Commerciale, quel qu'il soit. Lorsque M. Tagomi avait formulé sa question, cependant, une interrogation plus vaste, à peine consciente, rôdait au fin fond de son esprit. Comme toujours ou presque, l'oracle l'avait perçue et, tout en répondant à la demande de façade, avait pris sur lui de traiter également de cette incertitude subliminale.

« Vous savez que M. Baynes nous apporte des informations détaillées sur les nouveaux moules à injection mis au point en Suède, continua M. Tagomi. Si nous parvenions à signer un accord avec son entreprise, nous serions indubitablement à même de remplacer par des plastiques beaucoup des métaux peu abondants employés à l'heure actuelle. »

Le Pacifique essayait depuis des années d'obtenir un minimum d'aide du Reich dans le domaine des matériaux synthétiques, mais les grands cartels chimiques allemands, I.G. Farben en tête, protégeaient leurs brevets ; à vrai dire, ils avaient même créé un monopole mondial des plastiques, surtout en ce qui concernait l'usage des polyesters. Le Reich conservait ainsi la haute main sur le commerce au détriment du Pacifique, qui accusait un retard technologique d'une dizaine d'années, minimum. Les fusées interplanétaires décollant de Festung Europa étaient composées pour l'essentiel de plastiques résistants à la chaleur, très légers, assez durs pour supporter jusqu'à une collision majeure avec une météorite. Le Pacifique ne disposait de rien de tel ; il utilisait toujours les fibres naturelles telles que le bois, ainsi bien sûr que les piètres alliages métalliques omniprésents. Cette seule pensée faisait frémir M. Tagomi ; il avait vu dans des salons professionnels certaines productions allemandes de pointe, y compris une automobile entièrement synthétique, la D.S.S. – *Der Schnelle Spuk* – qui coûtait environ six cents dollars P.S.A.

Sa question sous-jacente, qu'il lui était strictement impossible de dévoiler aux *pinocs* arpentant d'un pas léger les bureaux de la Mission Commerciale, était cependant inspirée par une facette de M. Baynes à laquelle avait fait allusion un câble crypté expédié de Tokyo. Il fallait dire avant toute chose que les messages cryptés étaient peu fréquents et concernaient en principe des problèmes de sécurité, pas des contrats commerciaux. Ensuite, le code était du genre métaphorique, puisqu'il reposait sur l'allusion poétique, adoptée pour égarer les opérateurs d'interception du Reich – capables de percer n'importe quel chiffre littéral, si élaboré soit-il. Les autorités tokyoïtes visaient donc incontestablement le Reich, pas les cliques quasi déloyales de l'archipel. La phrase clé, « Le lait écrémé fait son ordinaire », renvoyait à *Pinafore*, l'opérette où une curieuse chanson professait que « … Les choses sont rarement ce qu'elles paraissent / Le lait écrémé passe pour la crème. » Le *Yi King*, consulté, avait renforcé l'impression de M. Tagomi par ce commentaire :

On suppose ici la présence d'un homme fort. Sans doute il n'est pas adapté à son entourage, car il est trop rude et donne trop peu de place aux formes. Mais il possède la droiture intérieure, c'est pourquoi on vient au-devant de lui et sa négligence des formes extérieures ne lui porte pas préjudice.

Voilà qui laissait purement et simplement entendre que M. Baynes n'était pas ce qu'il paraissait ; que son but en venant à San Francisco n'était pas de signer des accords sur les moules à injection. Qu'il s'agissait d'un espion.

Mais, la tête sur le billot, M. Tagomi aurait été bien incapable de dire quel but poursuivait ledit espion.

Cet après-midi-là, à une heure quarante, Robert Childan ferma à double tour la porte principale d'American Artistic Handcrafts Inc., sans le moindre empressement. Il traîna ses lourdes marchandises jusque sur le trottoir, héla un cyclo-pousse et demanda au conducteur de l'emmener au Nippon Times Building.

Le *chintok*, émacié, voûté et suant, haleta vaguement qu'il connaissait l'adresse, chargea les sacs puis aida son client à prendre place dans le fauteuil moquetté. Après avoir enclenché le compteur, il se hissa en selle et se mit à pédaler dans Montgomery Street, parmi les voitures et les autobus.

Childan, qui avait passé sa journée à chercher l'artefact idéal, regardait maintenant défiler les immeubles, en proie à une amertume et une anxiété envahissantes. Pourtant, pourtant... il triomphait. Un don distinct, indépendant du reste de son être, lui avait permis de sélectionner l'objet adéquat. M. Tagomi en serait apaisé et son visiteur – quel qu'il soit – enchanté. *Je donne toujours satisfaction*, se dit Childan. *À mes visiteurs.*

Il avait réussi à se procurer par miracle un exemplaire en excellent état du premier numéro de *Tip Top Comics*, une superbe pièce d'art américain des années 1930 ; il s'agissait d'une des toutes premières bandes dessinées, un trophée traqué en permanence par les collectionneurs. Childan avait évidemment sélectionné d'autres objets, qu'il comptait dévoiler avant la B.D., laquelle représenterait le point d'orgue de sa présentation. Elle attendait à l'abri dans une boîte en cuir enveloppée de papier de soie, rangée bien au milieu du plus gros sac.

La radio du cyclo-pousse luttait contre celles des autres taxis, des voitures et des bus par des chansons populaires vociférantes qu'il n'entendait même pas ; l'habitude. Il ne voyait pas non plus les énormes enseignes lumineuses qui dissimulaient en permanence la façade des immeubles de bonne taille. Après tout, il avait la sienne au magasin ; de nuit, elle joignait au feu d'artifices sa violente palpitation lumineuse. On ne pouvait pas se faire de publicité, sans ça ; il fallait être réaliste.

À vrai dire, le vacarme des radios et de la circulation, les enseignes et les passants apaisaient Childan, effaçaient ses soucis. Et puis il aimait se faire transporter par un être humain pédalant, sentir les contractions musculaires du *chintok* se transmettre à lui en vibrations régulières ; tout bien considéré, c'était une sorte de machine de détente. Se laisser emporter au lieu d'avoir à porter. Occuper la meilleure position – ne serait-ce qu'un instant.

Une pointe de remords l'obligea à se secouer. Vu tout ce qu'il devait préparer, il ne pouvait pas se permettre une petite sieste. Était-il vêtu avec la correction absolue requise pour une visite au Nippon Times Building ? Peut-être allait-il s'évanouir dans l'ascenseur à grande vitesse. Toutefois, il avait emporté des cachets de fabrication allemande contre le mal des transports. Les différentes manières de s'adresser à ses interlocuteurs… il les connaissait. Qui traiter poliment ou impoliment. Se montrer brusque avec le portier, le groom, le réceptionniste, le guide, tout ce qui rappelait de près ou de loin un concierge. S'incliner devant le moindre Japonais, évidemment, même si ça signifiait des centaines de courbettes. Quant aux *pinocs*… zone floue. S'incliner, mais en regardant à travers ces gens comme s'ils n'existaient pas. Bon, ce résumé recouvrait-il toutes les situations envisageables ? Et si Childan croisait un étranger ? Il y avait souvent des Allemands dans les bureaux des Missions Commerciales, de même que des neutres.

Il risquait aussi de voir un esclave.

Des bateaux allemands ou sudistes transitaient sans arrêt par San Francisco, où les noirs étaient parfois autorisés à en descendre brièvement. Jamais en groupes de plus de trois. Et jamais après le crépuscule. Même les lois du Pacifique les obligeaient à respecter le couvre-feu. Certains esclaves travaillaient cependant comme dockers ; ceux-là vivaient à terre, dans des cabanes construites sous les quais, au-dessus de la ligne de marée. Il n'y en aurait pas dans les bureaux de la Mission Commerciale, mais si on déchargeait un cargo sur le port… Childan devrait-il, par exemple, porter lui-même ses sacs jusqu'au bureau de M. Tagomi ? Certainement pas. Il lui faudrait mettre la main sur un esclave, quitte à attendre une heure. À manquer le rendez-vous. Il était hors de question qu'un noir le voie porter quoi que ce soit ; il fallait y veiller. Une erreur de ce genre risquait de lui coûter cher ; ceux qui en seraient témoins n'auraient plus aucun respect pour lui.

D'une certaine manière, ça me ferait presque plaisir de me charger de mes sacs devant tout le monde, une fois au Nippon Times Building, se dit-il. *Un geste grandiose. On ne peut pas dire que ce soit illégal ; on ne me jetterait pas en prison. Ce serait une manière de montrer ce que je pense vraiment, une facette de ma personnalité qui ne s'exprime jamais en public. Mais...*

J'en serais capable sans ces sales noirs, ces esclaves qui traînent partout ; je supporterais le dédain de mes supérieurs – après tout, ils me dédaignent et m'humilient en permanence. Mais le mépris de mes inférieurs... Comme ce chintok, *par exemple. Si je n'avais pas pris un cyclo-pousse, s'il m'avait vu aller à pied à un rendez-vous d'affaires...*

C'étaient les Allemands les responsables de la situation. Avec leur tendance à avoir les yeux plus gros que le ventre. Ils avaient déjà eu bien du mal à gagner la guerre, mais ensuite, ils s'étaient aussitôt lancés à la conquête du système solaire tout en passant, chez eux, des lois qui... Enfin, au moins, c'était une bonne idée. Et puis ils avaient réussi avec les Juifs, les gitans et les témoins de Jéhovah. Quant aux Slaves, ils avaient régressé de deux mille ans, jusque dans leurs mères patries asiatiques. L'Europe en était entièrement débarrassée, au soulagement général. Ils chevauchaient de nouveau des yaks en chassant à l'arc. Et les superbes magazines sur papier glacé, imprimés à Munich, qu'on trouvait dans les bibliothèques et chez les vendeurs de journaux... les photos couleur pleine page parlaient d'elles-mêmes : les colons aryens blonds aux yeux bleus labouraient, cultivaient, récoltaient industrieusement dans le vaste grenier à blé universel qu'était devenue l'Ukraine. Ils avaient l'air heureux, c'était sûr. Fermes et maisonnettes pimpantes. Fini, les ivrognes polonais sans cervelle, vautrés sur des vérandas décrépites ou vendant à la criée quelques navets chétifs au marché du village. Ce genre de choses appartenait au passé, tout comme les routes de terre crevassées qui se transformaient autrefois en bourbiers à la mauvaise saison et où les charrettes s'enlisaient.

Mais l'Afrique. Ils s'étaient tout simplement laissé emporter par l'enthousiasme ; on ne pouvait qu'admirer une chose pareille, même s'ils avaient manqué de bons conseillers pour les avertir d'attendre, entre autres, que le projet Labours touche à son terme. Là, *là*, les nazis avaient prouvé leur génie ; les artistes en eux s'étaient vraiment révélés. La Méditerranée embouteillée, asséchée, transformée en terres arables grâce à l'énergie atomique... quelle audace ! Les ricaneurs en étaient restés sidérés, certains commerçants persifleurs de Montgomery Street, par exemple. Il fallait d'ailleurs reconnaître que l'Afrique avait presque été une réussite... mais, dans le cadre d'un projet pareil, le *presque* était de fort mauvais augure. La célèbre brochure de Rosenberg, parue en 1958, avait marqué les esprits ; à ce moment-là, l'information avait transpiré. *Quant à la solution finale du problème africain, nous avons presque atteint notre objectif. Malheureusement...*

Mais enfin, il avait fallu deux cents ans pour se débarrasser des aborigènes américains, alors que les Allemands avaient presque terminé le travail en une quinzaine d'années avec les Africains. La critique n'avait donc rien de légitime. Childan l'avait même écartée récemment, lors d'un déjeuner avec les commerçants en question. De toute évidence, ils attendaient des miracles, comme si les nazis pouvaient modeler le monde par magie. Mais non, ils le transformaient par la science, la technologie et une fabuleuse capacité à travailler dur ; les Allemands étaient tellement appliqués ; toujours. Quand ils faisaient quelque chose, ils le faisaient *bien*.

Quoi qu'il en soit, les vols pour Mars avaient distrait l'attention mondiale des problèmes africains. On en revenait donc à ce que Childan avait dit à ses collègues : *Les nazis ont quelque chose qui nous manque, à nous – la noblesse. On ne peut qu'admirer leur efficacité et leur amour du travail... mais c'est le rêve qui exalte. Les fusées envoyées sur la Lune d'abord, sur Mars ensuite ; voilà la plus ancienne aspiration de l'humanité, son plus grand espoir de gloire. D'un autre côté, les Japonais. Je les connais bien, puisqu'il s'agit de mes clients de tous les jours. Ce sont des... des Orientaux, disons-le franchement. Des jaunes. Nous autres, blancs, devons nous incliner devant eux parce qu'ils sont au pouvoir, mais nous avons l'exemple allemand ; nous savons de quoi sont capables les blancs, quand ils ont gagné. C'est extrêmement différent.*

« Le Nippon Times Building n'est plus très loin, monsieur », annonça le *chintok*, dont la poitrine se soulevait par à-coups après l'épuisante ascension de la colline.

Il ralentit.

Son passager essaya de se représenter le client de M. Tagomi. Un homme d'une importance extraordinaire, manifestement, l'agitation et le ton du Japonais au téléphone en témoignaient. L'image d'un de ses propres clients ou, plutôt, de ses visiteurs les plus importants se présenta à l'esprit de Childan, un acheteur qui avait beaucoup fait pour sa réputation de marchand d'art parmi les personnalités de la baie.

Quatre ans plus tôt, il n'avait rien du fournisseur de perles rares qu'il était devenu depuis ; ce n'était que le gérant d'une petite librairie d'occasion chichement éclairée de Geary Street. Perdue parmi les quincailleries, les pressings, les magasins de meubles d'occasion. Un quartier peu plaisant. De nuit, les trottoirs étaient le théâtre de vols à main armée, voire de viols, malgré les efforts de la police de San Francisco ou même de la Kempeitai, son équivalente japonaise de plus haut rang. Leur journée de travail achevée, les commerçants protégeaient leurs vitrines par des grilles d'acier afin d'éviter les cambriolages. Rien de tout cela n'avait empêché un vénérable vieillard, le commandant en retraite Ito Humo, de s'aventurer jusqu'à la modeste librairie. Grand, mince, les cheveux blancs, la démarche et le dos raides, le commandant Humo avait donné à Childan le premier indice de ce que pouvait devenir un magasin tel que le sien.

« Je suis collectionneur », avait déclaré l'ex-militaire.

Il avait consacré un après-midi entier à passer au crible les piles de vieux magazines, en expliquant calmement à son hôte quelque chose qu'il n'avait pas vraiment compris, sur le moment : beaucoup de riches Japonais cultivés s'intéressaient presque autant aux artefacts historiques de la civilisation populaire américaine qu'aux antiquités classiques. Quant à savoir *pourquoi*, le commandant Humo n'en avait pas la moindre idée ; personnellement, il adorait les vieux magazines consacrés aux boutons en cuivre, ainsi que les boutons en question. C'était un peu l'équivalent d'un collectionneur de timbres ou de pièces de monnaie. Ce genre de passion n'avait aucune justification rationnelle, mais les riches collectionneurs payaient bien.

« Je vais vous donner un exemple, avait dit le vieil homme. Connaissez-vous les fameuses cartes des *Horreurs de la guerre* ? »

Il fixait d'un œil avide son interlocuteur, lequel avait dû fouiller dans sa mémoire pour se rappeler enfin : lesdites cartes accompagnaient les chewing-gums de son enfance. Un *cent* pièce. Il y en avait toute une série, chacune illustrant une horreur différente.

« Un de mes meilleurs amis en fait collection, avait continué l'ancien commandant. Il ne lui en manque qu'une, *Le Torpillage du Panay*. Il est prêt à y consacrer une somme coquette.

— Les cartes à retourner, avait brusquement coupé Childan.

— Je vous demande pardon ?

— Il fallait qu'elles se retournent. Elles avaient un côté pile et un côté face. » Il devait avoir dans les huit ans, à l'époque, il s'en souvenait. « Tout le monde en avait un paquet. On y jouait à deux, plantés presque nez à nez. En laissant chacun tomber une carte de manière à ce qu'elle se retourne en l'air. Celui dont la carte atterrissait côté face – côté image – vers le haut avait gagné. Il remportait celle de l'adversaire. »

Quel plaisir de se rappeler cette époque bénie – les délices de son enfance.

« Mon ami a déjà parlé en ma présence de ses *Horreurs de la guerre*, avait déclaré le vieillard, pensif, mais jamais il n'a mentionné une chose pareille. *À mon avis, il ignore à quoi elles servaient réellement.* »

L'ami en question avait fini par venir à la librairie dans le but d'écouter le compte rendu historique de première main de Childan. Il s'agissait également d'un officier de l'armée impériale à la retraite. Le récit l'avait fasciné.

« Les capsules de bouteille ! » s'était brusquement exclamé Childan, sans avertissement. Le Japonais avait cligné des yeux, perplexe. « On collectionnait aussi les capsules des bouteilles de lait, enfants. Les petits couvercles ronds qui portaient le nom de la laiterie. Il devait y avoir des milliers de laiteries aux États-Unis. Chacune imprimait sa capsule particulière. »

Les yeux de l'officier étincelaient sous le coup de cette intuition.

« Possédez-vous encore une partie de votre collection d'antan, monsieur ? » avait-il interrogé.

La réponse était évidemment négative, mais... sans doute pouvait-on se procurer çà et là les vieilles capsules d'avant guerre depuis longtemps oubliées, maintenant que le lait ne se vendait plus en bouteilles de verre, mais en briques.

Ainsi Childan était-il devenu du métier, par étapes. D'autres avaient ouvert le même genre de boutique pour profiter du succès fou des américaneries auprès des Japonais... mais il avait toujours gardé une longueur d'avance.

« Le prix de la course se monte à un dollar, monsieur », annonça le *chintok*, tirant le passager de sa méditation.

Le conducteur du cyclo-pousse attendait, après avoir déchargé les sacs.

Childan le paya machinalement. Oui, sans doute le client de M. Tagomi ressemblait-il au commandant Humo ; *de mon point de vue, du moins*, songea l'arrivant avec aigreur. Lui qui avait eu affaire à tellement de Japonais, il trouvait toujours aussi difficile de les distinguer les uns des autres. Les petits trapus ressemblaient à des lutteurs. Il y avait également le genre pharmaciens. Ou jardiniers – spécialistes des arbres, arbustes, fleurs... Il les rangeait par catégories. À ses yeux, les jeunes n'avaient en réalité rien de japonais. Le client de M. Tagomi serait sans doute un homme d'affaires corpulent, fumant un cigare philippin.

Ce fut alors qu'une pensée frappa brusquement Childan, planté sur le trottoir devant le Nippon Times Building, avec ses affaires : *Et si ce n'est pas un Japonais ?* Il avait choisi le contenu de ses sacs en pensant aux vainqueurs, à leurs goûts particuliers...

Non, c'en était forcément un. Au départ, M. Tagomi avait commandé une affiche de recrutement de la guerre de Sécession ; personne ne s'intéressait à ce genre de débris, à part les Japonais. C'était caractéristique de leur passion pour les banalités, de leur fascination légaliste pour la paperasse, les proclamations, la réclame. Childan se souvenait d'un client qui consacrait ses loisirs à collectionner les publicités presse des médicaments américains des années 1900.

Il avait toutefois d'autres problèmes. Immédiats. Un flot d'hommes et de femmes affairés empruntait dans les deux sens les hautes portes du Nippon Times Building. Bien habillés, tous ; lorsque leurs voix parvinrent aux oreilles du marchand, il s'ébranla en jetant un coup d'œil à l'immeuble qui le dominait, le plus haut de San Francisco. Une muraille de bureaux vitrés, le design fabuleux des architectes japonais... entouré d'un jardin de conifères nains et de rochers, paysage *karesansui* où le sable évoquait un ruisseau asséché serpentant entre des racines parmi de simples pierres plates irrégulières...

Un noir, chargé de bagages un instant plus tôt, s'était libéré.

« Porteur ! » appela Childan. L'esclave s'approcha, souriant. « Au vingtième, ordonna le visiteur de son ton le plus dur. Suite B. Tout de suite. »

Il montrait ses sacs. Puis il s'avança vers les portes ; sans un regard en arrière, évidemment.

Un instant plus tard, il se retrouvait entassé dans un des ascenseurs express, entouré de Japonais dont les visages immaculés brillaient légèrement à la vive lumière de la cabine. Vint alors l'écœurante poussée vers le haut, accompagnée du cliquetis rapide des portes qui défilaient ; les yeux clos, bien campé sur ses pieds, Childan pria que s'achève le vol. Le noir avait emporté ses affaires jusqu'à un ascenseur de service, évidemment. L'admettre dans celui-là aurait défié l'entendement. D'ailleurs – Childan ouvrit brièvement les yeux –, il faisait partie des rares blancs à l'occuper.

Lorsque la cabine le déposa au vingtième étage, il s'inclinait déjà mentalement pour se préparer à son entrevue avec M. Tagomi.

CHAPITRE TROIS

Juliana Frink levait les yeux vers le crépuscule quand un point lumineux traça dans le ciel une courbe étincelante, avant de disparaître à l'ouest. *Une fusée nazie*, se dit-elle. *En route pour la côte. Pleine de grosses pointures. Pendant que moi, je suis là en bas.* Elle agita la main, mais la fusée était déjà loin, forcément.

Les ombres des Rocheuses s'étiraient, tandis que leurs sommets bleus viraient à la nuit. Un vol d'oiseaux migrateurs longeait lentement les montagnes. Çà et là, des phares s'allumaient, têtes d'épingle jumelles apparaissant sur la voie rapide. Des lampes aussi – celles de la station-service ; des maisons.

Juliana vivait depuis des mois à Cañon City, Colorado, où elle était professeur de judo.

Sa journée de travail terminée, elle se préparait à prendre une douche. Fatiguée. Mais toutes les cabines étaient occupées par les clients de Ray's Gym, ce qui l'obligeait à attendre. Dehors, au frais, heureuse de profiter du silence et du parfum des montagnes. Seul lui parvenait le léger murmure du restoroute installé au bord de la voie rapide. Deux énormes camions Diesel s'étaient garés sur le parking. Les conducteurs venaient d'en descendre dans le crépuscule ; ils enfilaient leurs vestes en cuir avant d'aller manger.

Diesel ne s'est-il pas jeté par le hublot de sa cabine de luxe… noyé – suicidé – pendant un voyage en mer ? se demanda Juliana. *Peut-être devrais-je l'imiter.* Mais il n'y avait pas de mer dans le Colorado. Même s'il y avait toujours moyen. Comme dans Shakespeare. Une épingle en plein corsage, et adieu la mère Frink. La femme qui ne craint pas les maraudeurs errants du désert. Qui marche la tête haute, consciente de toutes les possibilités de radiculite offertes par l'adversité bavante aux aguets. Autant mourir en, disons, respirant des gaz d'échappement dans une ville jouxtant la voie rapide, peut-être par une longue paille.

Ça, elle l'avait appris des Japonais. La placidité acquise face à la mortalité, plus le judo rémunérateur. Comment tuer, comment mourir. Yin et yang. Mais c'était fini, maintenant ; en terre protestante.

Ça faisait du bien de voir les fusées nazies passer sans s'arrêter, sans trahir le moindre intérêt pour Cañon City, Colorado. Ni pour l'Utah, le Wyoming, l'est du Nevada – les vastes États désertiques ou herbeux, mais de toute manière dépeuplés. *On n'a aucune valeur. On peut vivre nos petites vies de rien du tout. Si on veut. Si on y attache la moindre importance.*

Le bruit d'une serrure qui jouait, dans les douches. Une silhouette, l'imposante Mlle Davis, lavée, habillée, le sac à main sous le bras.

« Oh, vous attendiez, Mme Frink ? Excusez-moi, je suis désolée.

— Mais je vous en prie, répondit Juliana.

— Le judo m'apporte tellement, vous savez. Encore plus que le zen. Je tenais à vous le dire.

— Affinez votre taille par le zen. Perdez du poids sans difficulté grâce au satori. Excusez-moi, Mlle Davis, je raconte n'importe quoi.

— Ils vous ont fait beaucoup de mal ?

— Qui ça ?

— Les Japonais. Avant que vous n'appreniez à vous défendre.

— C'était terrible. Vous n'êtes jamais allée sur la côte... là où ils sont.

— Je n'ai jamais quitté le Colorado, avoua timidement Mlle Davis, hésitante.

— Ça pourrait arriver ici. Ils pourraient décider d'occuper la région.

— Plus maintenant, c'est trop tard !

— On ne sait jamais ce qu'ils mijotent. On ne peut pas savoir ce qu'ils pensent vraiment.

— Que... à quoi vous ont-ils contrainte ? »

Serrant des deux bras son sac contre son corps, dans la pénombre crépusculaire, Mlle Davis se rapprocha de son interlocutrice pour mieux l'entendre.

« Tout, affirma Juliana.

— Seigneur. Je me battrais », déclara Mlle Davis.

Juliana s'excusa puis gagna la cabine de douche vacante, dont quelqu'un d'autre approchait, une serviette sur le bras.

Plus tard, installée dans un box du Tasty Charley's Broiled Hamburgers, elle parcourut le menu d'un œil distrait. Le juke-box passait de la country – guitare à résonateur et gémissements étranglés par l'émotion –, une lourde fumée grasse planait dans la salle, mais le petit établissement n'en restait pas moins assez chaleureux et lumineux pour lui redonner le moral. En partie grâce aux routiers assis au comptoir, à la serveuse et à Charley, l'imposant cuisinier irlandais en veste blanche, grand spécialiste des fritures, qui faisait de la monnaie à la caisse.

Il vint en personne s'occuper de Juliana.

« Mademoiselle désire une petite tasse de thé ? demanda-t-il d'une voix traînante, le sourire aux lèvres.

— Un café, répondit-elle, résignée à son humour impitoyable.

— Bon, bon, acquiesça-t-il.

— Et le burger en sauce.

— Pourquoi pas un bol de soupe aux nids de rats ? Ou de la cervelle de chèvre frite à l'huile d'olive ? »

Deux des routiers pivotèrent sur leur tabouret, amusés par ce petit sketch. Et remarquèrent alors avec plaisir que Juliana était extrêmement attirante. Ils l'auraient reluquée de la tête aux pieds même si le cuisinier ne l'avait pas chambrée. Ses mois de judo intensif l'avaient dotée d'un tonus musculaire exceptionnel ; elle savait qu'elle se tenait magnifiquement et que sa silhouette y gagnait.

Les muscles des épaules, se dit-elle en croisant le regard des deux hommes. *Les danseuses ont ça aussi. Rien à voir avec la taille. Envoyez vos femmes au gymnase, on leur apprendra. Et vous trouverez la vie tellement plus belle.*

« Ne l'approchez pas, les gars, prévint Charley en adressant un clin d'œil aux routiers. Elle va vous ratatiner.

— D'où venez-vous ? demanda-t-elle au plus jeune.

— Du Missouri, répondirent-ils en chœur.

— Vous êtes originaires des États-Unis ? continua-t-elle.

— Moi oui, acquiesça le plus âgé. De Philadelphie. J'ai trois enfants là-bas. L'aîné a onze ans.

— Dites-moi, c'est… facile de trouver un bon boulot, par chez vous ?

— Mais oui, intervint le plus jeune. À condition d'avoir la bonne couleur de peau. »

Il avait quant à lui un visage sombre au teint mat, entouré de boucles noires, l'air à présent amer et renfrogné.

« C'est un Rital, expliqua son collègue.

— L'Italie a bien gagné la guerre, non ? »

Juliana posait la question avec le sourire, mais l'Italien ne le lui rendit pas. L'éclat de ses yeux sombres s'intensifia encore, puis il se détourna brusquement.

Désolée, songea-t-elle, sans rien dire pourtant. *Je ne peux pas te guérir de ta peau foncée – je ne peux en guérir personne.* Elle pensa à Frank. *Je me demande s'il est déjà mort. S'il a dit ce qu'il ne fallait pas ; la mauvaise chose au mauvais moment. Non. D'une certaine manière, il aime bien les Japs. Peut-être s'identifie-t-il à eux parce qu'ils sont hideux.* Elle lui avait toujours dit qu'il était hideux. Des pores dilatés. Un gros nez. Sa peau à elle était si lisse – extraordinairement. *Est-il mort sans moi ? Frank, francolin, l'oiseau sur la branche. Il paraît que les oiseaux meurent de solitude.*

« Vous reprenez la route ce soir ? demanda-t-elle au jeune routier.

— Demain.

— Si vous n'aimez pas les États-Unis, vous pourriez vous installer de l'autre côté de la frontière, non ? Ça fait un moment que je vis dans les Rocheuses, on n'y est pas si mal. Avant, j'habitais sur la côte, à San Francisco. Là-bas aussi, ils sont sensibles à la couleur de peau.

— Madame, répondit l'Italien en lui jetant un rapide coup d'œil, voûté au-dessus du comptoir, je trouve déjà assez dur de passer une journée ou une nuit dans une ville pareille, alors y vivre ? Seigneur... si j'arrivais à trouver un autre job, n'importe lequel, et que je n'étais pas obligé de manger dans ce genre d'endroits... »

Il s'aperçut que le cuisinier avait rougi, se tut et porta sa tasse de café à ses lèvres.

« Ne sois pas snob, Joe, lui dit son collègue.

— Vous pourriez vous installer à Denver, insista Juliana. C'est plus sympa, évidemment. »

Je vous connais, vous, les types de l'Est, ajouta-t-elle en son for intérieur. *Vous aimez l'animation. Vous avez de grands rêves. Pour vous, les Rocheuses, c'est la brousse. Il ne s'est rien passé ici depuis l'avant-guerre. Des retraités, des paysans, des idiots, des pas vifs, des pauvres... Tous les petits malins sont partis pour New York ; ils ont traversé la frontière, légalement ou non. Parce que l'argent, tout l'argent de l'industrie, se trouve de l'autre côté. L'expansion. L'investissement allemand a beaucoup fait... Il ne leur a pas fallu longtemps pour reconstruire les États-Unis.*

« Moi, les gars, je n'aime pas les Juifs, déclara Charley d'une voix rauque de colère, mais j'ai vu les réfugiés débouler de chez vous en 49. Vos États-Unis, vous pouvez vous les garder. S'il y a une sacrée reconstruction et de l'argent à ramasser, c'est parce qu'ils ont volé les Juifs en les chassant de New York avec leur saleté de loi de Nuremberg. J'ai passé mon enfance à Boston, je n'aimais pas spécialement les Juifs, mais je n'aurais jamais cru voir une loi raciale nazie passer aux États-Unis, même si on perdait la guerre. Ça m'étonne que vous ne soyez pas dans l'armée, prêts à envahir une petite république sud-américaine au nom des Allemands pour qu'ils repoussent les Japonais un peu plus loin... »

Déjà, les deux routiers étaient debout, les traits figés. Le plus âgé empoigna par le goulot la bouteille de ketchup posée sur le comptoir. Sans leur tourner le dos, le cuisinier tendit la main en arrière jusqu'à toucher du doigt une de ses fourchettes à viande, dont il s'empara.

« À Denver, ils construisent une piste résistante à la chaleur pour les fusées de la Lufthansa », lança Juliana.

Les trois hommes restèrent figés, muets. Les autres clients s'étaient tus, eux aussi.

« Il en est passé une au crépuscule, lâcha enfin Charley.

— Elle n'allait pas à Denver, répondit Juliana. Elle filait plein ouest, vers la côte. »

Les deux routiers se rassirent, par étapes.

« Je ne m'y ferai jamais, marmonna le plus âgé. Ils sont jaunâtres, par ici.

— Les Japs n'ont pas buté de Juifs, riposta le cuisinier, ni pendant la guerre ni après. Ils n'ont pas construit de fours.

— Dommage », déclara son interlocuteur.

Ce qui ne l'empêcha pas de reprendre sa tasse et de se remettre à manger.

Jaunâtres, se dit Juliana. *Oui, sans doute. On aime bien les Japs, dans le coin.*

« Où êtes-vous descendus ? demanda-t-elle à l'Italien – Joe. Pour la nuit ?

— Je ne sais pas, répondit-il. On s'est arrêtés, et on est venus tout droit ici. Cet État me hérisse. Je vais peut-être passer la nuit dans le camion.

— Le Honey Bee Motel n'est pas trop mal, reprit Charley.

— Bon, pourquoi pas, alors. Si ça ne les dérange pas que je sois italien. »

Le jeune homme avait un accent prononcé, malgré ses efforts pour le dissimuler.

L'amertume de l'idéalisme, se dit Juliana, qui le regardait toujours. *Il en demande trop à la vie. Il a la bougeotte, il est agité et mécontent. Moi aussi ; je n'en pouvais plus de la côte, et je finirai par ne plus supporter de vivre ici non plus. Les anciens étaient*

*comme ça, non ? Sauf que la frontière n'est plus là ;
ce sont les autres planètes, maintenant.*

*On pourrait s'enrôler pour partir dans une des
fusées de colonisation, lui et moi. Mais les Allemands
nous rayeraient de la liste, lui à cause de sa peau,
moi de mes cheveux. Les elfes nordiques S.S., minces
et pâles, dans leurs châteaux d'entraînement bavarois.
Ce type – Joe Quelque-Chose... il ne fait même pas
la bonne tête ; il devrait se débrouiller pour avoir l'air
froid, mais enthousiaste, comme s'il ne croyait en rien,
mais qu'il réussissait malgré tout à avoir une sorte
de foi absolue. Oui, voilà, c'est ça. Ils n'ont rien à
voir avec des idéalistes, contrairement à Joe et moi ;
ce sont juste des cyniques qui ont la foi. Ils ont un
problème au cerveau, l'équivalent d'une lobotomie
– la mutilation pratiquée par les psychiatres allemands, ce pathétique substitut de psychothérapie.*

*En fait, ils ont un problème avec le sexe. Ils l'ont
souillé dans les années 1930, et ça n'a fait qu'empirer
depuis. Hitler a commencé avec sa... sa quoi ? Sa
sœur ? Sa tante ? Sa nièce ? De toute manière, il y
avait déjà de la consanguinité dans sa famille ; son
père et sa mère étaient cousins. Ils pratiquent tous
l'inceste, ils retournent au péché originel en convoitant
leur propre mère. C'est pour ça qu'ils ont l'air angé-
liques, les elfes S.S. d'élite, la blondeur innocente des
bébés ; ils se réservent pour maman. Ou les uns pour
les autres.*

*Et qui est leur maman ? Le chef, Herr Bormann, à
l'agonie, paraît-il... ou... le Fou ?*

Adolf, enfermé dans un sanatorium quelconque,
en proie à la parésie sénile. Le cerveau atteint par
la syphilis contractée à l'époque où il traînait à
Vienne ses nippes de clochard... long manteau noir,
sous-vêtements sales, asiles de nuit.

Il s'agissait de toute évidence d'une justice immanente sardonique, tout droit sortie d'un film muet. Ce type ignoble abattu par l'immondice intérieure, le fléau historique, châtiment des pécheurs.

L'horreur de la chose, c'était que l'Empire allemand actuel avait été pensé par son cerveau. Un parti politique d'abord, une nation ensuite, la moitié du monde plus tard encore. Les nazis en personne avaient diagnostiqué, identifié le mal ; le docteur Morell, le charlatan herboriste qui avait soigné Hitler en lui prescrivant les fameux Cachets Antigaz du Docteur Koester... c'était bien un spécialiste des maladies vénériennes, à la base. Le monde entier le savait, mais les bredouillis du Chef n'en restaient pas moins sacrés, paroles d'Évangile. Ses vues avaient maintenant infecté une civilisation tout entière, et les folles nazies, ces blondes aveugles quittant la Terre pour les autres planètes, répandaient la contagion telles des spores maléfiques.

Les fruits de l'inceste : folie, cécité, mort.

Brrr. Juliana se secoua.

« Hé, Charley, c'est bientôt prêt ? » appela-t-elle.

Sa solitude lui semblait absolue. Elle se leva pour gagner le comptoir, où elle s'assit près de la caisse.

Personne ne s'en aperçut à part l'Italien, qui la fixait de ses yeux sombres. Joe, il s'appelait Joe. Joe comment ?

De plus près, il n'avait pas l'air si jeune que ça. Difficile à dire : l'aura de passion qui l'entourait empêchait Juliana de se faire une opinion. Il n'arrêtait pas de se passer la main dans les cheveux, se coiffant en arrière de ses doigts crochus, crispés. *Ce type a quelque chose de particulier*, se dit-elle. *Il respire... la mort.* Elle trouvait ça à la fois inquiétant et attirant. Le collègue de Joe pencha la tête de côté pour lui chuchoter quelque chose, puis les deux hommes examinèrent à nouveau Juliana ; mais, cette fois, leur expression ne trahissait plus le simple intérêt du mâle.

« Dites-moi, mademoiselle…, commença le plus âgé, aussi tendu que son cadet à présent, vous savez ce que c'est ? »

Il tendait une petite boîte blanche relativement plate.

« Des bas Nylon, répondit Juliana. Une fibre synthétique fabriquée exclusivement par le grand cartel de New York, I.G. Farben. Très rares et très chers.

— Il faut reconnaître ça aux Allemands : le monopole a ses avantages. »

Le type donna la boîte à Joe, qui la poussa sur le comptoir avec le coude en direction de la jeune femme.

« Vous avez une voiture ? » lui demanda-t-il en sirotant son café. (Charley arriva de la cuisine, l'assiette de Juliana à la main.) « Vous pourriez m'emmener ? » continua l'Italien, qui la fixait toujours de ses yeux ardents, étincelants. (Elle se sentait de plus en plus nerveuse, mais aussi de plus en plus fascinée.) « À ce fameux motel, là, où je suis censé passer la nuit. Vous savez ?

— Oui, répondit-elle, j'ai une voiture. Une vieille Studebaker. »

Le cuisinier les regarda l'un après l'autre puis posa son assiette devant elle sur le comptoir.

*
*   *

« *Achtung, meine Damen und Herren* », émit le haut-parleur du bout de l'allée.

M. Baynes ouvrit les yeux en sursaut. Le hublot à droite de son siège dévoilait très loin en contrebas les bruns et les verts de la terre, qui cédèrent peu après la place au bleu du Pacifique. La fusée avait entamé sa longue et lente descente.

La voix transmise par haut-parleur expliqua en allemand, en japonais puis enfin en anglais qu'il ne fallait ni fumer ni détacher les ceintures des sièges capitonnés ; que la descente allait durer huit minutes.

Ce fut alors que se produisit l'inversion de poussée, si soudaine et si bruyante qu'elle secoua l'aéronef avec une extrême violence. Beaucoup de passagers lâchèrent des cris étouffés. Baynes sourit, de même que son voisin de l'autre côté de l'allée, un homme plus jeune, coiffé d'une brosse blonde.

« *Sie fürchten dass...* commença-t-il.

— Désolé, mais je ne parle pas allemand », coupa aussitôt Baynes, en anglais.

Comme son interlocuteur le fixait d'un œil interrogateur, il répéta la même chose, en allemand.

« Pas d'allemand ? s'étonna le jeune blond en anglais, quoique avec un accent prononcé.

— Je suis suédois, expliqua Baynes.

— Vous avez embarqué à Tempelhof.

— Oui, je me trouvais en Allemagne pour affaires. Mon travail m'oblige à visiter différents pays. »

Son voisin avait visiblement peine à croire que, dans le monde moderne, un homme d'affaires d'importance internationale voyageant – pouvant se permettre de voyager – à bord de la toute dernière fusée de la Lufthansa ne parle pas allemand.

« Dans quelle branche travaillez-vous, mein Herr ?

— Les plastiques. Polyesters. Résines. Ersatz... à usage industriel. Vous voyez de quoi je veux parler ? Pas les marchandises à destination des consommateurs.

— La Suède a une industrie des *plastiques* ? »

Incrédulité.

« Mais oui, et de très grande qualité. Si vous voulez bien me donner votre nom, je vous ferai envoyer une brochure. »

Baynes tira de sa poche stylo et calepin.

« Non, cela ne servirait à rien pour moi. Je suis un artiste, pas un commercial. Sans vous vexer. Vous avez peut-être vu mes œuvres sur le continent. Alex Lotze. »

L'Allemand s'interrompit, en attente.

« Je crains de ne pas m'intéresser à l'art moderne, répondit son interlocuteur. Je préfère les cubistes et les artistes abstraits d'avant guerre. J'aime qu'une peinture ait un sens, au lieu de se limiter à représenter l'idéal. »

Il se détourna.

« Mais l'art existe pour cela, protesta Lotze. Faire progresser la spiritualité de l'homme, dominer sa sensualité. L'art abstrait symbolisait une période de décadence, de chaos spirituels, provoqués par la désintégration de la société et de son ancienne ploutocratie. Les millionnaires juifs et capitalistes, la coterie internationale qui soutenait cette émanation de la décadence. Son époque est terminée. L'art doit évoluer... il ne peut pas rester figé. » Baynes acquiesça en regardant par le hublot. « Vous êtes déjà allé dans le Pacifique ?

— Plus d'une fois, oui.

— Moi pas. Mes œuvres sont exposées à San Francisco, en cet instant. Les bureaux du Doktor Goebbels ont organisé cela avec les autorités japonaises. Un échange culturel destiné à favoriser la compréhension et la bonne volonté. Il faut apaiser les tensions Est-Ouest, vous êtes d'accord ? En communiquant davantage. L'art aide. »

Baynes acquiesça, une fois de plus. En contrebas, derrière l'anneau de feu dessiné par la fusée, se dessinaient à présent la ville et la baie de San Francisco.

« Où mangent les gens, à San Francisco ? demandait Lotze. J'ai une réservation au Palace Hotel, mais j'ai compris qu'on trouvait de bons restaurants dans les quartiers internationaux, Chinatown, par exemple.

— C'est exact.

— Les prix sont élevés ? Mes poches sont vides pour ce voyage. Le ministère est très frugal. »

Le jeune Allemand se mit à rire.

« Ça dépend du taux de change que vous obtiendrez. Je suppose que vous avez des chèques de la Reichskank. À mon avis, vous devriez les porter à la banque de Tokyo de Samson Street.

— *Danke sehr*. Je les aurais laissés à l'hôtel. »

La fusée était presque arrivée au niveau du sol. Baynes distinguait à présent l'aéroport même, ses hangars et parkings, l'Autobahn menant à la ville, les maisons… une très belle vue. Montagnes et océan, plus quelques écharpes de brume dérivant autour du Golden Gate.

« Qu'est-ce que c'est que cette énorme structure ? reprit Lotze. Cette chose pas finie, ouverte d'un côté. Un spatioport ? Je croyais que les Nippons n'avaient pas de vaisseaux spatiaux.

— C'est le Golden Poppy Stadium, expliqua son voisin, souriant. Le terrain de base-ball. »

L'Allemand se remit à rire.

« Oui, ils aiment le base-ball. Incroyable. Ils ont commencé à travailler sur cette grande structure pour s'occuper, un sport qui leur fait perdre du temps…

— Elle est terminée, coupa M. Baynes. Elle va conserver cette forme-là. Ouverte d'un côté. C'est une nouvelle architecture. Ils en sont très fiers.

— Elle a l'air d'être conçue par un Juif », déclara Lotze, le regard fixé en contrebas.

Baynes l'examina quelques secondes, puissamment conscient du déséquilibre, de la nuance psychotique de l'esprit allemand. Lotze avait-il réellement exprimé sa pensée ? S'agissait-il bel et bien d'une remarque spontanée ?

« J'espère que nous nous reverrons à San Francisco, ajouta l'artiste alors que la fusée touchait terre. Je serai perdu sans compatriote avec qui discuter.

— Je ne fais pas partie de vos compatriotes, répondit Baynes.

— C'est vrai, mais vous en êtes tout près, d'un point de vue racial. Semblable, de fait. »

Lotze commença à s'agiter, prêt à détacher sa ceinture compliquée.

Suis-je réellement le frère de cet homme, d'un point de vue racial ? se demanda Baynes. *En suis-je assez proche pour être de fait semblable ? Dans ce cas, cette fameuse nuance psychotique se trouve également en moi. Nous vivons dans un monde psychotique. Les fous sont au pouvoir. Depuis quand en avons-nous la certitude ? Depuis quand affrontons-nous cette réalité ? Et… combien sommes-nous à le savoir ? Lotze l'ignore, lui. Peut-être n'est-on pas fou quand on sait qu'on est fou. À moins qu'on ne devienne finalement sain d'esprit. En se réveillant. Sans doute peu de gens en sont-ils conscients. Quelques-uns, çà et là, perdus dans la masse. Mais la masse elle-même… qu'en pense-t-elle ? Les centaines de milliers d'habitants de cette ville. S'imaginent-ils vivre dans un monde sensé… ou devinent-ils, entrevoient-ils la vérité ?*

Mais que signifie ce mot de fou *? Quelle en est la définition légale ? Quel sens a-t-il pour moi ? J'ai une intuition, une impression, mais de quoi s'agit-il au juste ?*

De quelque chose... quelque chose qu'ils font ; qu'ils sont. Leur inconscience. Leur méconnaissance de l'autre. Leur cécité face à ce qu'ils lui infligent, face à la destruction qu'ils ont provoquée et qu'ils persistent à provoquer. Non, ce n'est pas ça. Je ne sais pas ; je le sens, d'instinct. Mais... ils sont cruels sans raison... c'est ça ? Non, non. Seigneur. Je ne trouve pas, je n'arrive pas à l'exprimer clairement. L'ignorance de pans entiers de la réalité ? Oui, mais pas seulement. Leurs projets. Voilà, leurs projets. La conquête des planètes. Quelque chose de frénétique, de dément, comme la conquête de l'Afrique et, avant, celle de l'Europe et de l'Asie.

Leur vision ; cosmique. Il n'y a pas un homme ici, un enfant là, mais une abstraction : la race, le pays. Volk. Land. Blut. Ehre. *On ne parle pas d'hommes d'honneur, mais du* Ehre *même, de l'honneur ; l'abstrait est réel à leurs yeux, la réalité invisible.* Die Güte, *oui, mais pas d'hommes de bien, pas cet homme-là. Leur sens de l'espace et du temps. Ils voient par-delà l'ici et maintenant jusque dans la vaste nuit, l'immuable. Ce qui est fatal à la vie. Parce que, au bout du compte, il n'y aura plus de vie ; il n'y avait auparavant que les particules dans l'espace, l'hydrogène brûlant, rien de plus, et cette époque-là reviendra. Nous existons dans un intervalle,* ein Augenblick. *Le processus cosmique se poursuit, il réduit à nouveau la vie en granite et méthane ; la roue tourne, universelle. Tout est temporaire. Et ces... ces fous... réagissent au granite, à la poussière, à l'appel ardent de l'inanimé ; ils veulent aider la* Natur.

*Je sais pourquoi, d'ailleurs. Ils veulent être les agents de l'histoire, pas ses victimes. Ils s'identifient à la puissance divine, ils se prennent pour des dieux. La voilà, leur folie de base. Ils ont succombé à un archétype ; leur ego a crû de manière psychotique au point de les empêcher de savoir où il commence et où s'achève la tête divine. Il ne s'agit pas d'*hubris, *de fierté, mais d'inflation de l'ego au stade terminal – la confusion entre l'adorateur et l'objet de son adoration. Ce n'est pas l'homme qui a absorbé Dieu ; c'est Dieu qui a absorbé l'homme.*

*Ils ne comprennent pas l'*impuissance *humaine. Je suis petit et faible, je n'ai aucune importance au regard de l'univers. Il n'a pas conscience de moi ; je lui suis invisible. Pourquoi serait-ce un mal ? Les choses ne sont-elles pas mieux comme ça ? Les dieux détruisent ceux qu'ils remarquent. Restez petits… vous échapperez à la jalousie des grands.*

« Vous savez, M. Lotze, je ne l'ai jamais dit à personne, mais je suis juif, déclara Baynes en détachant lui aussi sa ceinture. Vous comprenez ? » L'Allemand le fixa d'un regard piteux. « Vous ne l'auriez jamais deviné, parce que je n'ai aucune caractéristique physique juive. J'ai fait modifier mon nez, resserrer mes gros pores graisseux, éclaircir ma peau par la chimie, changer la forme de mon crâne. Bref, je ne risque pas d'être trahi par mon enveloppe corporelle. Je peux fréquenter les cercles les plus élevés de la société nazie ; je l'ai fait souvent. Personne ne me démasquera jamais… » Une pause. Les deux hommes se tenaient si près l'un de l'autre que Baynes pouvait s'exprimer à voix assez basse pour que seul l'artiste l'entende. « Et il y en a d'autres comme moi. Vous saisissez ? Nous ne sommes pas morts. Nous sommes toujours là. Invisibles à vos yeux.

— Le service de sécurité... », balbutia Lotze, au bout d'un moment.

« Le S.D. peut passer mon dossier au peigne fin, coupa Baynes, vous pouvez me dénoncer, j'ai des relations très haut placées. Des Aryens, oui, mais aussi des Juifs, qui occupent des postes élevés à Berlin. Votre dénonciation finira aux oubliettes, et moi, ensuite, je m'empresserai de vous dénoncer à mon tour. Vous vous retrouverez en détention préventive, grâce aux relations en question. »

Il hocha la tête, souriant, puis remonta l'allée pour rejoindre les autres passagers, s'éloignant de Lotze.

Ils descendirent la rampe dans le vent et le froid. Une fois à terre, Baynes se retrouva une fois de plus momentanément à la hauteur de l'artiste.

« À vrai dire, M. Lotze, votre tête ne me revient pas. Alors je crois que je vais vous dénoncer, quoi qu'il arrive. »

Cela dit, il allongea le pas, laissant le jeune Allemand dans son sillage.

Au bout de la piste, à l'entrée du terminal, attendait une véritable petite foule. Parents ou amis des passagers. Agitant la main, examinant les voyageurs, souriants, anxieux, attentifs. Un Japonais d'âge mûr, trapu mais bien habillé – pardessus britannique, chaussures Oxford pointues, chapeau melon –, s'était posté légèrement en avant ; un autre, plus jeune, se tenait près de lui. Le revers du manteau d'importation s'ornait de la médaille de l'Estimable Mission Commerciale Pacifique du Gouvernement Impérial. *Le voilà*, se dit Baynes. *M. Tagomi est venu me chercher en personne.*

« Herr Baynes... appela le plus âgé des Japonais en s'avançant. Bien le bonsoir. »

Il salua l'arrivant d'un signe de tête hésitant.

« Bonsoir, M. Tagomi », répondit M. Baynes, la main tendue.

Ils échangèrent une poignée de main puis s'inclinèrent, aussitôt imités par le jeune Japonais, rayonnant.

« Il fait froid en plein vent, déclara M. Tagomi. Nous allons entamer le retour en ville dans un hélicoptère de la Mission, si cela vous convient, monsieur. À moins que vous n'ayez besoin d'utiliser les commodités ou que sais-je encore ? »

Il scrutait anxieusement les traits de son interlocuteur.

« Autant y aller tout de suite, répondit ce dernier. Je veux m'inscrire à l'hôtel. Mais mes bagages…

— M. Kotomichi va s'en occuper, assura M. Tagomi. Il nous rejoindra ensuite. À ce terminal-ci, voyez-vous, il faut faire la queue près d'une heure avant de récupérer ses affaires. C'est plus long que le voyage. »

M. Kotomichi sourit aimablement.

« Très bien, alors, acquiesça l'arrivant.

— J'ai un cadeau pour aider, monsieur, reprit M. Tagomi.

— Je vous demande pardon ?

— Pour vous inciter à une attitude favorable. » Il plongea la main dans la poche de son pardessus, d'où il tira une petite boîte. « Choisi parmi les plus beaux *objets d'art* américains disponibles. »

La boîte fut présentée au voyageur.

« Ah. Merci. »

Lequel s'en empara.

« Divers officiels ont passé l'après-midi à étudier les alternatives, déclara M. Tagomi. Il s'agit d'une émanation de la culture états-unienne agonisante dans ce qu'elle a de plus authentique ; l'un de ses rares artefacts préservés, au goût des jours heureux d'autrefois. »

M. Baynes ouvrit la boîte. Une montre Mickey y reposait, sur un rembourrage de velours noir.

M. Tagomi se moquait-il de lui ? Le visiteur leva les yeux ; le Japonais lui parut tendu, inquiet. Non, il ne s'agissait pas d'une farce.

« Merci beaucoup. C'est absolument incroyable.

— Il ne reste aujourd'hui que quelques montres Mickey de 1938 dans le monde entier. Une dizaine, peut-être. » M. Tagomi, attentif, se délectait de la réaction du Suédois, visiblement admiratif. « Aucun collectionneur de ma connaissance n'en possède, monsieur. »

Ils pénétrèrent dans le terminal aérien, dont ils montèrent la rampe ensemble.

« *Harusame ni nuretsutsu yane no temari kana...* lança M. Kotomichi, derrière eux.

— Qu'est-ce que c'est ? demanda M. Baynes à M. Tagomi.

— Un poème d'autrefois. Du milieu de la période Tokugawa.

— *Lors tombent les pluies du printemps, trempant sur le toit la balle en chiffon d'un enfant* », ajouta M. Kotomichi.

CHAPITRE QUATRE

L'ex-employeur de Frank Frink parcourait le corridor en se dandinant pour gagner la zone de travail principale de la W.-M. Corporation. *Le plus curieux*, songea Frink, *c'est que Wyndam-Matson n'a pas du tout l'air d'un propriétaire d'usine, mais d'un clochard de Tenderloin, d'un ivrogne à qui on aurait fait prendre un bain, donné des vêtements neufs, administré un bon coup de rasoir, une coupe de cheveux et une injection de vitamines, avant de l'envoyer dans le vaste monde se forger une vie nouvelle avec cinq dollars en poche.* Le vieillard avait des manières de faible, agitées, nerveuses, voire insinuantes, comme si le moindre interlocuteur représentait à ses yeux un ennemi potentiel plus fort que lui, un être à amadouer, à calmer. « Ils m'auront », semblait dire son attitude.

Pourtant, M. Wyndam-Matson était en réalité un homme extrêmement puissant. Il possédait des participations importantes dans des entreprises diverses et variées, l'immobilier et la spéculation. Plus l'usine de la W.-M. Corporation.

Frink lui emboîta le pas en ouvrant d'une poussée la grande porte métallique de la zone de travail principale. Le grondement de la machinerie qui l'avait enveloppé chaque jour pendant si longtemps, la vue des ouvriers postés devant les lourds appareils, les éclairs, la poussière, le mouvement omniprésents. Le vieil homme s'éloignait. Frink allongea le pas.

« Hé, M. Wyndam-Matson ! »

Le patron s'était arrêté près d'un contremaître aux bras velus, Ed McCarthy. Ils levèrent avec ensemble les yeux vers l'arrivant.

« Je regrette, Frank, commença Wyndam-Matson en s'humectant nerveusement les lèvres, mais il m'est impossible de vous réintégrer. J'ai déjà pris les mesures qui s'imposaient et embauché quelqu'un pour vous remplacer, parce que je ne pensais pas que vous reviendriez. Après ce que vous m'avez dit. »

Il cligna de ses petits yeux ronds, trahissant ainsi un caractère fuyant quasi héréditaire. *De père en fils...* se dit Frink.

« Je suis venu chercher mes outils, c'est tout », déclara-t-il d'une voix ferme, voire dure, il s'en aperçut avec plaisir.

« Hmm, voyons, voyons... » marmonna W.-M., pour qui le statut des outils de Frink demeurait manifestement assez flou. Il se tourna vers McCarthy : « Je crois que c'est de votre ressort, Ed. Vous pouvez peut-être vous occuper de Frank. Moi, j'ai à faire. » Un coup d'œil à sa montre de gousset. « Bon, nous discuterons de cette facture plus tard. Il faut que j'y aille. »

Il tapota le bras du contremaître puis s'éloigna d'un pas vif, sans un regard en arrière.

Les deux autres restèrent plantés là ensemble.

« Tu es venu reprendre ton poste, finit pas lâcher McCarthy.

— Oui, admit Frink.

— J'étais fier de toi, hier.

— Moi aussi, mais... je ne peux travailler nulle part ailleurs, bordel. » Le désespoir des vaincus l'envahissait. « Tu le sais aussi bien que moi. »

Ils avaient souvent discuté de leurs problèmes par le passé.

« Je ne suis pas persuadé de ça, répondit McCarthy. Il n'y a pas meilleur que toi sur la côte avec la machine à meuler. Je t'ai vu sortir une pièce en cinq minutes, y compris le polissage au rouge, en partant de l'abrasif de base. À part la soudure…

— Je n'ai jamais dit que je savais souder.

— Tu n'aimerais pas te lancer en indépendant ?

— Pour quoi faire ? » bégaya Frink, pris au dépourvu.

« Des bijoux.

— Oh, arrête !

— Des originaux, des pièces personnalisées, pas du commercial. » McCarthy l'entraîna dans un recoin de l'atelier, à l'écart du bruit. « Avec deux mille dollars, tu pourrais t'installer dans un garage ou un petit sous-sol. À un moment, je dessinais des boucles d'oreilles et des pendentifs, tu te rappelles… du vrai contemporain. Moderne. »

Le contremaître s'empara d'une feuille de brouillon, sur laquelle il promena lentement son crayon, d'un air sombre.

Frink, qui regardait par-dessus son épaule, vit apparaître un bracelet au motif abstrait, composé de lignes fluides.

« Il y a un marché ? » Il n'avait jamais vu que les vieilleries – parfois les antiquités – héritées du passé. « Le contemporain américain, ça n'intéresse personne. Il n'existe rien de ce genre, plus depuis la guerre.

— Le marché, tu n'aurais qu'à le créer, répondit McCarthy, un rictus coléreux aux lèvres.

— Tu veux dire que je devrais m'occuper de la vente ?

« — Il suffirait que tu proposes ta production aux détaillants. Par exemple dans ce magasin, là... comment s'appelle-t-il, déjà ? Celui de Montgomery Street, ce grand commerce d'art super chic...

— American Artistic Handcrafts. »

Frink ne fréquentait pas ce genre de boutiques hors de prix à la mode. Pas plus que la majorité des Américains. C'étaient les Japonais qui avaient les moyens.

« Tu sais ce que vendent les détaillants de ce genre, hein ? reprit McCarthy. Et cher, en plus. Ces saletés de boucles de ceinture en argent fabriquées par les Indiens du Nouveau-Mexique. Des cochonneries pour touristes. Toutes les mêmes. De l'art indigène, qu'ils disent. »

Frink resta un long moment muet, à fixer le contremaître.

« Je sais qu'ils ne se limitent pas à ça, lâcha-t-il enfin. Toi aussi, d'ailleurs.

— Oui. »

Ils le savaient tous les deux... parce qu'ils étaient tous les deux directement concernés, et depuis longtemps.

Légalement, la W.-M. Corporation fabriquait les escaliers, les balustrades, les cheminées et les ornements en fer forgé destinés aux nouveaux immeubles d'habitation, une production de masse standardisée. Un bâtiment de quarante appartements équivalait à quarante pièces semblables exécutées d'affilée. L'entreprise était donc selon toute apparence une fonderie, mais elle possédait en plus une autre spécialité dont elle tirait ses véritables bénéfices.

La W.-M. Corporation disposait d'une grande variété d'outils, de matériaux et de machines qui lui permettaient de donner naissance à un flot ininterrompu de faux artefacts américains d'avant guerre.

Des imitations introduites prudemment, habilement sur le marché des grossistes d'art, où elles se mêlaient aux véritables artefacts historiques collectés à l'échelle du continent. Il était impossible d'estimer le pourcentage de faux en circulation, de même d'ailleurs qu'en ce qui concernait les pièces de monnaie ou les timbres. De toute manière, personne n'en avait envie – surtout pas les détaillants et les collectionneurs en personne.

Lorsque Frink était parti, un Colt inachevé de la conquête de l'Ouest reposait sur son établi. Il avait confectionné les moules de ses mains, avant d'y couler les pièces, dont il avait finalement entamé le polissage manuel. Le marché des armes de poing, qu'elles datent de la conquête de l'Ouest ou de la guerre de Sécession, ne connaissait pas de limite. La W.-M. Corporation vendait toute la production de Frink, qui s'était spécialisé dans le domaine.

Il s'approcha lentement de son établi, sur lequel il ramassa le levier de chargement mal dégrossi. Trois jours de plus, et le revolver aurait été terminé. Du beau boulot. Un expert aurait fait la différence… mais les collectionneurs japonais n'étaient pas des autorités au sens propre du terme ; ils ne disposaient ni des standards ni des tests nécessaires pour juger leurs achats.

Autant que Frink le sache, d'ailleurs, il ne leur était jamais venu à l'esprit de se demander si les prétendus objets d'art historiques en vente dans les magasins de la côte étaient authentiques. Peut-être en arriveraient-ils là un jour… La bulle éclaterait, le marché s'effondrerait, y compris pour les véritables antiquités. C'était une des lois de Gresham : les imitations minaient la valeur des originaux. Ce qui expliquait sans doute pourquoi personne n'enquêtait ; finalement, tout le monde était content. Les usines installées dans diverses villes, çà et là, fabriquaient des faux qui leur rapportaient beaucoup d'argent. Les grossistes faisaient circuler leurs produits. Les détaillants les exposaient et les vantaient. Les collectionneurs dépensaient sans compter puis rentraient chez eux avec leurs acquisitions, ravis d'impressionner leurs associés, leurs amis, leurs maîtresses.

Comme avec les billets de banque d'après guerre, il n'y avait aucun problème tant qu'on ne s'avisait pas de remettre le système en question. Ça ne faisait de mal à personne… jusqu'au jour du jugement. Où tous les acteurs de la filière se retrouveraient équitablement ruinés. En attendant, le silence était de mise, y compris pour ceux qui gagnaient leur vie en fabriquant les faux ; ils se concentraient sur les problèmes techniques en fermant leur esprit à la nature des objets qui sortaient de leurs mains.

« Ça fait longtemps que tu n'as pas essayé de dessiner un original ? s'enquit McCarthy.

— Des années, admit Frink avec un haussement d'épaules. Je suis capable de faire des copies super précises, mais…

— Tu veux que je te dise ? Tu t'es laissé influencer par les nazis, quand ils disent que les Juifs sont incapables de créer. Qu'ils sont tout juste bons à imiter et à vendre. Que ce sont des médiocres. »

McCarthy scrutait Frink d'un regard impitoyable.

« Peut-être.

— Tente le coup. Fais quelques gribouillis. Ou travaille directement le métal. Amuse-toi un peu. Comme un gosse.

— Non.

— Tu n'as pas la foi. Tu ne crois plus du tout en toi, hein ? Dommage. Parce que je suis sûr que tu y arriverais. »

Le contremaître s'éloigna de l'établi.

Dommage, oui, se dit Frink. *Mais c'est comme ça. C'est un fait. Il ne suffit pas d'un simple effort de volonté pour avoir la foi ou l'enthousiasme. Ça ne se décide pas.*

McCarthy est un super contremaître. Il sait aiguillonner ses hommes, les pousser à se surpasser, à donner tout ce qu'ils ont dans le ventre, qu'ils le veuillent ou non. Une vraie nature de chef ; pour un peu, il m'aurait inspiré, là. Mais… il est reparti. Raté.

Dommage aussi que je n'aie pas mon exemplaire du Yi King. Je le consulterais. Je leur soumettrais le problème, à lui et à ses cinq mille ans de sagesse. Frink se souvint alors qu'il se trouvait dans la salle de détente de la W.-M. Corporation un exemplaire du *Livre des mutations*. Il s'empressa donc de quitter la zone de travail, de parcourir le couloir puis de traverser les bureaux.

Après avoir pris place dans un des fauteuils en chrome et plastique, il coucha sa question au dos d'une enveloppe : « Devrais-je me lancer dans l'entreprise créatrice privée qui vient de m'être décrite ? » Il ne lui restait plus qu'à lancer trois pièces de monnaie.

Le trait inférieur s'avéra être un sept, le deuxième et le troisième aussi. Ce qui donnait K'ien en trigramme de base. Ça s'annonçait bien, K'ien étant le principe créateur. Le quatrième trait, maintenant : un huit ; yin. Le cinquième : un huit aussi, toujours yin. Seigneur, songea Frink, frémissant. Un yin de plus, et j'obtiens l'hexagramme onze, T'ai, la Paix. Extrêmement favorable. Ou alors… les mains tremblantes, il secoua les pièces. Une ligne yang bâtirait l'hexagramme vingt-six, Ta ch'ou, le Pouvoir d'Apprivoisement du Grand. Tous deux représentaient des jugements également positifs, et ce serait forcément l'un ou l'autre. Frink lança les trois pièces.

Yin. Six. La Paix.
Il ouvrit le livre pour y lire le jugement.

LA PAIX. Le petit s'en va, le grand vient.
Fortune. Succès.

Je devrais donc suivre les conseils de McCarthy. Fon-
der ma propre entreprise. Le six au sommet… mon
seul trait mutant. Frink tourna la page, à la recherche
des explications associées. Il ne s'en souvenait pas,
mais sans doute le texte était-il encourageant, dans
un hexagramme globalement aussi favorable. L'union
du Ciel et de la Terre… N'empêche que les traits inférieur et supérieur restaient toujours en dehors de
l'ensemble, ce qui signifiait que le six supérieur…
Les yeux de Frink se posèrent sur les quatre lignes
consacrées au six en question :

Le mur retombe dans le fossé :
N'emploie pas d'armée maintenant.
Fais proclamer tes ordres dans ta propre ville.
La persévérance apporte l'humiliation.

« Je suis foutu ! » s'exclama-t-il, horrifié.
Quant au commentaire…

Le changement déjà annoncé au milieu de l'hexa-
gramme a commencé. Le mur de la cité retombe dans
le fossé d'où il avait été tiré. La fatalité s'abat…

C'était incontestablement un des traits les plus
déprimants du livre, qui en comptait plus de trois
mille… alors que l'hexagramme se révélait favorable.
Auquel le consultant était-il censé se fier ?
Comment pouvaient-ils être si différents ? Rien de
tel n'était encore jamais arrivé à Frink, bons et mau-

vais présages mêlés dans une des prophéties du *Yi King* ; étrange destinée, à croire que l'oracle avait raclé les fonds de tiroir, mélangé au hasard le bric-à-brac de bric et de broc tiré de l'élément obscur puis, se retournant complètement, l'avait déversé dans l'élément lumineux à la manière d'un cuisinier frappé de folie. *J'ai dû appuyer sur deux interrupteurs à la foi*, se dit Frink ; *ça a embrouillé deux choses distinctes et donné ce point de vue de* schlimazl. *Une seconde à peine, heureusement. Ça n'a pas duré.*

C'est forcément l'un ou l'autre. Ça ne peut pas être les deux. On ne peut pas simultanément avoir de la chance et la scoumoune.

Sauf que… admettons que ce soit possible ?

L'entreprise de bijoux me portera chance ; c'est de ça que parle le jugement. Quant au trait, ce satané trait… il fait référence à quelque chose de plus profond, une catastrophe à venir qui n'a sans doute aucun rapport avec cette histoire. Une horreur qui m'attend quoi qu'il arrive…

La guerre ! La Troisième Guerre mondiale ! Les deux putains de milliards d'êtres humains éliminés, la civilisation éradiquée. Un déluge de bombes à hydrogène.

Oy gewalt ! *Qu'est-ce qui se passe ? Est-ce moi qui ai lancé la machine ? Ou alors quelqu'un d'autre qui bricole, quelqu'un que je ne connais même pas, si ça se trouve. Ou… nous tous. C'est la faute des physiciens, avec leur théorie de la synchronicité, toutes les particules en relation les unes avec les autres ; on pète, et l'équilibre de l'univers en est modifié. La vie se retrouve transformée en bonne blague, sans personne pour rire de la chute. J'ouvre un livre, et je tombe sur le compte rendu d'événements futurs que Dieu Lui-même aimerait classer et oublier. Mais qui suis-je ? Pas la bonne personne, je peux au moins vous dire ça.*

Je devrais prendre mes outils, profiter de l'impulsion que me donne McCarthy, fonder mon entreprise, démarrer mon petit business sans importance, continuer à mettre un pied devant l'autre malgré cet horrible trait. Je travaillerais, je créerais à ma manière en vivant le mieux possible, en étant le plus actif possible, jusqu'à la fin, jusqu'à ce que le mur retombe dans le fossé pour tout le monde, toute l'humanité. C'est ce que me conseille l'oracle. Le destin finira par nous éliminer, mais en attendant, j'ai du boulot. Je dois me servir de mes mains et de ma cervelle.

Le jugement me concerne, moi ; mon travail. Le trait nous concerne tous.

Je suis trop petit. Je ne peux rien faire, à part lire ce qui est écrit, lever les yeux puis rabaisser la tête et continuer à labourer comme si de rien n'était le sillon entamé. L'oracle ne s'attend pas à ce que je me mette à parcourir les rues en braillant et en gémissant pour attirer l'attention générale.

Est-il possible *de changer les choses ? Si on s'y mettait tous… ou une personnalité marquante… ou encore quelqu'un occupant un poste stratégique, le bon endroit au bon moment. Par hasard. Par accident. Nos vies, notre monde en dépendent.*

Frink referma le livre, quitta la salle de repos et regagna la zone de travail principale. Quand il croisa le regard de McCarthy, il lui fit signe de le rejoindre à l'écart pour reprendre la conversation.

« Plus j'y réfléchis, plus ton idée me plaît.

— Parfait, répondit le contremaître. Alors écoute. Voilà ce que tu vas faire. Il te faut l'argent de Wyndam-Matson. » Il cligna de l'œil, une lente crispation intense, effrayée de la paupière. « J'y ai réfléchi, je sais comment tu vas te le procurer. Moi, je vais démissionner et me lancer avec toi. Mes dessins, tu comprends. Pourquoi pas, hein ? Je sais qu'ils sont bons.

— C'est vrai, acquiesça Frink, un peu perdu.

— On se voit ce soir après le travail, continua McCarthy. Chez moi. Viens vers sept heures, on dînera ensemble, avec Jean... si tu arrives à supporter les gamins.

— D'accord. »

Le chef d'atelier gratifia son interlocuteur d'une claque sur l'épaule avant de s'éloigner.

J'ai fait un sacré bout de chemin, se dit Frink. *En dix minutes.* Il n'éprouvait pourtant aucune appréhension ; au contraire, il se sentait maintenant tout excité.

Ç'a été rapide, c'est sûr. Il regagna son établi, où il entreprit de rassembler ses outils. *Je suppose que c'est normal, dans ces cas-là. Quand l'occasion se présente...*

J'ai attendu ça toute ma vie. Voilà ce que veut dire l'oracle, quand il parle d'« accomplir une œuvre ». C'est bien l'époque idéale. Quelle époque vivons-nous ? Quel Moment ? Le six au sommet de l'hexagramme onze le transforme complètement ; on obtient le vingt-six, le Pouvoir d'Apprivoisement du Grand. Le yin devient yang ; le trait mute, un autre Moment apparaît... mais j'avais tellement perdu le fil que je ne m'en suis même pas aperçu !

C'est pour ça que j'ai eu ce terrible trait, à tous les coups ; l'hexagramme onze ne peut se transformer en vingt-six que comme ça, par le six mutant au sommet. Je ne devrais pas me prendre la tête de cette manière.

Mais, malgré son excitation et son optimisme, Frink n'arrivait pas à se sortir complètement le dernier trait de l'esprit.

Jolie tentative, quand même, songea-t-il, ironique. *À sept heures ce soir, j'aurai peut-être réussi à oublier cette ligne-là, comme si je ne l'avais jamais vue.*

J'espère bien, en tout cas. Parce que ce serait génial de m'associer avec McCarthy. Il a des idées super, c'est sûr. Et je n'ai pas l'intention de rester au bord de la route.

Pour l'instant, je suis un rien-du-tout, mais si je lance cette affaire, j'arriverai peut-être à reconquérir Juliana. Je sais ce qu'elle veut… elle mérite un mari qui compte, un type important dans la communauté, pas un meshuggener. Autrefois, les hommes étaient des hommes ; avant la guerre, par exemple. C'est fini, maintenant.

Pas étonnant qu'elle change sans arrêt de ville, de mec. Elle cherche. Sans savoir ce qu'elle est elle-même ni ce dont elle a biologiquement besoin. Moi, je sais ; et ce super projet avec McCarthy – quel qu'il soit – va me permettre de l'obtenir pour elle.

À l'heure du déjeuner, Childan ferma American Artistic Handcrafts Inc. La plupart du temps, il traversait la rue pour aller manger à la brasserie. De toute manière, il ne prenait pas plus d'une demi-heure ; ce jour-là, il ne prit même que vingt minutes. Le souvenir de l'épreuve subie avec M. Tagomi et le personnel de la Mission Commerciale lui retournait encore l'estomac.

Une nouvelle politique, peut-être, se dit-il en regagnant son magasin. *Finis, les rendez-vous à l'extérieur. Tout traiter ici même.*

Deux heures de démonstration. Beaucoup trop long. Presque quatre heures en tout ; trop tard pour rouvrir. Un après-midi entier consacré à une unique vente, une montre Mickey. Chère, certes, mais… Il fit jouer la clé dans la serrure, ouvrit la porte puis alla accrocher son manteau dans l'arrière-boutique.

Quand il en ressortit, un visiteur l'attendait. Un blanc. Surprenant.

« Bonjour, monsieur », dit Childan en s'inclinant légèrement.

Sans doute un *pinoc*. Mince, la peau plutôt sombre. Bien vêtu, à la mode. Mais mal à l'aise. Le visage luisant de sueur.

« Bonjour », murmura l'inconnu, qui errait à travers le magasin pour examiner les objets exposés.

Enfin, il s'approcha brusquement du comptoir. Plongeant la main dans son manteau, il en tira un petit porte-cartes au cuir immaculé dont il sortit une carte multicolore, à l'imprimé élaboré.

L'emblème impérial y figurait. De même que des insignes militaires. La marine. L'amiral Harusha. Childan examina le tout, impressionné.

« Le bateau de l'amiral se trouve en ce moment dans la baie de San Francisco, expliqua l'inconnu. Le cargo *Shokaku*.

— Ah.

— L'amiral Harusha n'était encore jamais venu sur la côte Ouest. Il aimerait profiter de son séjour pour réaliser certains de ses rêves, notamment visiter en personne votre célèbre magasin. Il a beaucoup entendu parler d'American Artistic Handcrafts Inc. dans l'archipel nippon. »

Childan s'inclina, ravi.

« Ses nombreuses obligations l'empêchent cependant de venir voir de ses yeux vos estimables objets d'art, poursuivit son interlocuteur. Il m'a donc envoyé chez vous, car je suis son valet de chambre.

— L'amiral est collectionneur ? » s'enquit Childan, dont l'esprit travaillait à toute allure.

« C'est un amoureux des arts. Un connaisseur. Pas un collectionneur, non. Il aimerait faire de beaux cadeaux ; par exemple, offrir à chacun de ses officiers un artefact historique de valeur, une arme de poing de la légendaire guerre civile américaine. » Une pause. « Ils sont douze en tout. »

Douze armes de poing de la guerre de Sécession. Total : près de dix mille dollars. Childan en tremblait.

« Il est de notoriété publique qu'on trouve dans votre magasin ce genre d'antiquités sans prix tirées de l'histoire américaine. Laquelle ne s'évanouit que trop vite, hélas, dans les limbes du temps, continua le visiteur.

— C'est exact, en effet. » Son hôte s'exprimait avec une prudence colossale. Il ne pouvait se permettre de perdre un client pareil ; de commettre la moindre erreur. « Vous ne trouverez pas dans tous les P.S.A. de boutique mieux achalandée en armes de la guerre civile. Je serai ravi de rendre service à l'amiral Harusha. Désirez-vous que je rassemble quelques superbes échantillons et que je les apporte à bord du *Shokaku* ? Cet après-midi, peut-être ?

— Non, merci, je vais les examiner ici. »

Douze… Childan réfléchissait. Il n'avait pas douze revolvers de ce genre à disposition. À vrai dire, il n'en avait même que trois. Mais, avec de la chance, il pourrait s'en procurer une dizaine dans la semaine par divers intermédiaires. En se les faisant expédier de l'Est par transport aérien express, notamment. Et grâce à ses contacts parmi les grossistes locaux.

« Vous êtes donc un expert dans ce domaine, monsieur ? s'enquit-il.

— Relativement. Je possède une petite collection d'armes de poing, y compris un minuscule pistolet secret en forme de domino datant des années 1840.

— Un objet exquis. »

Il s'approcha du coffre-fort pour en retirer les revolvers puis regagna le comptoir afin de les soumettre à l'examen du visiteur. Lequel rédigeait un chèque, mais s'interrompit le temps d'expliquer : « L'amiral a exprimé le désir de payer d'avance. Un dépôt de quinze mille dollars P.S.A. »

La boutique se mit à danser sous les yeux de Childan, qui parvint cependant à s'exprimer d'un ton calme, voire vaguement ennuyé : « Si vous voulez. Ce n'est pas nécessaire ; une simple formalité commerciale. » Il posa devant le valet une boîte en cuir et feutre. « Une pièce exceptionnelle, un Colt 44 de 1860. » L'ouvrit. « Balles et poudre noire. Arme utilisée par l'armée américaine. Les tuniques bleues, durant la seconde bataille de Bull Run, par exemple. »

Le domestique resta un long moment plongé dans l'examen du Colt 44, avant de relever les yeux.

« C'est une imitation, monsieur, déclara-t-il avec calme.

— Hein ? fit Childan, sans comprendre.

— Cet objet n'a pas plus de six mois. La pièce que vous me proposez est un faux, monsieur. Je suis profondément navré, mais regardez le bois, là. Artificiellement vieilli par un acide. Quel dommage. »

Le visiteur reposa l'arme. Childan la prit à son tour, l'esprit vide, ne sachant que dire, la tourna et la retourna entre ses mains puis lâcha enfin :

« Ce n'est pas possible.

— Une copie de l'authentique revolver historique. Rien de plus. Je crains que vous n'ayez été abusé, monsieur. Peut-être par un butor sans scrupule. Vous devriez en informer la police de San Francisco. » L'homme s'inclina. « Je suis profondément affligé. Il est possible que vous ayez ici même d'autres imitations. Se peut-il que vous, le propriétaire de ce magasin, vous qui vendez ce genre d'objets, *vous ne distinguiez pas les faux des originaux ?* »

Le silence s'installa.

Le valet ramassa le chèque à moitié rempli, le rangea dans sa poche, fit de même avec son stylo puis s'inclina à nouveau.

« À mon grand regret, monsieur, il m'apparaît évident que je ne puis en réalité avoir recours aux services d'American Artistic Handcrafts Inc. L'amiral Harusha sera déçu. Mais je ne doute pas que vous compreniez ma position. »

Childan regardait toujours le revolver.

« Je vous souhaite une bonne journée, monsieur, continua le domestique. Et je vous prie d'accepter mon humble conseil : louez les services d'un expert pour soumettre vos acquisitions à examen. Votre réputation... je suis sûr que vous comprenez.

— S'il vous plaît... balbutia son interlocuteur.

— Ne vous inquiétez pas, je ne parlerai de cet incident à personne. Je... dirai à l'amiral que votre magasin était, hélas, fermé aujourd'hui. Après tout... » Le visiteur s'était arrêté sur le seuil. « ... après tout, nous sommes des blancs, vous et moi. »

Il s'inclina une fois de plus puis s'éloigna.

Childan se retrouva seul, le revolver entre les mains.

Ce n'est pas possible, se dit-il.

Mais si, sans doute. Dieu du ciel. Je suis ruiné. Je viens de rater une vente de quinze mille dollars. Si ce type, ce valet de chambre, ne tient pas sa langue...

Je me tuerai. J'ai perdu mon rang. Je ne peux pas continuer ; c'est un fait.

D'un autre côté, il s'est peut-être trompé.

Il m'a peut-être menti.

Un pion d'United States Historic Objects, chargé de me détruire. Ou de West Coast Art Exclusives.

Enfin bref, d'un de mes concurrents.

Ce revolver est authentique. Certainement.

Comment vérifier ? Childan se creusa la tête un moment. *Ah oui. Je vais le faire analyser par le dépar-*

tement de Pénologie de l'Université de Californie. Je connais quelqu'un là-bas. Enfin, je connaissais. Le problème s'est déjà posé une fois. L'authenticité d'une arme ancienne à chargement par la culasse.

Il s'empressa d'appeler un des services de messagerie et de livraison de la ville pour qu'on lui envoie aussitôt quelqu'un, emballa le revolver puis rédigea un message à destination du laboratoire universitaire : une estimation professionnelle rapide de l'âge de l'arme s'imposait, suivie de la communication immédiate des résultats par téléphone. L'employé du service de messagerie ne tarda pas à arriver ; Childan lui remit lettre et paquet puis lui ordonna de les livrer par hélicoptère à l'adresse indiquée. Une fois seul, il se mit à faire les cent pas dans le magasin en attendant… attendant…

L'université appela à trois heures.

« M. Childan ? lança une voix dans l'écouteur. Vous avez demandé un test d'authenticité pour une arme, un Colt 44 de 1860, modèle militaire. » Une pause. Childan, anxieux, serrait le combiné de toutes ses forces. « D'après le rapport du laboratoire, reprit la voix, il s'agit d'une reproduction réalisée grâce à des moules en plastique, si l'on excepte la partie en noyer. Les numéros de série sont faux. La boîte de culasse n'a pas été cémentée au cyanure. Les surfaces bleues et brunes ont été obtenues grâce à une technique moderne rapide. En fait, l'objet tout entier a été vieilli artificiellement par un traitement qui lui donne l'air ancien et usé.

— La personne qui m'a demandé une estimation… commença très vite Childan.

— Dites-lui qu'elle s'est fait avoir, coupa le technicien de l'université. Dans les grandes largeurs. C'est du beau boulot. Un vrai travail de pro. Le revolver original se caractérisait par… vous savez, les pièces métalliques bleutées ? On les mettait dans une boîte à lanières en cuir, avec du cyanure gazeux, on scellait et on chauffait. Ça ne se fait plus de nos jours, c'est trop compliqué. Mais cette copie sort d'un atelier bien équipé. On a trouvé dessus des particules de plusieurs composés de polissage et de finition, dont certains peu répandus. Bon, on ne peut rien prouver, mais on sait pertinemment qu'il existe une véritable industrie de ce genre de faux. C'est une évidence. On en voit tellement.

— Il s'agit d'une rumeur, ni plus ni moins, protesta Childan. Je peux vous l'assurer absolument, monsieur. (Sa voix, de plus en plus forte, vira au hurlement aigu.) Et je suis bien placé pour le savoir. Pourquoi croyez-vous que je vous ai envoyé cette arme ? Je me suis aperçu que c'était un faux grâce à des années d'entraînement. Ces objets sont des curiosités, des raretés. Je dirais même des plaisanteries ; des farces. » Il s'interrompit, haletant. « Je vous remercie d'avoir confirmé mes propres observations. Envoyez-moi la facture. Merci. »

Déjà, il avait raccroché.

Sans perdre de temps, il entreprit de compulser ses dossiers pour remonter la piste du revolver. Comment cette arme était-elle entrée en sa possession ? À *qui* l'avait-il achetée ?

À un des grossistes les plus importants de San Francisco, découvrit-il. Ray Calvin Associates, de Van Ness Avenue. Childan se rua sur le téléphone.

« Je veux parler à M. Calvin, annonça-t-il d'un ton un peu plus posé.

— Oui ? répondit très vite une voix bourrue, préoccupée.

— Bob Childan à l'appareil. De A.A.H. Inc., Montgomery Street. J'ai un problème délicat, Ray. Il faut que je vous voie en privé aujourd'hui même, à vos bureaux ou ailleurs. Et il vaudrait mieux que vous accédiez à ma requête, croyez-moi. »

Childan prit brusquement conscience de brailler dans le combiné.

« Bon, acquiesça son interlocuteur.

— N'en parlez à personne. C'est absolument confidentiel.

— Quatre heures ?

— Quatre heures. À votre bureau. À tout à l'heure. »

Childan raccrocha avec une telle brutalité que le téléphone tomba du comptoir ; il dut s'agenouiller pour le ramasser par terre avant de le reposer à sa place.

Le rendez-vous lui laissait une demi-heure de liberté ; largement le temps de tourner en rond, impuissant, avant de partir. Que faire ? Une idée. Il appela les bureaux san-franciscains du *Tokyo Herald*, à Market Street.

« Salutations. Pourriez-vous m'apprendre, je vous prie, si le cargo *Shokaku* est au port et, si oui, pour combien de temps ? Je serais reconnaissant à votre estimable journal de me fournir cette information. »

Une attente atroce, puis la standardiste reprit la ligne.

« D'après notre salle des archives, lança-t-elle d'une voix rieuse, le cargo *Shokaku* se trouve au fond de la mer des Philippines. Il a été coulé par un sous-marin américain en 1945. Si vous avez d'autres questions, monsieur… ? Nous serons ravis de vous aider… »

De toute évidence, la chasse au dahu dans laquelle s'était lancé Childan, contraint et forcé, amusait les employés du quotidien.

Il raccrocha. Le *Shokaku* n'existait plus depuis dix-sept ans. Sans doute l'amiral Harusha n'avait-il pas davantage de réalité. Le visiteur était un imposteur. Pourtant…

Pourtant, il avait raison. Le Colt 44 s'était révélé être une imitation.

Ça n'avait pas de sens.

Peut-être l'inconnu s'amusait-il à spéculer ; peut-être cherchait-il à accaparer le marché des armes de poing datant de la guerre de Sécession. C'était un expert. Qui avait identifié une copie. Le professionnel des professionnels.

Il fallait être un professionnel pour savoir. Un spécialiste de ce genre d'artefacts. Pas un simple collectionneur.

Childan en éprouva un léger soulagement. Parce qu'il n'y aurait pas grand-monde pour détecter les faux. Peut-être même personne. Le secret serait préservé.

Ne vaudrait-il pas mieux oublier cette histoire ? se demanda-t-il.

Bonne question. Mais non. Il faut enquêter. Premièrement, récupérer mes fonds ; me faire rembourser par Ray Calvin. Ensuite... envoyer tous mes autres artefacts au laboratoire universitaire.

Seulement... admettons qu'il y ait beaucoup de copies ?

Problème épineux.

Malheureusement, je n'ai pas le choix. Il se sentait lugubre, voire désespéré. *Aller voir Ray Calvin. L'affronter. Insister pour qu'il remonte à la source. Il est peut-être aussi innocent que moi ; peut-être pas. Quoi qu'il en soit, il faut être clair :* un faux de plus, et je ne lui achèterai plus jamais rien.

C'est à lui d'éponger les pertes. Pas à moi. S'il refuse, j'irai voir les autres détaillants ; je leur dirai ; je ruinerai sa réputation. Pourquoi serais-je le seul à tomber ? Autant impliquer les responsables de la situation ; transmettre la patate chaude le long de la chaîne.

Dans le plus grand secret. Cette histoire doit rester strictement entre nous.

CHAPITRE CINQ

Le coup de fil de Ray Calvin surprit énormément Wyndam-Matson, qui n'y comprit rien ; en partie à cause de l'élocution rapide de son correspondant, en partie parce que, à ce moment-là – onze heures et demie du soir –, il recevait quant à lui une visiteuse dans son appartement de l'hôtel Muromachi.

« Écoutez, vieux, on vous renvoie votre dernière cargaison, annonça Calvin. Je vous renverrais bien celle d'avant aussi, mais elle a déjà été payée. La facture date du 18 mai. »

Wyndam-Matson s'enquit naturellement des raisons de cette attitude.

« Ce sont des imitations de merde, répondit Calvin.

— Mais vous étiez au courant, protesta Wyndam-Matson, stupéfait. Enfin, Ray, vous avez toujours su ce qu'il en était. »

Il jeta un coup d'œil alentour. La fille avait disparu – sans doute à la salle de bains.

« Je savais que c'étaient des imitations, riposta Calvin. Ce n'est pas de ça que je veux parler. Je pense au côté merdique. Franchement, je me fiche pas mal que vos armes aient *réellement* été utilisées pendant la guerre de Sécession ou pas ; moi, ce qui m'intéresse, c'est que ce soient des Colt 44 satisfaisants, quelle que soit leur référence dans votre catalogue.

Il faut qu'ils remplissent des critères précis. Vous avez déjà entendu parler d'un certain Robert Childan ?

— Oui. »

Le nom rappelait vaguement quelque chose à Wyndam-Matson, même si, sur le moment, il aurait été incapable de dire quoi au juste. Ce type devait être quelqu'un d'important.

« Je l'ai vu aujourd'hui. Il est passé à mon bureau. Je vous appelle de là, pas de chez moi ; on n'en a pas encore terminé. Enfin bref, il est venu, et il m'a débité une histoire longue comme le bras. Il était dans une colère noire. Très agité. Bon, il semblerait qu'un de ses gros clients, un amiral japonais, soit passé le voir ou lui ait envoyé quelqu'un. Childan m'a parlé d'une commande de vingt mille dollars, mais à mon avis, il exagérait. Quoi qu'il en soit, figurez-vous… et je n'ai aucune raison de douter de lui à ce niveau-là… figurez-vous, disais-je, que le Japonais était là, il voulait acheter, mais il a jeté un coup d'œil à un des Colt 44 de votre fabrication, il a vu que c'était un faux, remis son argent dans sa poche et repris la porte. Alors, qu'est-ce que vous dites de ça ? »

Wyndam-Matson ne savait absolument pas quoi dire, mais il savait que Frink et McCarthy étaient responsables de ses ennuis. *Ils m'avaient prévenu qu'ils ne resteraient pas les bras croisés, et voilà. Le problème…* Le problème, c'était qu'il n'arrivait pas à déterminer ce qu'ils avaient fait au juste. Le compte rendu de Calvin n'avait aucun sens.

Une sorte de peur superstitieuse envahit Wyndham-Matson. Ces deux-là… comment avaient-ils réussi à trafiquer un objet fabriqué en février ? Il était parti du principe qu'ils s'adresseraient à la police ou aux journaux, voire au gouvernement *pinoc* de Sacramento ; il avait donc pris ses précautions, bien sûr. Bizarre.

Ne sachant que dire à Calvin, il passa une véritable éternité à débiter de vagues marmonnements avant de réussir enfin à raccrocher, non sans avoir mis le point final à la conversation.

Alors seulement il s'aperçut avec un choc que Rita avait tout entendu, après avoir quitté la chambre. La jeune femme arpentait la salle de séjour d'une démarche coléreuse, vêtue en tout et pour tout d'une nuisette de soie noire, ses cheveux blonds flottant sur ses épaules nues, semées de taches de rousseur.

« Dénonce-les à la police », lança-t-elle.

Bof, se dit-il. *Ça me reviendrait sans doute moins cher de proposer deux mille dollars à ces casse-pieds. Ils les prendraient – je serais surpris qu'ils demandent davantage. Les minables de ce genre pensent petit ; ça leur semblerait énorme. Ils investiraient l'argent dans leur nouvelle entreprise, ils le perdraient, et ils se retrouveraient fauchés en moins d'un mois.*

« Non, répondit-il.

— Pourquoi ? C'est un crime, le chantage. »

Difficile d'expliquer à la demoiselle : Wyndam-Matson avait l'habitude d'acheter les gens. Ça rentrait dans les frais généraux, au même titre que les services publics ; si ça ne revenait pas trop cher… N'empêche qu'elle n'avait pas tort. Il réfléchit à la question.

Je vais leur donner deux mille dollars, mais je vais aussi contacter ce type, là, au centre social, l'inspecteur de police. Pour lui demander de mener une petite enquête sur Frink et McCarthy, au cas où il trouverait quelque chose d'utilisable, n'importe quoi. Comme ça, s'ils y reviennent, s'ils réessaient… je serai capable de gérer.

Il me semble par exemple avoir entendu dire que Frink était un youtre. Qu'il avait changé de nom et de nez. Il me suffit de le signaler au consul d'Allemagne.

*La routine. Machin demandera l'extradition aux autori-
tés japonaises, et dès que le casse-pieds aura franchi
la ligne de démarcation, les Allemands le gazeront. Je
crois qu'ils ont un camp pour ça à New York. Un de
ces camps à fours.*

« Ça m'étonne qu'il soit possible de faire chanter
un type de ton importance, s'obstina Rita, qui regardait Wyndam-Matson avec attention.

— Je vais te dire. Tout ce cirque sur l'historicité,
c'est n'importe quoi. Les Japs sont des nouilles.
D'ailleurs, tiens, je te le prouve. » Il se leva,
s'empressa de gagner son bureau puis en ressortit
aussitôt, avec deux briquets qu'il posa sur la table
de salon. « Regarde. Ce sont les deux mêmes,
d'accord ? Seulement l'un des deux a l'historicité
pour lui. » Il sourit à la fille. « Prends-les. Vas-y. Il y
en a un qui vaut… oh, quarante ou cinquante mille
dollars sur le marché des collectionneurs. »

Elle les ramassa maladroitement pour les examiner
de près.

« Alors, tu la sens, l'historicité ? s'amusa Wyndam-
Matson.

— C'est quoi, l'historicité ?

— C'est quand quelque chose présente un caractère historique. Je t'explique. L'un de ces deux Zippo
se trouvait dans la poche de Franklin Delano Roosevelt
le jour de son assassinat. L'autre non. L'un possède
de l'historicité, un bon paquet, même, autant que
peut en avoir un objet. L'autre non. Alors, tu la
sens ? » Il donna un petit coup de coude à la jeune
femme. « Non, bien sûr, tu ne peux pas. Tu ne peux
pas les distinguer l'un de l'autre. Ils n'ont pas de *présence mystique plasmique*, pas d'*aura*.

— Ouaouh, commenta-t-elle, impressionnée, c'est
vrai ? Il avait vraiment un briquet de ce genre sur lui
ce jour-là ?

— Mais oui. Et je sais lequel. Tu vois ce que je veux dire. Tout ça, c'est juste une gigantesque escroquerie. Et les Japs s'escroquent eux-mêmes. Je veux dire, une arme qui a servi dans une bataille célèbre, celle de Meuse-Argonne, par exemple, ne présente aucune différence avec une arme qui n'y était pas, *à moins qu'on ne soit au courant*. C'est là que ça se passe. » Il se tapotait le front. « Dans la tête, pas dans le flingue. J'ai été collectionneur, tu sais. C'est comme ça que je me suis lancé dans les affaires. Je collectionnais les timbres. Des premières colonies britanniques. »

Rita se tenait maintenant à la fenêtre, les bras croisés, les yeux fixés sur les lumières du centre-ville.

« Mon père et ma mère disaient et répétaient que s'il s'en était sorti, on n'aurait pas perdu la guerre.

— Bon, continua Wyndam-Matson. Maintenant, supposons que l'an dernier, le gouvernement canadien ou quelqu'un d'autre, n'importe qui, ait trouvé les plaques à partir desquelles étaient imprimés quelques timbres d'autrefois. Et l'encre. Et une réserve de…

— À mon avis, aucun de ces deux briquets n'a appartenu à Franklin Roosevelt », coupa la jeune femme.

Il ricana.

« Exactement ! Il faudrait que je prouve mes affirmations grâce à un document quelconque. Un certificat d'authenticité. Voilà pourquoi tout ça n'est qu'un grand tour de passe-passe, une illusion de masse. Le certificat témoigne de sa propre valeur, il n'a rien à voir avec celle de l'objet concerné !

— Fais voir ce papier ?

— Attends. »

Il bondit sur ses pieds, regagna son bureau et décrocha du mur le certificat encadré de la Smithsonian Institution ; certificat plus briquet lui avaient coûté une fortune, mais ils la valaient – car ils lui permettaient de prouver qu'il avait raison, que le mot « faux » n'avait en réalité aucun sens, puisque le mot « authentique » n'en avait pas non plus.

« Un Colt 44 est un Colt 44, lança-t-il à la fille en la rejoignant dans la salle de séjour. Ça dépend du calibre et de la conception. De… »

Elle tendit la main. Il lui remit le document.

« Alors, c'est le vrai, finit par dire Rita.

— Oui. Celui-là. »

Il s'empara du briquet au métal marqué par une longue égratignure.

« Je crois que je vais y aller, reprit-elle. Je te verrai une autre fois. »

Elle reposa papier et Zippo puis se dirigea vers la chambre, où l'attendaient ses vêtements.

« Mais pourquoi ? s'écria Wyndam-Matson en lui emboîtant le pas avec agitation. Il n'y a aucun risque, je t'assure. Ma femme ne reviendra pas avant des semaines… Je t'ai expliqué de quoi il retournait. Un décollement de la rétine.

— Ce n'est pas ça.

— Quoi alors ?

— Appelle-moi un cyclo-pousse pendant que je me rhabille, s'il te plaît.

— Je vais te ramener en voiture », répondit-il de mauvaise grâce.

Après s'être revêtue, elle se mit à errer en silence à travers l'appartement pendant qu'il allait lui chercher son manteau dans le placard. Pensive, renfermée, voire vaguement déprimée. Le passé répand la tristesse, il le comprit alors. *Nom de Dieu ; pourquoi a-t-il fallu que je parle de ça ? Mais elle est tellement jeune… je pensais qu'elle saurait tout juste de qui il s'agissait.*

Elle s'accroupit devant la bibliothèque, dont elle tira un livre.

« Tu l'as lu, celui-là ? »

Il examina le volume de son regard de myope. Une couverture voyante. Un roman.

« Non. C'est ma femme qui l'a acheté. Elle lit beaucoup.

— Tu devrais t'y intéresser aussi. »

Toujours aussi déçu, il s'empara de l'ouvrage pour y jeter un coup d'œil. *Le Poids de la sauterelle.*

« Ce n'est pas un des livres interdits à Boston ?

— Il est interdit aux États-Unis, oui. Et en Europe, bien sûr. »

Rita se tenait maintenant devant la porte d'entrée. Elle attendait.

« J'ai entendu parler de cet Abendsen », déclara Wyndam-Matson – ce qui constituait un mensonge caractérisé.

Tout ce qu'il savait de ce roman, c'était que... que quoi ? Qu'il était très à la mode en ce moment. Encore une lubie. Un caprice de masse. Il se pencha pour ranger le volume à sa place.

« Je n'ai pas le temps de m'occuper de littérature populaire. J'ai trop de travail. »

Ce sont les secrétaires qui lisent ce genre d'idioties, ajouta-t-il aigrement en son for intérieur. *Au lit, le soir. Ça les excite. Plus que la chose, la vraie. Qui leur fait peur. Mais dont elles rêvent, évidemment.*

« Encore une histoire d'amour, conclut-il tout haut d'un ton maussade, en ouvrant la porte.

— Non, répondit Rita, c'est une histoire de guerre. » Ils se dirigèrent vers l'ascenseur. « Il est d'accord. Avec mon père et ma mère.

— Qui ? Abbotson ?

— Il a une théorie. Si Joe Zangara avait manqué son coup, Roosevelt aurait tiré l'Amérique de la Dépression, il l'aurait armée et... »

Elle s'interrompit, car d'autres gens attendaient l'ascenseur.

Mais elle reprit ses explications un peu plus tard, dans la Mercedes-Benz de Wyndam-Matson, qui négociait la circulation nocturne.

« D'après Abendsen, Roosevelt aurait été un président du tonnerre. Aussi fort que Lincoln. Il l'a montré l'année de son élection, avec toutes les mesures qu'il a prises. Le livre est une fiction. Je veux dire, un roman. Roosevelt n'est pas assassiné à Miami ; il poursuit sa carrière et il est réélu en 1936, tant et si bien qu'il est toujours président en 1940, pendant la guerre. Tu comprends, maintenant ? Il est toujours président quand l'Allemagne attaque l'Angleterre, la France, la Pologne. Il assiste à ça. Il fait de l'Amérique un pays fort. Garner a été un président abominable. C'est de sa faute, s'il s'est produit ce qui s'est produit. Ensuite, en 1940, ce n'est pas Bricker qui aurait été élu, mais un démocrate…

— D'après ce monsieur Abelson », coupa Wyndam-Matson en jetant un coup d'œil à sa passagère.

Seigneur… elles lisent un livre, et voilà, on ne les arrête plus.

« Il dit qu'au lieu d'un isolationniste comme Bricker, c'est Rexford Tugwell qui serait devenu président en 1940, après Roosevelt. » Les feux rouges se reflétaient sur le visage lisse, rayonnant d'animation. Rita gesticulait en parlant, les yeux écarquillés. « Il aurait continué très activement la politique antinazie de Roosevelt. Du coup, les Allemands n'auraient pas osé aider les Japonais en 1941. Ils n'auraient pas respecté leur traité. Tu comprends ? » Elle se tourna vers Wyndam-Matson, qu'elle attrapa brusquement par l'épaule. « L'Allemagne et le Japon auraient perdu la guerre ! »

Il éclata de rire.

La jeune femme le regardait, à la recherche de quelque chose dans son expression – il n'aurait su dire quoi, d'autant plus qu'il devait être attentif aux autres voitures.

« Ce n'est pas drôle. Ça se serait vraiment passé comme ça. Les États-Unis auraient réussi à battre les Japonais. Et…

— Comment ? coupa-t-il.

— Tout est expliqué en détail. » Silence prolongé. « Sous forme de fiction. Certains passages sont complètement inventés, évidemment. Je veux dire, il faut que ce soit distrayant ; sinon, les gens ne liraient pas le livre. Il y a un thème d'intérêt humain ; les deux jeunes, le garçon dans l'armée américaine, la fille… Enfin bon, quoi qu'il en soit, le président Tugwell est drôlement malin. Il devine ce que mijotent les Japs. » Rita continua, non sans anxiété : « On a le droit d'en discuter. Ils ont laissé le livre circuler dans le Pacifique. J'ai lu quelque part qu'ils étaient nombreux à le lire. Qu'il marchait bien dans l'archipel. Les gens en parlent.

— Bon. Et qu'est-ce qu'il dit de Pearl Harbor ?

— Le président Tugwell est tellement malin qu'il envoie tous les bateaux en mer. La flotte américaine n'est pas détruite.

— Je vois.

— Alors il n'y a pas vraiment de Pearl Harbor. Les Japs attaquent, mais il ne coulent que quelques petits bateaux de rien du tout.

— Il n'y a pas une histoire de sauterelle dans le titre ?

— *Le Poids de la sauterelle*… C'est une référence à la Bible.

— Et le Japon est vaincu parce qu'il n'y a pas de Pearl Harbor. Franchement… Le Japon aurait gagné, de toute manière. Même sans Pearl Harbor.

— La marine américaine l'empêche de prendre les Philippines et l'Australie… dans le livre.

— Il les aurait prises, de toute manière ; il avait une meilleure flotte. Je connais bien les Japonais : il était écrit qu'ils domineraient le Pacifique. Les États-Unis déclinaient depuis la Première Guerre mondiale. Tous les pays alliés en étaient sortis laminés, à la fois moralement et spirituellement.

— Mais si les Allemands n'avaient pas pris Malte, Churchill serait resté au pouvoir et aurait mené l'Angleterre à la victoire, s'obstina Rita.

— Comment ça ? Et où ?

— En Afrique du Nord. Churchill aurait fini par battre Rommel. » Wyndam-Matson éclata de rire. « Ensuite, après la défaite de Rommel, les Britanniques auraient fait passer toute leur armée par la Turquie pour rejoindre les restes des forces russes et les aider à tenir leurs positions… D'après le livre, les Allemands finissent par être arrêtés au niveau du front de l'Est dans une ville quelconque, sur la Volga. Je n'en avais jamais entendu parler, mais elle existe vraiment, je le sais, j'ai regardé dans l'atlas.

— Comment s'appelle-t-elle ?

— Stalingrad. C'est là que les Anglais inversent le cours de la guerre. Voilà. Le roman explique que Rommel n'aurait jamais effectué la jonction avec l'armée allemande de Russie, celle de von Paulus, tu te rappelles ? Les nazis n'auraient pas réussi à gagner le Moyen-Orient pour s'approprier le pétrole dont ils avaient besoin ni à passer en Inde et à rejoindre les Japonais. Ils…

— Personne n'aurait mis au point une stratégie capable de venir à bout d'Erwin Rommel, affirma Wyndam-Matson. Aucun événement tel que ce type en a rêvé, aucune ville russe au nom héroïque de *Stalingrad*, aucune opération de fixation n'auraient fait davantage que retarder la fin ; rien ne l'aurait modifiée. Écoute. *J'ai vu Rommel en personne.* À New York, en 1948, à l'époque où je travaillais là-bas. » En fait, il n'avait vu que le Gouverneur militaire des États-Unis d'Amérique, lors d'une réception à la Maison-Blanche, et encore, de loin. « Quel homme. Une dignité, une tenue. Alors je sais de quoi je parle.

— C'est terrible que le général Rommel ait été relevé de ses fonctions et remplacé par Lammers. Ce type est ignoble. À partir de là, les meurtres et les camps de concentration se sont multipliés.

— Ils existaient déjà à l'époque où Rommel était Gouverneur militaire.

— Pas officiellement, répondit Rita avec un geste de la main. Ces racailles de S.S. faisaient peut-être ce genre de choses… mais Rommel n'était pas comme ça. Il ressemblait plutôt aux Prussiens d'autrefois. Dur, mais…

— Je vais te dire qui a vraiment fait du bon boulot aux États-Unis, coupa Wyndam-Matson. Qui a permis la renaissance économique. Albert Speer. Ni Rommel ni l'Organisation Todt[1]. La meilleure nomination du Partei dans toute l'Amérique du Nord, c'est Speer ; il a relancé les entreprises, les compagnies, les usines – tout, absolument tout ! –, avec une efficacité admirable. Si seulement on avait l'équivalent ici… au lieu de cinq structures pour se disputer chaque secteur. Quel gaspillage monstrueux. Il n'y a rien de plus idiot que la compétition économique.

— Je ne pourrais pas vivre dans les camps de travail qu'ils ont à l'Est, avec leurs dortoirs. Une de mes amies y a passé un moment. Son courrier était censuré…

---

1. Groupe de génie civil et militaire en charge de nombreux projets de construction, avant et après guerre, dans l'Allemagne nazie et les pays conquis.

elle n'a pu m'en parler qu'à son retour. On les réveillait à six heures et demie avec une *fanfare*.

— On s'habitue. On est bien logé, bien nourri, soigné en cas de besoin, on a des distractions… Qu'est-ce qu'il te faut de plus ? Des fraises en hiver ? »

La grosse voiture allemande avançait doucement dans la froide nuit brumeuse de San Francisco.

*
* *

Assis par terre en tailleur, M. Tagomi souriait à M. Baynes en soufflant de temps en temps dans sa petite tasse de oolong.

« On se sent bien ici, disait Baynes. La côte Pacifique a une ambiance paisible, très différente de… celle qui règne là-bas. »

Il se garda de donner aucune précision.

« *Dieu s'adresse à l'homme dans le signe de l'Éveilleur*, murmura M. Tagomi.

— Je vous demande pardon ?

— L'oracle. Excusez-moi. Simple réaction corticale : mes pensées frappent la campagne. »

Battent *la campagne*, traduisit Baynes. *Voilà l'idiotisme qu'il cherche*. Le visiteur sourit en son for intérieur.

— C'est absurde, continua M. Tagomi, mais nous suivons les préceptes d'un livre écrit il y a cinq mille ans. Nous lui posons des questions comme s'il était vivant. Il *est* vivant. De même que la Bible des chrétiens. Il existe en réalité de nombreux livres vivants. Et ce n'est pas une métaphore. Ils sont animés par un esprit. Vous comprenez ? »

Il guettait la réaction de son interlocuteur.

« Je… connais mal la religion, répondit ce dernier en choisissant ses mots avec soin. C'est en dehors de mon domaine de compétences. Je préfère m'en tenir aux sujets que je maîtrise un minimum. »

Le fait était qu'il ne savait pas vraiment de quoi parlait le Japonais. La fatigue, sans doute. *Depuis mon arrivée, ce soir, tout ce que je vois me semble affecté d'une sorte de… de nanisme. De rabougrissement, avec en plus une touche de grotesque. Qu'est-ce que c'est que ce livre de cinq mille ans ? La montre Mickey, M. Tagomi en personne, la tasse fragile qu'il tient à la main… et cette énorme tête de bison, hideuse, menaçante, accrochée au mur, juste en face de moi.*

« Qu'est-ce que c'est que cette tête ? demanda brusquement Baynes.

— Vous avez devant vous la créature même dont se nourrissaient les indigènes, autrefois.

— Je vois.

— Je puis vous faire la démonstration de l'art de la chasse au bison. » M. Tagomi posa sa tasse sur la table basse et se remit sur ses pieds. De retour chez lui, le soir, il arborait kimono de soie, mules et foulard blanc. « Me voici sur mon vaillant coursier. » Il s'accroupit en l'air. « Devant moi, en travers de la selle, le fidèle fusil Winchester de 1866 tiré de ma collection. » Coup d'œil interrogateur à son invité. « Le voyage vous a chiffonné, monsieur.

— J'en ai peur, admit Baynes. Je me sens un peu dépassé. Mon travail me préoccupe beaucoup… »

Et si ce n'était que mon travail, ajouta-t-il en son for intérieur. Il avait mal à la tête. Les analgésiques merveilleusement efficaces d'I.G. Farben étaient-ils disponibles sur la côte Pacifique ? Il s'était habitué à s'en servir pour combattre ses sinusites.

« L'homme a besoin de croire, déclara M. Tagomi. Les réponses nous sont inconnues. Il nous faut de l'aide pour voir au loin. » Baynes acquiesça. « Mon épouse a peut-être quelque chose à vous proposer contre le mal de tête, ajouta son hôte en le voyant retirer ses lunettes puis se frotter le front. Les muscles des yeux provoquent de telles douleurs. Si vous voulez bien m'excuser. »

Il s'inclina puis se retira.

J'ai surtout besoin de sommeil, se dit Baynes. *Une bonne nuit de repos. À moins que j'aie tout simplement du mal à affronter la situation ? Que je renâcle sous prétexte que c'est difficile.*

M. Tagomi réapparut, un verre d'eau et un cachet quelconque à la main.

« Il va vraiment falloir que je vous quitte et que je rentre à mon hôtel, annonça son invité, mais j'aimerais d'abord vous poser une question. Nous en rediscuterons demain, si vous voulez. Avez-vous été informé qu'une troisième partie allait se joindre aux discussions ? »

La surprise s'inscrivit brièvement sur les traits de M. Tagomi puis s'évanouit, tandis qu'il prenait l'air serein.

« On ne m'en a rien dit. Toutefois… c'est fort intéressant, bien sûr.

— Cette personne arrive tout droit de l'archipel nippon.

— Ah. »

Pas trace de surprise, cette fois. Il se maîtrisait parfaitement.

« Il s'agit d'un homme d'affaires à la retraite, précisa Baynes. Qui voyage en bateau. Il est parti depuis deux semaines. Un *a priori* contre l'avion.

— Ce monsieur a des idées surannées.

— Il se tient informé de l'évolution des marchés japonais pour défendre ses intérêts, ce qui lui permettra de nous renseigner. De toute manière, il comptait prendre des vacances à San Francisco. Ce n'est pas exagérément important, mais nos discussions n'en seront que plus précises.

— Oui, il corrigera nos erreurs concernant les marchés de l'archipel. Je suis parti depuis deux ans.

— Le cachet était pour moi ? »

M. Tagomi baissa les yeux en sursaut : il tenait toujours à la main comprimé et verre d'eau.

« Excusez-moi. C'est un puissant médicament. La zaracaïne. Fabriquée par une entreprise pharmaceutique du district de Chine. Non addictive, ajouta-t-il, la main tendue.

— Ce monsieur contactera sans doute votre mission directement, déclara Baynes en se préparant à prendre le cachet. Je vais vous donner son nom pour que vos employés ne l'envoient pas promener. Je ne le connais pas, mais j'ai cru comprendre qu'il était un peu dur d'oreille et assez excentrique. Il faut veiller à ne pas le… contrarier. » M. Tagomi avait l'air d'acquiescer. « Il adore les rhododendrons. Sans doute sera-t-il enchanté si vous lui envoyez quelqu'un capable d'en discuter une demi-heure, pendant que nous organiserons la réunion. Son nom. Je vous l'écris. »

Baynes avala son comprimé, tira stylo et carnet de sa poche.

« M. Shinjiro Yatabe », lut son hôte après avoir récupéré la feuille arrachée, qu'il rangea respectueusement dans son propre calepin.

« Encore une chose », ajouta Baynes. M. Tagomi souleva lentement sa tasse par le bord, attentif. « Il s'agit d'un sujet délicat. Ce vieux monsieur… ah, c'est tellement embarrassant. Il a près de quatre-vingts ans. Certaines de ses entreprises n'ont pas été couronnées de succès, à la fin de sa carrière. Vous comprenez ?

— Il a perdu sa fortune. Peut-être perçoit-il une retraite.

— Exactement. Une retraite minuscule, hélas. Voilà pourquoi il s'arrange pour l'arrondir par divers moyens.

— Enfreignant ainsi un règlement sans importance. Le gouvernement de l'archipel et son administration bureaucratique. Je vois. Ce monsieur reçoit des appointements pour la consultation qu'il nous donne, mais n'en parle pas à la caisse de retraite. Nous ne devons donc pas dévoiler sa visite. Officiellement, il ne fait que prendre des vacances.

— Vous êtes délicat.

— La situation s'est déjà présentée. Notre société n'a pas encore résolu le problème des vieillards, que nous devenons sans cesse plus nombreux grâce à l'amélioration des services médicaux. Les Chinois nous enseignent très justement le respect des anciens. Toutefois, les Allemands donnent à notre indifférence des airs de véritable vertu. J'ai cru comprendre qu'ils tuent les personnes âgées.

— Les Allemands », murmura Baynes en se frottant à nouveau le front.

Le cachet avait-il fait effet ? Il se sentait un peu somnolent.

« Vous êtes scandinave... vous avez sans doute eu de nombreux contacts avec la Festung Europa. Vous avez embarqué à Tempelhof, par exemple. Est-il possible d'adopter pareille attitude ? Vous qui êtes neutre, voulez-vous bien me donner votre opinion, s'il vous plaît ?

— Je ne comprends pas de quelle attitude vous parlez.

— Envers les vieux, les malades, les faibles, les fous, les inutiles de toutes sortes. *À quoi sert un nouveau-né ?* a demandé, paraît-il, un philosophe anglo-saxon. J'ai gardé cette question en mémoire et y ai réfléchi bien souvent. Il ne sert à rien, monsieur. De manière générale. »

Baynes répondit par un marmonnement quelconque, signe d'une politesse qui n'engageait à rien.

« N'est-il pas vrai que nul homme ne devrait être l'instrument des besoins d'un autre homme ? » poursuivit M. Tagomi. Il se pencha en avant, passionné. « Je vous en prie, donnez-moi votre opinion de Scandinave neutre.

— Je ne sais pas.

— Pendant la guerre, j'occupais un poste mineur dans le district de Chine. À Shanghai. Il y avait à Hongkou un quartier juif dont le gouvernement a interné un moment les occupants. Les secours du Joint[1] leur ont permis de survivre. Le ministre nazi à Shangai nous a demandé de les massacrer. Je me rappelle la réponse de mes supérieurs : *Cette requête est en désaccord avec les considérations humanitaires.* Ils n'y ont pas accédé, car ils la tenaient pour barbare. J'en ai été impressionné.

— Je vois », murmura Baynes.

Espère-t-il que je vais me trahir ? s'interrogea-t-il, bien réveillé à présent. Ses facultés intellectuelles semblaient lui revenir.

« Les nazis ont toujours décrit les Juifs comme des non-blancs, des Asiatiques, continuait M. Tagomi. L'élite japonaise est parfaitement consciente des implications de cette vision des choses. Les membres du Cabinet de guerre l'étaient déjà. Je n'en ai jamais parlé aux citoyens du Reich dont j'ai fait la connaissance…

_____

1. L'American Jewish Joint Distribution Committee, ou « Joint », association fondée en 1914 par des Juifs américains pour aider les Juifs à l'extérieur des États-Unis.

« — Je ne suis pas allemand, coupa Baynes. Il m'est donc impossible de m'exprimer au nom de l'Allemagne. » Il se leva, prêt à partir. « Nous reprendrons la conversation demain, mais pour l'instant, je vous prie de m'excuser, je n'arrive plus à réfléchir. »

Il devait cependant reconnaître qu'il avait à présent les idées parfaitement claires. Mais il fallait qu'il s'en aille. Cet homme l'entraînait trop loin.

« Pardonnez la stupidité du fanatisme. » M. Tagomi s'empressa de lui ouvrir la porte du couloir. « La passion de la philosophie m'a aveuglé aux faits humains authentiques. Voilà. »

Il lança quelques mots dans sa langue. La porte d'entrée s'ouvrit sur un jeune Japonais, qui s'inclina légèrement, les yeux fixés sur le visiteur.

Mon chauffeur, se dit Baynes.

Puis, brusquement : *Peut-être mes déclarations exaltées sur le vol de la Lufthansa. À ce... je ne me rappelle pas son nom. Lotze, c'est ça. Peut-être sont-elles remontées jusqu'aux Japonais. D'une manière ou d'une autre.*

Si seulement je n'avais rien dit à ce type. Je regrette tellement. Mais il est trop tard.

Je ne suis pas celui qu'il faut. Pas du tout. Pas pour ça.

Quoique... un Suédois aurait dit ce genre de choses. Tout va bien. Aucun problème. Je suis trop scrupuleux. J'ai importé dans la situation actuelle les habitudes du passé. Le fait est que je peux m'exprimer franchement. Voilà à quoi je dois m'habituer.

Toutefois, son conditionnement s'y opposait avec force. Le sang qui lui courait dans les veines. Ses os, ses organes se rebellaient. *Ouvre la bouche*, s'ordonna-t-il. *Dis quelque chose. N'importe quoi. Donne ton opinion. Il le faut pour réussir.*

« Peut-être sont-ils poussés par un archétype inconscient désespéré, déclara-t-il. Au sens jungien.

— J'ai lu Jung, acquiesça M. Tagomi. Je comprends. »

Ils se serrèrent la main.

« Je vous passerai un coup de fil demain matin, conclut Baynes. Bonsoir, monsieur. »

Il s'inclina, imité par son hôte.

Le jeune Japonais souriant s'approcha du visiteur et lui adressa quelques mots incompréhensibles.

« Pardon ? demanda-t-il en prenant son pardessus et en sortant sur la véranda.

— Ce garçon s'exprime en suédois, expliqua M. Tagomi. Il a pris des cours sur la guerre de Trente Ans à l'université de Tokyo, et il est fasciné par votre grand héros, Gustavus Adolphus. » Sourire compatissant. « De toute évidence, ses tentatives pour maîtriser un langage aussi étranger ont, hélas, été infructueuses. Sans doute se passe-t-il des cours enregistrés sur un phonographe ; c'est un étudiant, et ces cours sont très populaires parmi les étudiants, car bon marché. »

Le jeune homme, qui ne comprenait manifestement pas l'anglais, s'inclina, sans se départir de son sourire.

« Je vois, murmura Baynes. Eh bien, je lui souhaite bonne chance. »

J'ai quelques problèmes linguistiques, moi aussi, ajouta-t-il pour lui-même. *Indéniablement.*

Seigneur... son chauffeur allait probablement passer tout le trajet à tenter d'engager la conversation en suédois. Or il comprenait à peine cette langue, et encore fallait-il qu'elle soit parlée avec le plus extrême formalisme et la plus grande correction ; pas par un étudiant japonais essayant de l'apprendre

grâce aux disques de cours passés sur un phonographe.

*Je ne saisirai pas un traître mot de ce qu'il me
raconterai, mais il s'obstinera à essayer, parce qu'une
occasion pareille ne se représentera pas. Il ne reverra
sans doute jamais le moindre Suédois.* M. Baynes
gémit en son for intérieur. L'épreuve allait être terrible des deux côtés.

CHAPITRE SIX

Juliana Frink faisait ses courses, enchantée de la fraîcheur ensoleillée du début de matinée. Elle parcourait le trottoir d'un pas tranquille, chargée de deux sacs en papier brun, s'arrêtant devant toutes les vitrines pour en examiner le contenu. Prenant son temps.

N'était-elle pas censée acheter quelque chose au drugstore ? Elle y entra. Ce jour-là, ses cours de judo ne commençaient qu'à midi, et la matinée lui appartenait. Elle s'installa au comptoir, posa ses sacs puis entreprit de passer les magazines en revue.

Le nouveau *Life* publiait un long article sur *LA TÉLÉVISION EN EUROPE : DE QUOI DEMAIN SERA FAIT*. Intéressée, Juliana s'empara d'un des exemplaires ; une photo montrait une famille allemande installée dans la salle de séjour, devant la télévision. Déjà, disait le texte associé, Berlin diffusait quatre heures d'images par jour. Bientôt, toutes les grandes villes d'Europe seraient dotées d'un émetteur. On en construirait même un à New York d'ici 1970.

Il y avait aussi des photos d'ingénieurs électriciens du Reich à l'œuvre sur le site new-yorkais pour aider le personnel local à résoudre ses problèmes. Les Allemands se reconnaissaient facilement : ils avaient l'air sains, propres, énergiques, pleins d'assurance.

Tandis que les Américains avaient juste l'air... humains. Ces types-là auraient pu être n'importe qui.

L'un des Allemands montrait quelque chose du doigt, tandis que les Américains cherchaient à voir de quoi il s'agissait. *Sans doute ont-ils une meilleure vue que nous*, songea Juliana. *Ils ont eu une meilleure alimentation, ces vingt dernières années. On nous l'a bien dit : ils voient des choses que personne d'autre ne voit. La vitamine A, peut-être ?*

Je me demande quel effet ça fait d'être assis chez soi, dans son salon, et de disposer du monde entier sur un petit écran en verre gris. Les nazis arrivent à aller et venir entre Mars et la Terre... pourquoi ne pourraient-ils pas mettre la télévision au point ? Je crois que je préférerais ça : regarder des spectacles comiques, découvrir à quoi ressemblent vraiment Bob Hope et Durante, plutôt qu'aller sur Mars.

C'est peut-être ce qui coince. (Elle reposa le magazine sur le présentoir.) *Les nazis n'ont aucun humour ; ils ne devraient pas s'intéresser à la télévision. De toute manière, ils ont éliminé la plupart des comiques en les traitant de juifs. On peut même dire qu'ils ont éliminé la plupart des gens travaillant dans le divertissement. Je me demande comment Hope s'en tire, avec ce qu'il raconte. Bon, il s'est réfugié au Canada, évidemment. Ils ont un peu plus de liberté, là-bas. Mais il dit vraiment de ces choses. Sa vanne sur Göring, par exemple... celle où il achète Rome, se la fait expédier sur sa montagne, la reconstruit là-bas puis ressuscite le christianisme pour que ses lions aient quelque chose à...*

« Vous voulez l'acheter, ce magazine, mademoiselle ? » demanda d'un ton méfiant le petit vieux maigrichon qui tenait le drugstore.

Gênée, Juliana reposa le *Reader's Digest* qu'elle avait commencé à feuilleter.

En repartant sur le trottoir, avec ses sacs de courses, elle pensait à Göring. *Peut-être va-t-il devenir Führer à la mort de Bormann. Il a l'air différent des autres. Bormann n'a réussi à prendre la place que parce qu'il s'est imposé sournoisement à l'époque où Hitler perdait la tête, quand personne d'autre que ses proches ne se rendait compte de la rapidité de son déclin. Göring s'était déjà installé dans son château des montagnes, mais c'est lui qui aurait dû succéder au Fou ; après tout, c'est sa Luftwaffe qui a détruit les stations radar anglaises avant d'achever la R.A.F. Hitler aurait fait bombarder Londres comme il avait fait bombarder Rotterdam.*

Mais je te parie que Goebbels va prendre le pouvoir. Tout le monde en est persuadé. Tant que ce n'est pas cet horrible Heydrich. Il nous massacrerait tous. En voilà, un vrai cinglé.

Moi, mon préféré, c'est Baldur von Shirach. Le seul à avoir l'air normal. Mais il n'a pas l'ombre d'une chance.

Elle grimpa le perron du vieil immeuble en bois où elle vivait.

Lorsqu'elle ouvrit la porte de son appartement, Joe Cinnadella lui apparut, couché où elle l'avait laissé, au beau milieu du lit, sur le ventre, les bras pendants. Endormi.

Ce n'est pas possible, il ne peut pas être là. Le camion est reparti. Il l'a raté ? On dirait bien.

Elle gagna la cuisine, où elle posa les sacs en papier sur la table, parmi la vaisselle du petit déjeuner.

Mais est-ce qu'il l'a raté exprès *? Bonne question.*

Quel drôle de type... Il s'était montré tellement actif ; ça avait duré presque toute la nuit, mais on aurait dit qu'il n'était pas vraiment là, qu'il n'avait pas réellement conscience de ce qu'il faisait. Peut-être pensait-il à autre chose.

Juliana rangea par habitude ses courses dans le vieux réfrigérateur à tourelle G.E. puis entreprit de débarrasser la table.

Peut-être est-ce une habitude chez lui. Une seconde nature. Son corps exécute les mouvements nécessaires, comme le mien maintenant, qui pose les assiettes et les couverts dans l'évier. Ce serait pareil avec les trois cinquièmes du cerveau en moins – rappelle-toi les pattes de la grenouille en cours de biologie.

« Hé ! appela-t-elle. Réveille-toi. »

Dans le lit, Joe remua puis s'ébroua.

« Tu as écouté le spectacle de Bob Hope, l'autre soir ? reprit Juliana. Il en a raconté une bien bonne. C'est un commandant allemand qui interroge des Martiens. Eux, tu comprends, ils n'ont pas de documents raciaux prouvant que leurs grands-parents étaient aryens. Alors le commandant envoie un rapport à Berlin pour dire que Mars est peuplé de Juifs. » Elle regagna la salle de séjour, où Joe ne s'était toujours pas levé. « Qu'ils mesurent une trentaine de centimètres et qu'ils ont deux têtes… Tu connais Bob Hope. »

Les yeux ouverts, le routier la fixait sans ciller, sans mot dire. Le menton noir de barbe naissante, le regard sombre, douloureux… Elle se tut, elle aussi.

« Qu'est-ce qui t'arrive ? demanda-t-elle enfin. Tu as peur ? »

Non, ajouta-t-elle aussitôt, pour elle-même. *C'est Frank qui a peur. Lui, là… je ne sais pas.*

« Le camion est reparti, dit-il en s'asseyant.

— Qu'est-ce que tu vas faire ? »

Elle s'assit au bord du lit en s'essuyant les bras et les mains avec le torchon.

« Je le reprendrai au retour. Mon pote ne dira rien à personne ; il sait que j'en ferais autant pour lui.

— Ça t'était déjà arrivé ? » s'enquit-elle.

Il ne répondit pas. *Tu l'as manqué exprès*, se dit-elle. *J'en suis sûre ; sûre et certaine, là, maintenant.*

« Et s'il suit une autre route ? demanda-t-elle tout haut.

— Il passe toujours par la 50. Jamais par la 40. Il a eu un accident sur la 40, à une époque. Des chevaux qui s'étaient retrouvés en liberté sur la chaussée ; il les a percutés. Dans les Rocheuses. »

Joe ramassa ses vêtements, posés sur une chaise, et entreprit de s'habiller.

« Quel âge tu as ? interrogea Juliana en contemplant sa nudité.

— Trente-quatre ans. »

Il avait donc dû faire la guerre. Elle ne lui trouvait aucun défaut physique évident ; il avait même plutôt un beau corps, mince, avec de longues jambes. Conscient de l'examen auquel elle le soumettait, il lui tourna le dos, mécontent.

« Je ne peux pas regarder ? » s'étonna-t-elle. Et pourquoi ça ? Ils avaient passé la nuit ensemble, mais voilà qu'il se montrait pudique. « Est-ce que par hasard, on serait des cafards ? Incapables de supporter une vision pareille en plein jour… obligés de se cacher dans les murs ? »

Il ne répondit que par un grognement maussade avant de partir pour la salle de bains en se frottant le menton, en slip et en chaussettes.

Je suis chez moi, se dit la jeune femme, *je t'accorde l'hospitalité, mais tu ne veux pas que je te regarde. Alors pourquoi rester ?* Elle le suivit jusque dans la petite pièce ; il faisait couler l'eau chaude du lavabo pour se raser.

Son bras s'ornait d'un tatouage, la lettre C.

« Qu'est-ce que ça veut dire ? demanda-t-elle. C'est ta femme ? Connie ? Corinne ?

— C pour Caire », répondit-il en se lavant la figure.

Quel nom exotique, songea-t-elle, envieuse – juste avant de se sentir rougir.

« Je suis complètement idiote. »

Un Italien de trente-quatre ans, originaire de la partie nazie du monde… Bien sûr qu'il avait fait la guerre. Du côté de l'Axe. Et il s'était battu au Caire ; le tatouage servait de trait d'union entre les vétérans allemands et italiens de cette campagne – la défaite des armées britannique et australienne sous le commandement du général Gott, face à Rommel et à ses Afrika Korps.

Juliana regagna la salle de séjour, où elle refit le lit. Ses mains volaient.

Les affaires de Joe étaient empilées avec soin sur une chaise : des vêtements, une petite valise, quelques objets personnels. Y compris une boîte recouverte de velours qui ressemblait assez à un étui à lunettes. La jeune femme la prit et l'ouvrit, par curiosité.

Oui, tu as dû te battre au Caire… Elle contemplait une Croix de fer de deuxième classe, gravée de l'inscription *10 JUIN 1945*. Ce genre de décorations ne courait pas les rues ; elles étaient réservées aux plus courageux. *Je me demande ce que tu as fait… tu n'avais que dix-sept ans, à l'époque.*

À l'instant précis où elle sortait la médaille de son écrin, Joe apparut sur le seuil de la salle de bains. Juliana sursauta en prenant conscience de sa présence, mais il n'avait pas l'air contrarié.

« Je regardais, c'est tout, dit-elle. Je n'avais encore jamais vu de Croix de fer. Rommel t'a décoré en personne ?

— C'est le général Bayerlein qui les a distribuées. Rommel avait déjà été envoyé en Angleterre terminer le travail. »

Il s'exprimait d'un ton calme, mais sa main avait repris sur son crâne le va-et-vient monotone de la veille, les doigts plongés dans les cheveux comme pour les peigner. Ça ressemblait fort à un tic nerveux chronique.

« Tu veux bien me raconter ? » demanda Juliana, pendant qu'il retournait se poster devant le lavabo.

Il lui raconta en effet, un peu, en se rasant puis en prenant une longue douche brûlante ; pas du tout le genre de récit qu'elle aurait aimé entendre. Les deux frères de Joe avaient participé à la campagne d'Éthiopie alors qu'il faisait partie des Jeunesses fascistes de Milan, sa ville natale. Il n'avait que treize ans, à ce moment-là. Par la suite, ses aînés avaient été affectés à une batterie d'artillerie d'élite, celle du commandant Ricardo Pardi ; quand la Seconde Guerre mondiale avait éclaté, Joe les avait rejoints. Ils s'étaient battus sous les ordres de Graziani. Leur équipement était lamentable, surtout les chars. Les Britanniques les tiraient comme des lapins, y compris les officiers. Au combat, il fallait bloquer les portières des tanks avec des sacs de sable pour les empêcher de s'ouvrir n'importe quand. Ça n'avait pas empêché le commandant Pardi de récupérer les obus rejetés, de les polir, de les graisser puis de les tirer. C'était sa batterie qui avait arrêté la grande avancée désespérée des chars du général Wavell, en 1943.

« Tes frères s'en sont sortis ? » demanda Juliana.

Les deux aînés avaient été tués en 1944, étranglés au fil de fer par des commandos britanniques du Long Range Desert Group, qui opérait derrière les lignes de l'Axe. De véritables fanatiques, surtout pendant les dernières phases du conflit, quand il était devenu évident que les Alliés n'avaient aucune chance de l'emporter.

« Qu'est-ce que tu penses des Britanniques, maintenant ? » s'enquit encore Juliana, non sans hésitation.

« J'aimerais que les Allemands fassent en Angleterre la même chose qu'en Afrique, répondit Joe d'un ton neutre.

— Ça remonte quand même à… dix-huit ans. Les Anglais ont commis de véritables horreurs, d'accord, mais…

— Tout le monde parle de ce que les nazis ont fait aux Juifs, mais les Britanniques étaient bien pires. Pendant la bataille de Londres. » Joe se tut un instant. « Les bombes incendiaires, au phosphore et au pétrole ; j'ai vu quelques transports de troupes allemands, après. Des bateaux et encore des bateaux réduits en cendres. Les tuyaux cachés sous l'eau… qui transformaient la surface en mer de feu. Et ils les ont employées contre les populations civiles, pendant les bombardements aériens massifs censés faire tourner le vent au dernier moment, d'après Churchill. Les raids de la terreur sur Hambourg… sur Essen… sur…

— N'en parlons plus. »

Juliana regagna la cuisine, où elle entreprit de faire griller le bacon puis alluma la petite radio Emerson en plastique blanc que Frank lui avait offerte pour son anniversaire.

« Je vais préparer à manger. »

Elle pianota sur les boutons, à la recherche d'une musique légère, agréable.

« Regarde. »

Joe s'était assis sur le lit, dans la salle de séjour, sa petite valise posée à son côté, ouverte. Il en avait tiré un livre abîmé, déformé, qui avait visiblement été beaucoup lu.

« Viens voir, appela-t-il, souriant. Tu sais quoi ? ce type… » Il montrait le livre. « C'est trop drôle. Assieds-toi. » Il empoigna Juliana par le bras pour l'obliger à s'installer près de lui. « Je vais te lire ça. Suppose qu'ils ont gagné. À quoi ressemblerait le monde ? Pas la peine de se creuser la tête, ce type y a pensé pour nous. » Joe ouvrit le roman, dont il se mit à tourner les pages, lentement. « L'Empire britannique dominerait toute l'Europe. Toute la Méditerranée. Il n'y aurait pas d'Italie. Ni d'Allemagne. Des *bobbies*, ces drôles de petits soldats, avec leurs grands chapeaux en fourrure, et le roi, jusqu'à la Volga.

— Est-ce que ce serait si mal ? demanda tout bas Juliana.

— Tu l'as lu ?

— Non. » Elle se pencha pour voir la couverture du livre. Elle en avait entendu parler, oui. Des tas de gens le lisaient. « Mais Frank et moi… mon ex-mari et moi… on discutait souvent de ce que serait devenu le monde si les Alliés avaient gagné la guerre. »

Sans paraître l'entendre, Joe contemplait d'un œil fixe son exemplaire du *Poids de la sauterelle*.

« Tu sais comment l'Angleterre gagne, dans ce bouquin ? Tu sais comment elle bat l'Axe ? »

Juliana secoua la tête, consciente de la tension croissante de son compagnon. Le menton de Joe frémissait à présent ; il s'humectait les lèvres, encore et encore, se passait la main dans les cheveux… Lorsqu'il reprit la parole, ce fut d'une voix rauque.

« D'après l'auteur, l'Italie trahit l'Axe.

— Ah.

— Elle passe aux Alliés. Les Italiens se joignent aux Anglo-Saxons, ce qui expose le *ventre mou* de l'Europe, comme il dit. C'est une idée qui lui vient tout naturellement. Chacun sait que les pleutres de l'armée italienne s'enfuyaient chaque fois qu'ils voyaient les Brits. Ces sacs à vin. Ces têtes de linotte pas foutues de se battre. » Joe referma le roman pour en examiner la quatrième de couverture. « Abendsen. Je ne lui en veux pas. Il écrit ce qui lui passe par la tête, il imagine ce que serait le monde si l'Axe avait perdu. Et comment aurait-il perdu, si l'Italie ne l'avait pas trahi ? » La voix du routier était devenue râpeuse. « Le Duce… le Duce était un clown, tout le monde sait ça.

— Il faut retourner le bacon. »

Juliana s'écarta de lui et s'empressa de regagner la cuisine.

Il la suivit, le livre à la main.

« Ensuite, les États-Unis entrent dans la danse. Après avoir battu les Japs. Alors, une fois la guerre terminée, les États-Unis et la Grande-Bretagne se partagent le monde. Exactement comme l'ont fait en réalité l'Allemagne et le Japon.

— L'Allemagne, le Japon et l'Italie », rectifia-t-elle. Il la considéra d'un œil fixe. « Tu as oublié l'Italie. »

Elle lui faisait face, très calme. *Toi aussi, tu as oublié ? Comme tout le monde ? Le petit empire moyen-oriental… la comédie musicale de la Nouvelle-Rome.*

Juliana servit à Joe une assiette d'œufs au bacon, accompagnée de pain grillé et de confiture. Il se mit à manger de bon appétit.

« Qu'est-ce que vous mangiez en Afrique du Nord ? » demanda-t-elle en s'asseyant à table, elle aussi.

« De l'âne mort.

— Quelle horreur.

— *Asino Morte*, continua-t-il avec un sourire tors. Des conserves de bœuf. Avec les initiales A.M., toutes. Les Allemands disaient que c'était de l'*Alter Man*… du vieil homme. »

Il se replongea dans son petit déjeuner.

J'aimerais bien le lire, songea la jeune femme en prenant le livre, sur lequel Joe avait posé le bras. *Mais monsieur restera-t-il assez longtemps ?* Des taches de gras s'étalaient sur la couverture ; certaines pages étaient déchirées ; le papier maculé d'empreintes digitales. Sans doute le roman avait-il accompagné divers routiers durant leurs longs voyages. Dans les petits restos pas chers, tard le soir… *Je parie que tu lis lentement. Que tu ressasses le contenu de ce bouquin depuis des semaines, si ce n'est des mois.*

Juliana ouvrit le volume au hasard :

… dans sa vieillesse, il envisageait la tranquillité, un domaine tel que les anciens l'auraient convoité sans le comprendre, bateaux venus de Crimée ou de Madrid, de l'empire dans son ensemble, tous unis par une même monnaie, une même langue, un même drapeau. Le grand, le vénérable Union Jack, flottant du levant au couchant : on y était enfin, à cet empire sur lequel le soleil ne se couchait jamais.

« Moi, commença-t-elle, le seul livre qui ne me quitte pas n'en est pas vraiment un. C'est l'oracle. Le *Yi King*… Depuis que Frank m'a fait craquer dessus, je m'en sers chaque fois que je dois prendre une décision. Je ne le perds jamais de vue. Jamais. » Elle referma *Le Poids de la sauterelle*. « Tu veux y jeter un coup d'œil ? Le consulter ?

— Non. »

Les bras croisés sur la table, elle posa le menton dessus en regardant Joe de côté.

« Tu as décidé de t'installer ici pour de bon ? Qu'est-ce que tu mijotes ? »

À ressasser les insultes, les calomnies. Tu me glaces avec ta haine de la vie. Mais… tu as quelque chose. On dirait un animal, une petite bête ; tellement maligne, si négligeable soit-elle. La jeune femme examinait maintenant le visage sombre, empreint d'intelligence – une intelligence limitée. *Comment ai-je bien pu te croire plus jeune que moi ? Bon, c'est vrai que tu es puéril ; le petit dernier, en adoration devant ses deux grands frères, son commandant Pardi et son général Rommel ; un gosse qui meurt d'envie d'aller se faire les Tommies. Je me demande s'ils ont vraiment étranglé tes frères au fil de fer… On a entendu parler de ce genre de choses après la guerre, il y a eu des reportages, des photos…* Elle frissonna, mais les commandos britanniques avaient été jugés, puis punis, depuis longtemps.

La musique s'interrompit, remplacée par ce qui ressemblait à une émission d'informations, un brouhaha d'ondes courtes venu d'Europe. La voix qui sortait des haut-parleurs s'affaiblit au point de devenir incompréhensible. Suivit une longue pause de néant. Le silence total. Enfin rompu par le présentateur de Denver parfaitement audible, tout proche, aurait-on dit. Juliana allait éteindre le poste, quand Joe l'en empêcha.

« … la mort du chancelier Bormann laisse sous le choc une Allemagne stupéfaite, persuadée hier encore que… »

Ils bondirent tous deux sur leurs pieds.

« … toutes les stations du Reich ont annulé leur programmation normale. Les auditeurs ont entendu les accents solennels des chœurs de la division S.S. *Das Reich* chanter l'hymne du Partei, le *Horst Wessel Lied*. Plus tard, à Dresde, où étaient réunis le secrétaire du Partei et les chefs du Sicherheitsdienst, le service de la sécurité nationale qui a remplacé la Gestapo après... »

Joe monta le son.

« ... la réorganisation du gouvernement à l'instigation du défunt Reichsführer Himmler, d'Albert Speer et de quelques autres, deux semaines de deuil officiel ont été décrétées. Beaucoup de magasins et d'entreprises ont d'ailleurs déjà fermé leurs portes, avons-nous appris. Aucune nouvelle de la réunion attendue du Reichstag ne nous est encore parvenue, alors que l'approbation du parlement du Troisième Reich est nécessaire pour... »

« Ça va être Heydrich, dit Joe.

— Si seulement c'était ce grand blond, là, Schirach. Seigneur... Alors il a fini par mourir. Tu crois que Schirach a une chance ?

— Non, répondit-il, laconique.

— Ça va peut-être déclencher la guerre civile. Ils sont tous tellement vieux, maintenant. Göring, Goebbels... il ne reste que des vieillards. »

« ... contacté dans sa retraite alpine, près de Brenner... » disait la radio.

« Le bouffi Hermann », marmonna Joe.

« ... a fait une courte déclaration pour souligner sa tristesse de perdre non seulement un soldat, un patriote, le chef dévoué du Partei, mais encore un ami personnel, comme il l'avait déjà dit maintes fois. Un ami qu'il avait soutenu, on s'en souvient, durant la querelle de l'interrègne, après la guerre, quand il avait semblé un moment que les éléments hostiles à l'ascension au poste suprême de Herr Bormann... »

Juliana éteignit la radio.

« Quel bla-bla-bla. Pourquoi emploient-ils des mots pareils ? À les entendre, ces monstres sanguinaires sont des gens comme nous.

— Ce sont des gens comme nous ». Joe se rassit et se remit une fois de plus à manger. « Tout ce qu'ils ont fait, on l'aurait fait aussi si on avait été à leur place. Ils ont sauvé le monde du communisme. Sans l'Allemagne, on serait tous soumis à la loi des Rouges, à l'heure actuelle. Ce serait bien pire.

— Tu parles, tu parles. Tu ne vaux pas mieux que les types de la radio. Du bla-bla-bla.

— J'ai vécu en territoire nazi. Je sais ce que c'est. Tu appelles ça du bla-bla-bla, douze, treize ans… plus que ça, presque quinze ans ? J'ai une carte de travail de l'O.T. ; j'ai été fiché à l'Organisation Todt à partir de 1947, en Afrique du Nord et aux États-Unis. Écoute… » Il tendit brusquement le doigt vers elle. « Je suis italien et très doué pour le terrassement ; l'O.T. m'a classé dans le haut du panier. Je n'ai pas été employé à pelleter de l'asphalte ou à mélanger du ciment sur les routes ; j'ai participé à la conception. En tant qu'ingénieur. Un jour, Herr Doktor Todt est venu inspecter les résultats de notre équipe. Il m'a dit que j'avais de bonnes mains. C'était un grand moment, Juliana. La dignité du travail ; il ne s'agit pas seulement de mots. Avant… avant les nazis, tout le monde regardait les tâches manuelles de haut ; y compris moi. De vrais aristocrates. Le Front allemand du travail a balayé ce genre d'attitude. J'ai vu mes propres mains pour la première fois. »

Il parlait si vite que son accent reprenait le dessus ; elle avait du mal à comprendre ce qu'il racontait.

« On vivait dans les bois en véritables frères, au nord de l'État de New York. On chantait. On allait travailler au pas. L'esprit guerrier, mais dans la reconstruction, pas dans la destruction. La meilleure période, la reconstruction d'après guerre… de longues rangées de beaux bâtiments publics flambant neufs, immaculés, dressées les unes après les autres, tout le centre-ville de New York et de Baltimore. C'est fini, évidemment. Les gros cartels comme New Jersey Krupp und Sohnen ont pris les rênes. Mais ça n'a rien à voir avec les nazis ; juste avec les puissants de la vieille Europe. Ils sont pires, tu entends ? Bien pires. Les nazis comme Rommel et Todt valent un million de fois mieux que les industriels comme Krupp et les banquiers, ces sales Prussiens. On aurait dû les gazer. Ces bourgeois en costume. »

Mais ces bourgeois en costume sont là pour l'éternité, se dit Juliana. *Quant à tes idoles, Rommel et le bon Doktor Todt... on les a employés après les hostilités, le temps de se débarrasser des décombres, de construire les routes, de relancer l'industrie. Ils ont même épargné les Juifs – quelle bonne surprise. Une amnistie qui permettait aux proscrits de participer. Jusqu'en 1949, du moins... À partir de là, adieu Rommel, adieu Todt, à la retraite dans leur coin.*

Je le sais, hein. Frank m'en a assez parlé. Tu n'as rien à m'apprendre sur la vie en territoire nazi. Mon mari était – est – juif. Je sais que Todt était le plus modeste, le plus doux des hommes ; je sais qu'il voulait juste donner du travail – un travail honnête, respectable – aux millions d'Américains désespérés, abattus, qui survivaient dans les ruines après la guerre, hommes et femmes confondus. Je sais qu'il était décidé à créer des services médicaux, des centres de villégiature, des logements décents pour tout le monde, sans distinction de race ; c'était un bâtisseur, pas un penseur... et la plupart du temps, il a réussi à construire ce qu'il voulait, il y est bel et bien arrivé, oui. Mais...

La préoccupation qui s'agitait au fond de son esprit surgit résolument au premier plan.

« Dis donc, Joe, ce livre, là, cette histoire de sauterelle, il n'est pas interdit sur la côte Est ? » Le routier acquiesça. « Alors comment se fait-il que tu l'aies lu ? Ils n'abattent plus les gens qui… ?

— Ça dépend de leur classe sociale. Du brassard que le Partei leur accorde. »

Eh oui. Les Slaves, les Polonais, les Portoricains n'avaient pas le droit de lire, d'écouter, de faire ce qu'ils voulaient, loin de là. Les Anglo-Saxons avaient nettement plus le choix ; leurs enfants profitaient de l'école publique, et les bibliothèques, les salles de concert, les musées leur étaient ouverts. N'empêche… *Le Poids de la sauterelle* n'était pas seulement classifié, mais interdit ; à tout le monde.

« Je l'ai lu aux toilettes, expliqua Joe. Et puis je le cachais dans un oreiller. En fait, je l'ai lu *parce qu'*il était interdit.

— Tu as un sacré courage.

— C'est du sarcasme, ça ? demanda-t-il, dubitatif.

— Non. »

Il se détendit un peu.

« Les choses sont tellement faciles, ici. Vous menez une petite vie tranquille, sans inquiétude, sans but, sans obligation. De vraies reliques du passé, à l'écart des événements. D'accord ? »

Il avait le regard moqueur.

« Le cynisme te tuera, répondit Juliana. Tes idoles t'ont été arrachées une à une, et tu n'as plus rien à adorer. »

Elle lui tendit la fourchette qu'il avait reposée. Il la prit. *Mange, ou renonce aussi aux processus biologiques, tant que tu y es*, songea-t-elle.

Joe désigna le livre du menton en continuant à vider son assiette.

« D'après la quatrième de couverture, ce type, là, Abendsen, il vit dans le coin. À Cheyenne. Il considère le monde depuis un endroit tellement sûr, tu te rends compte ? Lis ce qu'ils en disent, vas-y, lis-le à voix haute. »

Elle s'empara du roman pour en parcourir la quatrième de couverture.

« C'est un ancien soldat. Il faisait partie de la marine américaine pendant la Seconde Guerre mondiale. Il a été blessé en Angleterre par un Tigre, un char d'assaut allemand. Il était sergent. D'après eux, il vit dans une véritable forteresse, pleine de fusils. » Elle reposa le livre. « Ce qu'ils ne disent pas – mais j'en ai entendu parler –, c'est qu'il est quasi paranoïaque, qu'il a déménagé en pleine montagne, que sa maison est entourée de barbelés. Et difficile d'accès.

— Il a peut-être raison de se protéger de cette manière après avoir écrit un roman pareil. Les grosses pointures allemandes ont crevé le plafond quand elles l'ont lu.

— Il vivait déjà comme ça avant. C'est dans cette propriété-là qu'il a écrit *Le Poids de la sauterelle*. Elle s'appelle... » Juliana jeta un coup d'œil à la quatrième de couverture. « ... le Haut Château. C'est lui qui l'a baptisée.

— Alors ils ne l'auront pas. » Joe mastiquait à toute allure. « Il se méfie. C'est un malin.

— Je trouve qu'il a un sacré courage d'avoir publié un livre pareil. Si l'Axe avait perdu la guerre, on pourrait dire et écrire tout ce qu'on voudrait, comme autrefois ; on aurait un seul pays immense et une justice équitable, la même pour tout le monde. »

À la grande surprise de la jeune femme, Joe acquiesça très raisonnablement à cette déclaration.

« Je ne te comprends pas, continua-t-elle. Qu'est-ce que tu crois ? Qu'est-ce que tu veux ? Tu défends ces monstres, ces cinglés qui ont massacré les Juifs, et après, tu... »

Désespérée, elle l'attrapa par les oreilles ; il cligna des yeux, surpris et endolori, tandis qu'elle se levait, l'entraînant dans le mouvement.

Ils se firent face, la respiration sifflante, aussi incapables de parler l'un que l'autre.

« Laisse-moi finir de manger, lança-t-il enfin. Tu as préparé le petit déjeuner exprès pour moi.

— Tu ne veux pas discuter ? Tu ne veux pas me dire ? Tu sais ce que c'est, toi aussi ; tu comprends ; et tu vides ton assiette comme si de rien n'était, comme si tu n'avais aucune idée de ce que je raconte. »

Elle le lâcha, mais elle lui avait tordu les oreilles au point de les rendre rouge vif.

« C'est du vent, riposta Joe. Ça n'a aucune importance. Pas plus que la radio ou ce que tu en as dit. Tu sais comment les chemises brunes appelaient les grands discoureurs de philosophie ? *Eierkopf*. Têtes d'œuf. Parce que les gros crânes vides à double dôme sont tellement faciles à casser... dans les bagarres de rue.

— Si c'est ce que tu penses de moi, pourquoi ne pas t'en aller ? Pourquoi rester ? »

La grimace énigmatique de son interlocuteur glaça Juliana.

Si seulement je ne l'avais pas laissé m'accompagner. Il est trop tard, maintenant. Je ne peux plus m'en débarrasser, je le sais. Il est trop fort.

Il se passe quelque chose de terrible. Il émane de lui quelque chose de terrible. Et on dirait que je favorise ça.

« Qu'est-ce qui se passe ? » Il lui donna une petite tape sous le menton, lui caressa le cou, glissa les mains sous son corsage et lui serra affectueusement

122

les épaules. « Tu es mal lunée. Ton problème… je veux bien t'analyser gratuitement.

— Tu vas te faire traiter de Juif. » Elle eut un faible sourire. « Tu as envie de finir dans un four ?

— Je vais te dire, tu as peur des hommes. Vrai ou faux ?

— Je n'en sais rien.

— Ça se voyait, la nuit dernière. Parce que je… » Il s'interrompit, avant d'ajouter : « Parce que j'ai fait très attention à tes envies.

— Parce que tu as couché avec je ne sais combien de filles. C'est ce que tu allais dire.

— Mais j'ai raison, j'en suis sûr. Écoute, Juliana. Jamais je ne te ferai le moindre mal. Je te le jure sur la tombe de ma mère. Je serai extrêmement prévenant, et si tu t'intéresses à mon expérience… je t'en donnerai le meilleur. Jusqu'à ce que tu cesses d'avoir peur ; je peux t'apprendre à te détendre, à te sentir plus à l'aise. Ça ne demandera pas si longtemps que ça. Tu n'as pas eu de chance, c'est tout. »

Elle acquiesça, un peu rassérénée, mais elle se sentait toujours triste et glacée, sans vraiment savoir pourquoi.

*
*   *

En début de journée, M. Nobusuke Tagomi s'accorda dans son bureau du Nippon Times Building un moment de solitude qu'il consacra à la contemplation.

Le rapport d'Ito sur M. Baynes lui était parvenu avant même qu'il ne parte au travail. L'étudiant n'avait aucun doute : M. Baynes n'était pas suédois. C'était très certainement un citoyen allemand.

Toutefois, la maîtrise des langues germaniques du jeune homme n'avait jamais impressionné ni les Missions Commerciales ni la Takkoka, la police secrète japonaise. *Le sot n'a peut-être trouvé aucun sujet de conversation*, se dit son supérieur. *Enthousiasme maladroit et doctrine romantique mêlés. Prendre note, avec méfiance.*

De toute manière, les discussions n'allaient pas tarder à commencer entre M. Baynes, M. Tagomi et le vieillard arrivé en bateau de l'archipel ; à l'heure dite, quelle que soit la nationalité de l'Européen. Lequel inspirait par ailleurs à M. Tagomi une certaine sympathie. Peut-être s'agissait-il là du talent premier des membres les plus éminents de la société – tels que lui-même : la capacité à reconnaître un homme de bien quand ils en croisaient un. L'intuition en ce qui concernait l'humain. Une intuition capable de transpercer les cérémonies et la politesse extérieure. De pénétrer jusqu'au cœur.

Le cœur, bloqué entre deux lignes yin de noire passion. Écrasé, parfois, mais conservant en son sein la petite flamme du yang. *Je l'aime bien*, se dit M. Tagomi. *Qu'il soit allemand ou suédois. J'espère que la zaracaïne a calmé son mal de tête. Il faut que je pense à le lui demander dès le début.*

L'interphone de son bureau se mit à bourdonner.

« Non, dit-il d'un ton brusque à l'appareil. Pas de discussion. C'est l'heure de la Vérité Intérieure. De l'introversion.

— Le service d'information des étages inférieurs vient de nous faire parvenir la nouvelle, monsieur », lança la voix de M. Ramsey dans le minuscule haut-parleur. « Le chancelier du Reich est mort. Martin Bormann. »

La communication fut coupée. Silence.

Il faut tout annuler pour aujourd'hui... M. Tagomi se leva et se mit à tourner en rond d'un pas rapide, les mains jointes. Voyons voir. Envoyer immédiatement un message formel au consul du Reich. Simple détail ; à confier aux subordonnés. Profond chagrin, etc. Le Japon tout entier se joint au peuple allemand en cette heure de tristesse. Ensuite... se montrer activement réceptif. Être en position de recevoir instantanément les informations en provenance de Tokyo.

Il pressa le bouton de l'interphone.

« M. Ramsey, veillez à ne pas perdre le contact avec Tokyo. Dites-le aux standardistes ; soyez attentif. Nous ne devons rater aucune communication.

— Bien, monsieur.

— À partir de maintenant, je reste dans mon bureau. Épargnez-moi la routine. Opposez une fin de non-recevoir à tous les visiteurs et correspondants dont les affaires ne sortent pas de l'ordinaire.

— Monsieur ?

— Je dois avoir les mains libres, au cas où l'activité s'imposerait brusquement.

— Bien, monsieur. »

Une demi-heure plus tard, à neuf heures, arriva un message de l'officiel le plus important de la côte Ouest mandaté par le gouvernement impérial, l'ambassadeur du Japon pour les États-Pacifiques d'Amérique, l'honorable baron L.B. Kaelemakule. Le ministère des Affaires étrangères organisait une réunion extraordinaire à l'ambassade de Sutter Street ; chaque Mission Commerciale devait y envoyer un de ses directeurs. Soit, en l'occurrence, M. Tagomi en personne.

Comme il n'avait pas le temps de se changer, il s'empressa de gagner l'ascenseur express, qui le déposa rapidement au rez-de-chaussée. Un instant plus tard, il était en route dans sa limousine de fonction, une Cadillac 1940 noire, conduite par un Chinois en uniforme expérimenté.

Quelques véhicules cossus étaient déjà garés autour de l'ambassade – une douzaine en tout. Des dignitaires montaient le grand escalier puis disparaissaient dans le bâtiment. M. Tagomi en connaissait d'ailleurs certains. Quand son chauffeur lui ouvrit sa portière, il s'empressa de descendre de voiture, cramponné à son porte-documents – vide, puisqu'il n'avait pas besoin de papiers, même si sa mallette lui était nécessaire pour ne pas avoir l'air d'un simple observateur. Il grimpa les marches d'un pas décidé, signe du rôle essentiel qu'il jouait dans les événements, lui qui ignorait totalement de quoi il allait être question durant la réunion.

Les visiteurs discutaient à voix basse, rassemblés par petits groupes dans l'immense vestibule. M. Tagomi se joignit à quelques officiels de sa connaissance, qu'il salua d'un signe de tête sans se départir de son air solennel – le même que le leur.

Un employé de l'ambassade arriva, chargé de guider ces messieurs jusqu'à une vaste salle. Pleine de chaises pliantes. Ils s'y s'installèrent en silence, si l'on oubliait les toussotements et le frottement des semelles. Tout le monde s'était tu.

Au fond de la pièce, un homme bien mis, une liasse de papiers à la main. Se dirigeant vers une table légèrement surélevée. Pantalon à rayures : envoyé du ministère des Affaires étrangères.

Désordre – modéré. Dignitaires chuchotant ; penchés les uns vers les autres.

« Messieurs », commença le représentant du ministère d'une voix forte, autoritaire. Tous les regards se posèrent sur lui. « Comme vous le savez déjà, le Reichskanzler est mort, la nouvelle nous a été confirmée. Une annonce officielle de Berlin. Cette réunion va être brève – vous n'allez pas tarder à pouvoir regagner vos bureaux. Elle est destinée à vous informer de notre évaluation des factions adverses impliquées dans la vie politique allemande. Nous nous attendons maintenant à les voir entrer en scène en engageant une bataille sans retenue pour la place libérée par Herr Bormann.

« En bref, les notables. Le plus connu, Hermann Göring. Je vous prie de ne pas vous impatienter des détails que vous connaissez déjà.

« Surnommé le Bouffi. À l'origine, as de l'aviation d'une grande bravoure pendant la Première Guerre mondiale. Puis fondateur de la Gestapo et détenteur d'un poste d'énorme pouvoir dans le gouvernement prussien. Fait partie des nazis de la première heure les plus impitoyables, quoique ses excès de sybarite aient par la suite donné de lui l'image trompeuse d'un homme de bonnes dispositions, amateur de vin, image que notre gouvernement vous prie de rejeter. Göring est paraît-il en mauvaise santé, voire gravement malade, si l'on se réfère à ses appétits, mais il ressemble pour l'essentiel aux césars romains d'autrefois, qui se permettaient tout et dont la puissance ne faisait que croître avec l'âge au lieu de s'affaiblir. La représentation sinistre de cet obèse en toge, entouré de ses lions familiers, posant dans un immense château empli de trophées et d'objets d'art, est sans le moindre doute réaliste. Pendant la guerre, les trains de marchandises transportant ces trésors volés jusqu'à ses propriétés privées circulaient de préférence aux convois de ravitaillement militaires. Notre évaluation : Hermann Göring aspire au pouvoir suprême et est capable de l'obtenir. C'est le plus sybarite des nazis ; il offre un contraste saisissant avec le défunt Heinrich Himmler, lequel vivait dans le besoin vu son maigre salaire. Herr Göring a la mentalité caractéristique des corrompus, qui se servent de leur position pour amasser une fortune personnelle. Une mentalité primitive, voire vulgaire, mais accompagnée d'intelligence – la plus grande peut-être parmi les dirigeants nazis. L'objet de ses désirs : la glorification personnelle, à la manière des empereurs du passé.

« Ensuite, Herr Goebbels. Frappé dans sa jeunesse par la polio. D'origine catholique. Brillant orateur, écrivain, esprit flexible et fanatique, rusé, poli, cosmopolite. Très actif auprès des dames. Élégant. Cultivé. Extrêmement capable. Abat un travail énorme ; supérieur quasi frénétique. N'arrête jamais, paraît-il. Très respecté. Peut se montrer charmant, quoique sujet à des colères folles, sans égales chez ses pairs. Orientation idéologique laissant deviner un point de vue jésuitique médiéval, exacerbé par le nihilisme allemand post-romantique. Seul véritable intellectuel du Partei. Entretenait dans sa jeunesse des ambitions de dramaturge. Peu d'amis, guère apprécié de ses subordonnés, mais néanmoins produit hautement raffiné de la culture européenne, dans certaines de ses facettes les plus admirables. Ambition sous-tendue non par le désir de tout se permettre, mais par l'amour du pouvoir pour le pouvoir. Très organisateur, dans le sens classique de l'État prussien.

« Herr Heydrich. »

L'envoyé du ministère des Affaires étrangères s'interrompit, leva les yeux pour parcourir la salle du regard puis reprit : « Nettement plus jeune que les précédents. A participé à la révolution originelle de 1932. Carrière dans l'élite S.S. Subordonné d'Himmler. A peut-être joué un rôle dans la mort encore mal élucidée dudit Himmler, en 1948. A officiellement éliminé les autres concurrents de l'appareil policier tels qu'Eichmann, Schellenberg et compagnie. Redouté d'un certain nombre de membres du Parti, paraît-il. Responsable du contrôle de la Wehrmacht après la fin des hostilités, lors du célèbre affrontement entre la police et l'armée qui s'est soldé par la réorganisation de l'appareil gouvernemental dont le N.S.D.A.P[1]. est sorti vainqueur. A soutenu tout du long Herr Bormann. Produit d'un entraînement d'élite, quoique antérieur à la S.S. Système de castes. Réputé dépourvu d'affectivité au sens traditionnel du terme. Énigmatique en termes de motivations. Considérant peut-être la société d'un point de vue indifférent – réduisant les luttes humaines à des enchaînements de jeux ; détachement étrange, quasi scientifique, qu'on retrouve également dans certains cercles technologiques. Imperméable aux querelles idéologiques. En résumé : peut être qualifié de postmoderne par sa mentalité ; post-illumination, se passant des prétendues illusions nécessaires telles que Dieu et autres. Les experts en sciences sociales de Tokyo n'ayant pas percé le sens de cette tournure d'esprit, censément réaliste, cet homme reste une énigme. Notez toutefois qu'on observe aussi une détérioration de l'affectivité dans la schizophrénie pathologique. »

M. Tagomi écoutait ; il se sentait mal.

« Baldur von Schirach. Ancien chef des Jeunesses hitlériennes. *A priori* idéaliste. D'apparence séduisante, mais considéré comme inexpérimenté et incompétent. Croit sincèrement aux objectifs du Partei. A pris la responsabilité d'assécher la Méditerranée et de récupérer d'immenses zones de terres arables. A tempéré pendant les années 1950 les politiques brutales d'extermination raciale appliquées dans les pays slaves. A plaidé en personne la cause

---

1. Nationalsozialistische deutsche Arbeitpartei : parti nazi (Parti national-socialiste des travailleurs allemands).

des Slaves survivants devant le peuple allemand en demandant qu'on les épargne et qu'on les installe dans des réserves fermées de la région centrale. A aussi demandé la fin de certaines formes d'euthanasie et de l'expérimentation médicale, en vain.

« Herr Seyss-Inquart, docteur en droit. Nazi d'origine autrichienne, à présent en charge des colonies du Reich. *A priori* à l'origine de la plupart des mesures répressives, sinon toutes, appliquées aux peuples conquis. A œuvré avec Rosenberg à des victoires idéologiques grandioses extrêmement alarmantes, telles que la tentative de stérilisation de la population russe tout entière, ou ce qu'il en restait à la fin des hostilités. Nous n'avons aucune certitude à ce sujet, mais ce serait l'un des responsables qui ont décidé l'holocauste sur le continent africain, créant ainsi les conditions nécessaires au génocide noir. Peut-être le plus proche par tempérament du Führer original, Adolf Hitler. »

L'orateur interrompit son lent récitatif dénué d'émotion.

Je deviens fou, se dit M. Tagomi.

Il faut que je sorte ; je fais une attaque. Mon corps renvoie les choses, les expulse... je me meurs. Il se leva, non sans peine, puis remonta l'allée en longeant les chaises occupées. Quasi aveugle. Les toilettes. Il parcourut la salle à toute allure.

Des têtes se tournaient. On le voyait. L'humiliation. Malade à une réunion importante. Licencié. Il se précipita par la porte ouverte, que lui tenait un employé de l'ambassade.

La panique reflua aussitôt. Sa vision se stabilisa ; il recouvra la vue. Le sol, les murs ne bougeaient plus.

Une crise de vertige. Un dysfonctionnement de l'oreille interne, sans doute.

Un problème organique momentané.

Penser à des choses rassurantes. L'ordre qui règne dans le monde. À quoi se raccrocher ? La religion ? *Et maintenant, une gavotte, exécutée d'un pas tranquille. Une, deux, une, deux, c'est important, c'est le style exactement.* Un petit quelque chose d'un univers reconnaissable, *Les Gondoliers*, de Gilbert et Sullivan. Il ferma les yeux pour se représenter la troupe D'Oyle Carte, telle qu'il l'avait vue en tournée après la guerre. Un monde circonscrit, oui, circonscrit…

« Monsieur ? Puis-je vous apporter une aide quelconque ? » lui demanda un employé de l'ambassade, juste à côté de lui.

M. Tagomi s'inclina.

« Je suis remis. »

Son interlocuteur, calme, respectueux. Pas trace de dérision. *Ils se moquent de moi, peut-être ? Au fond, tout au fond…*

Le mal ! Aussi réel que le ciment.

Je ne puis le croire. Je ne puis le supporter. Le mal n'est pas une vue de l'esprit. M. Tagomi errait à présent dans le vestibule, avec en fond sonore la circulation de Sutter Street et le discours de l'envoyé du ministère. *Les religions se trompent. Que faire ?* Lorsqu'il s'approcha de la grand-porte, un employé la lui ouvrit. Il descendit les marches du perron jusqu'à l'allée. Aux voitures garées. À sa limousine. Aux chauffeurs qui attendaient.

C'est un des ingrédients qui nous composent. Un des ingrédients du monde. Déversé sur nous, s'infiltrant dans notre corps, notre esprit, notre cœur, dans l'asphalte même.

Pourquoi ?

Des taupes aveugles, voilà ce que nous sommes. Rampant dans la terre, cherchant leur chemin, le museau en avant. Parfaitement ignorantes. J'en ai eu conscience… et je ne sais où aller. Je ne sais que hurler de peur. M'enfuir.

Pathétique.

Moquez-vous de moi, se dit-il en prenant conscience que les chauffeurs le regardaient regagner sa voiture. *J'ai oublié ma serviette. Là-bas, près de ma chaise.* Tous les yeux fixés sur lui, tandis qu'il adressait un signe de tête à son chauffeur particulier. Sa portière s'ouvrit ; M. Tagomi se glissa dans sa limousine.

À l'hôpital, se dit-il. Non, au bureau.

« Au Nippon Times Building, lança-t-il à voix haute. Conduisez lentement. »

Il contempla la ville, les voitures, les magasins, un grand immeuble, là, extrêmement moderne. Les gens. Hommes et femmes, tous vaquant à leurs propres affaires.

De retour à son bureau, il ordonna à M. Ramsey d'appeler une des autres Missions Commerciales, celle des Minerais Non-Ferreux, pour demander à être contacté par son envoyé dès qu'il reviendrait de l'ambassade.

Le coup de fil arriva peu avant midi.

« Peut-être avez-vous remarqué mon malaise durant la conférence, dit M. Tagomi au téléphone. Je ne doute pas qu'il ait été quasi palpable, surtout avec mon départ hâtif.

— Je n'ai rien vu, répondit son correspondant. Mais j'ai constaté à la fin de la réunion que vous n'étiez plus là, et je me suis demandé ce que vous étiez devenu.

— Vous êtes plein de tact, déclara M. Tagomi d'un ton morne.

— Nullement. Je suis persuadé que tout le monde était trop pris par le discours de l'envoyé du ministère pour prêter attention à quoi que ce soit d'autre. Quant à ce qui s'est passé après votre départ… étiez-

vous là pendant l'énumération des candidats enga-
gés dans la lutte pour le pouvoir ? C'était la première
partie.

— Je suis resté jusqu'au passage consacré à
Herr Seyss-Inquart.

— L'orateur s'est ensuite étendu sur la situation
économique dans nos contrées. L'archipel considère que la décision allemande de réduire en escla-
vage les populations d'Europe et d'Asie du Nord
– ainsi que d'éliminer tous les intellectuels, les éléments bourgeois, les jeunes patriotes et que sais-je
encore – s'est révélée catastrophique du point de
vue économique. Les Allemands n'ont été sauvés
que par les formidables succès technologiques de
leur science et de leur industrie. Des armes
miracles, si j'ose dire.

— Oui », acquiesça M. Tagomi. Toujours assis à
son bureau, le combiné dans une main, il se versa
de l'autre une tasse de thé brûlant. « Comme ils ont
été sauvés pendant la guerre par leurs armes
miracles, les avions à réaction V1 et V2.

— C'est une question de tour de main, déclara le
représentant de la Mission des Minerais Non-Ferreux.
En résumé, l'usage de l'énergie atomique leur a permis d'éviter l'effondrement. Ainsi que la diversion
fournie par leurs allers-retours en fusée jusqu'à Mars
et Vénus – de véritables jeux du cirque. L'envoyé du
ministère a mis l'accent sur le fait que, malgré leur
importance exaltante, ces voyages n'avaient eu
aucune retombée économique notable.

— Mais ils frappent l'imagination.

— Ses prévisions n'avaient rien d'encourageant.
D'après lui, la plupart des nazis les mieux placés refusent de considérer l'économie du Reich d'un œil
lucide. Leur aveuglement favorise la tendance exis-
tante aux tours de force les plus aventureux, à une

moindre prévisibilité et, d'une manière générale, à une moindre stabilité. Le cycle enthousiasme maniaque, peur, solutions désespérées imposées par le Partei... Bref, l'orateur voulait mettre l'accent sur le fait que cette tendance aidait les éléments les moins raisonnables et les moins réfléchis à accéder aux plus hautes fonctions. »

M. Tagomi acquiesça.

« Il faut donc s'attendre à ce que le choix se porte sur le pire plutôt que sur le meilleur, continua son interlocuteur. L'affrontement présent se soldera par la défaite des concurrents lucides et responsables.

— Qui étaient les pires, d'après lui ?

— R. Heydrich. A. Seyss-Inquart. H. Göring. Estimation du gouvernement impérial.

— Et les meilleurs ?

— Peut-être B. von Schirach et le docteur en philologie J. Goebbels. Il a été moins explicite à ce sujet.

— Autre chose ?

— Il nous a dit de faire confiance à l'Empereur et à son cabinet. Plus que jamais. De nous tourner vers le palais pour être rassurés.

— Y a-t-il eu un moment de silence respectueux ?

— Oui. »

M. Tagomi remercia son correspondant puis raccrocha.

Pendant qu'il buvait son thé, l'interphone se mit à bourdonner.

« Vous vouliez envoyer un message au consul allemand, monsieur », dit la voix de Mlle Ephreikian. Court silence. « Désirez-vous me le dicter, à un moment ou à un autre ? »

Mais oui, songea M. Tagomi. *J'avais oublié.*

« Venez », lança-t-il.

Elle fit son entrée, un sourire encourageant aux lèvres.

« Vous vous sentez mieux, monsieur ?

— Oui. La piqûre de vitamines m'a fait du bien. »
Il réfléchit. « Rappelez-moi le nom du consul ?

— Je l'ai, monsieur. Freiherr Hugo Reiss.

— Mein Herr, commença M. Tagomi. La terrible nouvelle m'est parvenue que votre dirigeant, Herr Martin Bormann, avait rendu son dernier souffle. Les larmes me montent aux yeux tandis que j'écris ces mots. Lorsque je me remémore les actes de bravoure par lesquels Herr Bormann a réussi à sauver le peuple allemand de ses ennemis, intérieurs et extérieurs, ainsi que les mesures d'une sévérité impressionnante appliquées aux embusqués et aux félons prêts à trahir une vision du cosmos chère à l'humanité tout entière, un avenir dans lequel, après une éternité, les races nordiques blondes aux yeux bleus parcourent l'univers grâce à leur... »

Il s'interrompit. Impossible de conclure une phrase pareille. Mlle Ephreikian arrêta son magnétophone et attendit.

« Quelle époque extraordinaire, reprit-il.

— Vous voulez que j'enregistre, monsieur ? Ça fait partie du message ? »

Elle relança l'enregistrement, hésitante.

« C'est à vous que je m'adressais », répondit son supérieur. Elle sourit. « Repassez-moi ce que j'ai dit. »

Les bobines tournoyèrent, puis une voix infime, métallique, jaillit du haut-parleur de cinq centimètres de large.

« ... par lesquels Herr Bormann a réussi à sauver... »

M. Tagomi écouta s'égarer le couinement d'insecte. Gigotements et tortillements corticaux.

« Je tiens ma conclusion, annonça-t-il lorsque les bobines se figèrent. Leur détermination à s'exalter et à s'immoler afin d'obtenir dans l'histoire une place dont nulle forme de vie ne saurait les expulser, quoi qu'il arrive jamais. » Il s'interrompit avant de reprendre, à l'adresse de la secrétaire : « Nous ne sommes tous que des insectes. Rampant vers l'horrible ou le divin, ne croyez-vous pas ? »

Cela dit, il s'inclina. Elle l'imita, assise, son magnétophone sur les genoux.

« Envoyez cette missive, ajouta-t-il. Signez, etc. Travaillez les phrases, s'il vous plaît, afin qu'elles aient un sens. » Mlle Ephreikian se leva. « Ou qu'elles n'en aient aucun. Comme vous voudrez. »

Elle lui jeta un coup d'œil surpris en ouvrant la porte.

Après son départ, il se consacra aux tâches de routine, mais M. Ramsey l'appela presque aussitôt par l'interphone :

« M. Baynes au téléphone, monsieur. »

Parfait, se dit M. Tagomi. *Nous allons pouvoir entamer les discussions importantes.*

« Passez-le-moi, ordonna-t-il en décrochant son propre téléphone.

— M. Tagomi ? lança la voix de M. Baynes dans l'écouteur.

— Bonjour. Ayant appris la mort du chancelier Bormann, j'ai dû quitter mon bureau ce matin à l'imprévu, mais…

— M. Yatabe vous a contacté ?

— Pas encore.

— Vous avez dit à vos employés d'ouvrir l'œil pour bien l'accueillir ? »

M. Baynes avait l'air agité.

« Oui, assura M. Tagomi. Ils me l'amèneront dès son arrivée. »

Il prit mentalement note de parler du vieillard à M. Ramsey ; ce qu'il n'avait pas encore fait. *N'allons-nous pas entamer les discussions avant l'arrivée de ce visiteur surprise ?* À cette pensée, la consternation envahit M. Tagomi.

« J'ai hâte de commencer, reprit-il. Allez-vous nous présenter vos moules à injection ? Malgré le désordre qui règne aujourd'hui...

— Il y a eu un changement de programme, coupa l'Européen. Il faut attendre M. Yatabe. Vous êtes *sûr* qu'il n'est pas arrivé ? Il me faut votre parole que vous me préviendrez dès qu'il vous aura contacté. Faites un effort, je vous en prie.

— Je vous donne ma parole. » L'agitation qui transparaissait dans la voix tendue, haletante de M. Baynes se communiquait à son correspondant. *La mort de Herr Bormann* ; voilà ce qui avait mené au changement de programme. « En attendant, je serais ravi de vous voir, enchaîna très vite M. Tagomi. Peut-être au restaurant, ce midi. Je n'ai pas encore eu l'occasion de déjeuner. » Il continua, improvisant au fur et à mesure : « Les points de détail attendront, mais peut-être pourrions-nous réfléchir à la situation du monde en général, notamment...

— Non », trancha M. Baynes.

Non ? s'étonna M. Tagomi.

« Je ne suis pas bien, aujourd'hui, monsieur. Un pénible incident m'est arrivé ; j'espérais vous en parler.

— Désolé. Je vous rappellerai plus tard. »

Un cliquetis. M. Baynes avait raccroché.

Je l'ai offensé, se dit M. Tagomi. *Sans doute a-t-il deviné, à raison, que j'avais omis par ma lenteur d'informer mon personnel de l'arrivée du vieux monsieur. Ce n'est pourtant qu'une peccadille.* Il pressa le bouton de l'interphone.

« M. Ramsey, voulez-vous venir dans mon bureau, s'il vous plaît. »

Je vais arranger ça tout de suite. Non, il y a autre chose. La mort de Herr Bormann l'a secoué.

Une peccadille… mais révélatrice de mon attitude, stupide et irréfléchie. M. Tagomi avait des remords. *C'est un mauvais jour. J'aurais dû consulter l'oracle pour découvrir à quel Moment nous nous trouvons. Je me suis manifestement laissé entraîner loin du Tao.*

Voyons voir sous lequel des soixante-quatre hexa-grammes je courbe l'échine. Il ouvrit le tiroir de son bureau pour en 'tirer le *Yi King*, dont il posa les deux volumes devant lui. *J'ai tant de choses à demander aux sages. Tant de questions tournent en moi, que je suis à peine capable de formuler…*

Lorsque son subordonné fit son entrée, M. Tagomi avait déjà obtenu un hexagramme.

« Regardez, M. Ramsey », dit-il en montrant le livre concerné à l'arrivant.

Le quarante-sept. L'Accablement. L'Épuisement.

« Mauvais présage, en règle générale, commenta le secrétaire. Qu'avez-vous demandé, monsieur, si je puis me permettre cette curiosité ?

— Je m'interrogeais sur le Moment. Le Moment auquel nous nous trouvons tous. Pas de trait mutant. Un hexagramme statique. »

M. Tagomi referma le volume.

*
* *

À trois heures de l'après-midi, Frank Frink et son associé ignoraient toujours si Wyndam-Matson allait se décider à payer. Frink décida de profiter de l'attente pour consulter l'oracle. *Comment les choses vont-elles tourner ?* demanda-t-il avant de lancer les pièces.

Ses tirages lui donnèrent l'hexagramme quarante-sept. Avec un trait mutant, le neuf, en cinquième position.

On a le nez et les pieds coupés.

On est accablé par les hommes aux genouillères pourpres.

Le joie vient tout doucement.

Il est avantageux de présenter des offrandes et des libations.

Il passa un bon moment – une demi-heure, minimum – à examiner la sentence et les explications associées en essayant de déterminer ce qu'elles pouvaient bien signifier. L'hexagramme le mettait mal à l'aise, surtout le trait mutant. Il finit par en conclure, à contrecœur, que l'argent ne viendrait pas.

« Tu te reposes trop sur ce truc », lui dit McCarthy.

À quatre heures, un messager de la W.-M. Corporation fit son apparition pour leur remettre une enveloppe en papier bulle. Ils l'ouvrirent. Elle contenait un chèque certifié de deux mille dollars.

« Tu vois, commenta McCarthy, tu te trompais. »

J'en déduis que l'oracle faisait référence aux conséquences à venir de cette histoire, répondit Frink en son for intérieur. C'est ça, le problème ; quand la chose s'est produite, *a posteriori*, on regarde en arrière et on voit exactement ce que signifiait l'hexagramme. Mais sur le moment…

« On va pouvoir s'installer, continua son associé.

— Aujourd'hui ? Maintenant ? »

Frink se sentait épuisé.

« Pourquoi pas ? On a préparé les commandes ; il suffit de les poster. Le plus tôt sera le mieux. Quant à ce qu'on peut se procurer dans le coin, on ira le chercher nous-mêmes. »

McCarthy enfila sa veste, prêt à sortir.

Les deux hommes avaient persuadé le propriétaire de Frink de leur louer la cave de l'immeuble, qui servait pour l'instant de débarras et d'entrepôt. Après s'être débarrassés des cartons, ils n'auraient qu'à construire leur établi, installer l'électricité, la lumière, commencer à monter moteurs et courroies. Ils avaient dessiné des ébauches, réalisé des devis, établi des listes de composants. En réalité, ils s'étaient déjà lancés.

Ça y est, on est des entrepreneurs. Frink en prenait tout juste conscience. McCarthy et lui s'étaient même mis d'accord sur le nom :

EDFRANK, CUSTOM JEWELLERY

« Aujourd'hui, ça m'étonnerait qu'on fasse grand-chose d'autre qu'acheter le bois pour l'établi, plus peut-être les fournitures électriques, déclara Frink. Le matériel pour les bijoux, non, on n'y arrivera pas. »

Les deux associés se rendirent donc chez un fournisseur de bois de construction san-franciscain. Une heure plus tard, ils avaient ce qu'il leur fallait.

« Qu'est-ce qui ne va pas ? » demanda McCarthy à son compagnon en entrant chez un grossiste du bricolage.

« L'argent. Ça me déprime. De financer les choses de cette manière.

— Le vieux comprend. »

Je sais, pensa Frink. *C'est exactement ce qui me déprime. On est entrés dans son monde à lui. On est comme lui. Ce n'est pas une idée plaisante.*

« Ne regarde pas en arrière, continua McCarthy. Pense à l'avenir. À notre entreprise. »

Je pense à l'avenir, se dit Frink. Il évoqua l'hexagramme. *Quelles offrandes pourrais-je bien faire ? Quelles libations ? Et à qui ?*

CHAPITRE SEPT

Les jeunes Japonais charmants qui étaient passés au magasin de Robert Childan, les Kasoura, l'appelèrent en fin de semaine pour l'inviter à dîner chez eux. Il en fut ravi, car il attendait de leurs nouvelles.

Après avoir fermé la boutique un peu plus tôt que d'habitude, il se rendit en cyclo-pousse dans le quartier chic où vivait le couple. Un quartier qu'il connaissait déjà, même si on n'y trouvait aucun blanc. Dans les rues sinueuses, encadrées de pelouses et de saules, Childan contempla les immeubles d'habitation neufs en s'émerveillant de leur grâce. Les balcons en fer forgé, les piliers élancés, quoique modernes, les teintes pastel, l'usage de textures variées... tout cela aboutissait à des œuvres d'art. Il se rappelait les tas de ruines dont étaient envahis les environs juste après la guerre.

Les petits Japonais qui jouaient dehors le regardaient passer sans rien dire puis reprenaient leurs parties de foot ou de base-ball. Il n'en allait pas de même des adultes ; les jeunes bien habillés qui garaient leur voiture en rentrant chez eux lui témoignaient davantage d'intérêt. Peut-être se demandaient-ils s'il vivait dans le quartier. Les hommes d'affaires qui venaient de quitter leur bureau... les directeurs des Missions Commerciales en personne habitaient ici. Il y avait des Cadillac. Plus le cyclo-pousse approchait de sa destination, plus Childan se sentait nerveux.

Un instant plus tard, il montait l'escalier menant à l'appartement des Kasoura. *Voilà, j'y suis* ; et pas dans un contexte professionnel, non, invité à dîner. Il s'était bien sûr habillé avec le plus grand soin. Au moins, il n'avait pas à s'inquiéter de son apparence. *Mon apparence. Oui, c'est ça. De quoi ai-je l'air ? Je ne peux tromper personne : je ne suis pas du quartier. Une région défrichée par l'homme blanc, qui y a construit une de ses plus belles villes. Et regardez-moi : un intrus dans mon propre pays.*

Arrivé à l'adresse exacte, il sonna, planté sur la moquette du couloir. La porte s'ouvrit. La jeune Mme Kasoura se tenait devant lui, en kimono et obi de soie, ses longs cheveux noirs brillants retombant en désordre sur ses épaules, un sourire accueillant aux lèvres. Derrière elle, dans la salle de séjour, son mari salua l'arrivant d'un signe de tête, un verre à la main.

« Bonsoir, M. Childan. Entrez. »

Le visiteur obtempéra en s'inclinant.

Le bon goût suprême. Et… l'ascétisme. Quelques pièces de collection. Ici, une lampe ; là, une table, une bibliothèque, une gravure au mur. Le sens japonais inouï du *wabi*. Un concept impensable en anglais. La capacité à trouver dans les objets les plus simples une beauté surpassant celle de l'ornementé, de l'élaboré. Le rôle de la disposition.

« Vous prendrez bien un verre ? proposa M. Kasoura. Un scotch allongé ?

— M. Kasoura… commença Childan.

— Paul, coupa le jeune homme, avant de montrer sa femme. Et Betty. Vous êtes…?

— Robert », murmura l'arrivant.

Assis sur le tapis moelleux, ils écoutèrent un disque de koto, la harpe japonaise à treize cordes, proposé depuis peu par H.M.V. Japon et assez à la mode. Childan remarqua que le phonographe était totalement invisible, y compris le haut-parleur. Il n'aurait su dire d'où venait la musique.

« Ignorants de vos goûts au dîner, nous n'avons pris aucun risque, dit Betty. Dans le four électrique de notre cuisine grille une côte à l'os. Elle s'accompagnera de pommes de terre rôties avec une sauce à la crème aigre et à la ciboulette. Comme le dit la maxime : on ne peut se tromper en servant un steak à quelqu'un qu'on invite pour la première fois.

— Je vous remercie du fond du cœur, murmura Childan. J'aime beaucoup la viande de bœuf. »

Ce qui était parfaitement exact, même s'il n'en mangeait que rarement, car les grands éleveurs du Middle West n'envoyaient plus guère de bêtes sur la côte Ouest. Il ne se rappelait pas à quand remontait son dernier steak.

L'heure était venue de donner son cadeau.

Il tira de la poche de son manteau un petit objet enveloppé de papier de soie qu'il posa discrètement sur la table basse. Ses hôtes s'en aperçurent aussitôt, ce qui l'obligea à s'expliquer.

« Simple bagatelle. Pour vous. Pour vous montrer une minuscule part de la joie et de la sérénité que je ressens en ces lieux. »

Sa main écarta le papier de soie afin d'en dévoiler le contenu. Un petit morceau d'ivoire, taillé un siècle plus tôt par un baleinier de Nouvelle-Angleterre. Un minuscule objet d'art ornemental – un *scrimshaw*. Le visage des deux Japonais s'illumina, car ils savaient que les scrimshaws avaient été fabriqués par les marins d'autrefois pendant leur temps libre. Rien n'aurait pu mieux résumer l'ancienne culture américaine. Il y eut un silence.

« Merci », dit enfin Paul.

Childan s'inclina.

Il connut alors un instant de paix. Cette offrande, cette libation – comme disait le *Yi King* – avait accompli ce qui devait être accompli. L'anxiété et la sensation d'oppression qu'il ressentait depuis peu battaient en retraite.

Ray Calvin lui avait remboursé le Colt 44 et confirmé par écrit à plusieurs reprises que le problème du revolver ne se reproduirait pas, mais il n'en était pas moins tourmenté. Il lui avait fallu attendre l'instant présent, avec sa situation totalement indépendante, pour être momentanément soulagé de l'impression que les choses allaient mal tourner sous peu. Le *wabi* qui l'entourait, le rayonnement de l'harmonie… *Oui, c'est ça. La proportionnalité. L'équilibre. Ces jeunes Japonais sont si près du Tao… Voilà pourquoi j'ai réagi à leur présence, l'autre fois. J'ai eu conscience du Tao à travers eux. Je l'ai entraperçu.*

Quel effet cela faisait-il de connaître réellement le Tao ? *Le Tao laisse d'abord entrer la lumière, puis l'obscurité.* Il provoque les interactions entre les deux forces originelles de façon à susciter le renouveau. C'est ce qui l'empêche de s'épuiser. L'univers ne s'éteindra jamais, parce que, quand l'obscurité semble avoir tout dévoré, quand elle semble absolument transcendante, de nouvelles graines de lumière renaissent au cœur des profondeurs. Telle est la Voie. Lorsque la graine tombe, elle rencontre la terre, l'humus. Puis, enfouie, hors de vue, elle naît à la vie.

« Le hors-d'œuvre, annonça Betty en s'agenouillant pour tendre une assiette pleine de petits biscuits, au fromage et autres.

— Les nouvelles internationales sont très remarquables, ces jours-ci, déclara Paul, qui sirotait son verre. En rentrant, ce soir, j'ai entendu une émission en direct de Munich. Des funérailles officielles grandioses, une sorte de cavalcade historique, y compris une foule de cinquante mille personnes, des drapeaux et ainsi de suite. Des chants, beaucoup, comme *Ich hatte einen Kamerad*. Le corps est maintenant exposé à la vue de tous les fidèles.

— Oui, acquiesça Childan, c'était bouleversant. La nouvelle qui est tombée cette semaine.

— D'après le *Nippon Times*, des sources fiables déclarent que B. von Schirach est en résidence surveillée, dit Betty. Sur ordre du Sicherheitsdienst.

— Mauvais, affirma Paul en secouant la tête.

— Sans doute les autorités tiennent-elles à préserver l'ordre, dit Childan. Von Schirach est connu pour ses entêtements irréfléchis et je dirai même ses actions brouillonnes. Comme R. Hess par le passé. Vous vous souvenez de son voyage en avion jusqu'en Angleterre.

— Le *Nippon Times* a d'autres informations intéressantes ? demanda Paul.

— Beaucoup de confusion et de manœuvres. Des unités militaires déplacées. Des permissions annulées. Des postes-frontières fermés. Le Reichstag en séance. Des discours – tout le monde fait des discours.

— Ça m'en rappelle un très bon du Doktor Goebbels, intervint Childan. À la radio, il y a un an environ. Des invectives extrêmement judicieuses. L'auditoire bien en main, comme toujours. La gamme entière des émotions. Pas de doute : Adolf Hitler retiré de la vie publique, Herr Goebbels est le meilleur orateur nazi.

— Exact, acquiescèrent Paul et Betty.

— Il a aussi une femme et de beaux enfants, continua Childan. Tous du meilleur type.

— Exact, acquiescèrent à nouveau Paul et Betty.

— C'est un homme qui s'occupe de sa famille, contrairement à la plupart des autres grands pontes du Reich, ajouta Paul. Lesquels ont des appétits sexuels douteux.

— Je ne prête aucun crédit à ce genre de rumeurs, dit Childan. Vous pensez à des hommes tels qu'E. Roehm ? C'est du passé. Oublié depuis longtemps.

— Je pensais davantage à H. Göring », répondit Paul en sirotant lentement son verre, sans quitter son invité des yeux. « On parle d'orgies dignes de la Rome antique, d'une variété fantastique. Leur seule mention donne le frémissement.

— Mensonges, affirma Childan.

— Un sujet qui ne mérite pas un mot », intervint Betty, pleine de tact, en leur jetant un coup d'œil.

Leurs verres étant vides, elle entreprit de les remplir.

« Beaucoup de passion dans les discussions politiques, reprit Paul. Où qu'on aille. Il faut garder la tête froide.

— En effet, approuva Childan. Calme et ordre. Ainsi les choses reprennent-elles leur stabilité habituelle.

— La période suivant la mort du chef est toujours critique dans une société totalitaire, continua Paul. Le manque de traditions et d'institutions de la classe moyenne fait que… » Il s'interrompit. « Peut-être vaut-il mieux éviter de parler politique. » Sourire. « Comme dans notre jeunesse d'étudiants. »

Childan se sentit rougir et se pencha vers son verre plein pour dissimuler son embarras. Quels débuts terribles. Il avait bêtement, grossièrement discuté politique ; il avait eu l'impolitesse de montrer son désaccord, et seul le tact habile de son hôte avait sauvé la soirée. *J'ai tellement à apprendre. Ils sont si grâcieux, si courtois. Tandis que moi... le barbare blanc. Indéniablement.*

Il se contenta un moment de siroter son scotch en silence, une expression de contentement artificielle plaquée sur le visage. *Il faut les suivre en tout. Être d'accord sur tout.*

Puis la panique le frappa. *L'alcool m'embrouille l'esprit.* Ajouté à la fatigue, la nervosité. *Vais-je y arriver ? De toute manière, jamais plus ils ne m'inviteront ; il est déjà trop tard.* Le désespoir l'envahit.

Betty, de retour de la cuisine, s'était une fois de plus assise sur le tapis. *Elle est si séduisante*, se dit encore Childan. *Mince et souple. Leur silhouette est tellement plus belle ; pas de graisse, pas de bourrelets. Elles n'ont besoin ni de soutien-gorge ni de gaine. Il faut que je cache ce qu'elle m'inspire ; à tout prix.* Il se permettait pourtant parfois un coup d'œil à la jeune femme. Les superbes nuances sombres de sa peau, de ses cheveux, de ses yeux. *Par comparaison, nous sommes mal finis. On nous a sortis du four trop tôt. Le vieux mythe indigène ; la vérité, en l'occurrence.*

Il vaut mieux que je pense à autre chose. Un sujet de conversation en société, n'importe lequel. Il parcourut la pièce du regard, à la recherche d'une idée. Le silence régnait, pesant, au point de rendre son malaise grésillant. Insupportable. *Que dire, nom de Dieu ? Quelque chose qui ne prête pas à conséquence.* Il repéra un livre, posé sur un petit placard en teck noir.

« Je vois que vous lisez *Le Poids de la sauterelle.* J'en entends beaucoup parler, mais le fardeau du travail m'empêche de m'y intéresser en personne. » Il se leva pour prendre le mince volume, attentif à l'expression de ses hôtes. Apparemment, ce geste de sociabilité ne les dérangeait pas, aussi poursuivit-il : « C'est un roman policier ? je vous prie de me pardonner mon ignorance abyssale.

— Non, ce n'est pas du policier, répondit Paul en le regardant feuilleter le livre. Au contraire. Une forme intéressante de fiction, possible dans le champ de la science-fiction.

— Pas du tout, contra Betty. Aucune trace de science. Ce n'est pas dans l'avenir. La science-fiction s'intéresse à l'avenir, surtout quand la science a plus évolué que celle de maintenant. Ce livre ne remplit aucune des deux conditions.

— Mais il traite d'un présent alternatif, s'obstina Paul. Comme beaucoup de romans de science-fiction. » Il ajouta, pour leur invité : « Je vous prie d'excuser mon insistance sur ce point, mais j'ai longtemps été un enthousiaste de la science-fiction, ma femme le sait. J'ai commencé à en lire très jeune ; j'avais à peine douze ans. Au tout début de la guerre.

— Je vois, dit poliment Childan.

— Désirez-vous emprunter *la Sauterelle* ? Nous l'aurons vite terminé, d'ici un jour ou deux, probablement. Mon bureau se trouve dans le centre-ville, non loin de votre estimable magasin. Je me ferais un plaisir de passer vous le remettre à midi. » Un silence puis – peut-être sur un signe de Betty, se dit Childan : « Nous pourrions déjeuner ensemble, Robert.

— Merci », acquiesça Robert, incapable d'ajouter un mot de plus.

Se rendre dans un restaurant chic pour hommes d'affaires du centre-ville ; avec un jeune Japonais haut placé et élégant. C'en était trop ; son regard se brouillait. Ce qui ne l'empêcha pas de continuer à examiner le livre en hochant la tête.

« Oui, ça a l'air intéressant. J'aimerais beaucoup le lire. J'essaie de me tenir au courant de ce dont on parle. » Était-il convenable d'admettre une chose pareille ? D'avouer une curiosité motivée par la popularité d'un roman ? Peut-être une attitude de ce genre était-elle vulgaire. Robert n'en savait rien, mais il le lui semblait vaguement. « On ne peut juger un livre à son succès. Évidemment. Beaucoup de best-sellers sont terriblement mauvais. Toutefois… »

Il s'interrompit, hésitant.

« C'est tellement vrai, intervint Betty. Le goût commun est si déplorable.

— Comme en musique, renchérit Paul. L'authentique jazz folklorique américain suscite peu d'intérêt, par exemple. Dites-moi, Robert, aimez-vous Bunk Johnson, Kid Ory et autres ? Le dixieland des origines ? J'ai une discothèque fournie dans ce genre, des enregistrements originaux de Genet.

— Je crains de mal connaître la musique nègre. » La réponse n'eut pas l'air de plaire au jeune couple. « Je préfère le classique. Bach et Beethoven. »

Ça devait tout de même être acceptable. Une certaine rancune s'insinuait en Robert. Était-il censé renier les grands maîtres de la musique européenne, les classiques sans âge, pour les remplacer par le jazz New Orleans des bouges et tavernes du quartier nègre ?

« Peut-être, si je vous passe une compilation des New Orleans Rhythm Kings… » marmonna Paul, prêt à quitter la pièce.

Betty lui jeta cependant un coup d'œil sévère. Il hésita puis haussa les épaules.

« Le dîner va être prêt », annonça-t-elle.

Son mari revint s'asseoir.

« Le jazz de La Nouvelle-Orléans est la musique populaire américaine la plus authentique qui soit », murmura-t-il, d'un ton que son invité trouva un peu boudeur. « Le reste vient d'Europe, comme les banales ballades au luth de style anglais.

— C'est un désaccord éternel entre nous, expliqua Betty, souriante, à Robert. Je n'ai pas son amour du jazz des origines.

— Quel genre de présent alternatif décrit le roman ? » s'enquit-il, car il n'avait pas reposé le livre.

La réponse ne vint pas immédiatement.

« Un présent dans lequel l'Allemagne et le Japon ont perdu la guerre », répondit enfin Betty.

Le silence s'installa.

« Il est le temps de passer à table, finit par lancer la jeune femme en se remettant sur ses pieds. Je vous en prie, messieurs, deux hommes du monde des affaires affamés. »

Elle entraîna en douceur ses compagnons jusqu'à la table du dîner, déjà mise : nappe blanche, argenterie, porcelaine, immenses serviettes de toile grossière dans des ronds en os de l'Amérique primitive – cela se voyait. L'argenterie était également américaine, les tasses et soucoupes du genre Royal Albert, bleu profond et jaune. Vraiment exceptionnelles. Robert ne pouvait empêcher son regard d'y revenir, admiratif et professionnel.

Les assiettes, en revanche, étaient d'origine inconnue. Peut-être japonaise ; il n'aurait su l'affirmer, car il n'y connaissait rien.

« C'est de la porcelaine d'Imari, expliqua Paul, conscient de son intérêt. Fabriquée à Arita. Un produit de première qualité. Japonais. »

Ils prirent place.

« Café ? demanda Betty à son invité.

— Oui, merci.

— À la fin du repas », ajouta-t-elle en allant chercher la desserte.

Le dîner commença très vite. Robert trouva tout ce qu'on lui servit délicieux, signe que Betty était une cuisinière exceptionnelle. La salade, particulièrement réussie, se composait entre autres d'avocats et de cœurs d'artichaut, agrémentés d'une sauce au bleu... Il fut ravi de ne pas avoir affaire à des plats japonais, de légumes et de viandes mêlés : on ne trouvait plus que ça, depuis la guerre.

Quant aux poissons et aux crustacés omniprésents... il en était arrivé au point où il ne supportait plus ni crevettes ni coquillages.

« J'aimerais bien savoir à quoi, d'après l'auteur, ressemblerait un monde où l'Allemagne et le Japon auraient perdu la guerre », dit-il au bout d'un moment.

Ses hôtes ne répondirent pas immédiatement.

« Les différences sont très compliquées, finit par déclarer Paul. Mieux vaut lire le livre. Si je vous en parlais, peut-être que cela vous le gâcherait.

— Mes convictions à ce sujet sont bien établies, reprit Robert. J'y ai souvent réfléchi. Le monde serait nettement pire. » Il s'aperçut qu'il s'exprimait d'une voix ferme, presque dure. « Oui, nettement pire. » La déclaration prit manifestement les Kasura au dépourvu, peut-être à cause du ton employé. « Le communisme aurait tout envahi.

— L'auteur, monsieur H. Abendsen, s'intéresse à la question, acquiesça Paul. L'expansion sans frein de la Russie soviétique. Mais, de même que lors de la Première Guerre mondiale, la Russie est un pays essentiellement paysan de seconde catégorie qui subit un échec humiliant, quoique du côté des vainqueurs. Très drôle, quand on se rappelle sa guerre contre le Japon, où...

— Nous avons souffert, nous avons payé le prix, mais nous l'avons fait pour une juste cause, affirma

Robert. Pour empêcher les Slaves d'inonder le monde.

— Personnellement, je ne crois pas les discours hystériques sur *l'inondation du monde* par quelqu'un, Slaves, Chinois ou Japonais », intervint Betty d'une voix mesurée, un regard placide fixé sur lui.

Elle restait parfaitement maîtresse d'elle-même, sans passion, malgré son évidente volonté de faire connaître son opinion. Une tache plus sombre, rouge vif, était apparue sur chacune de ses joues.

Le repas se poursuivit un moment en silence.

Je n'ai pas pu m'en empêcher, constata Childan. *Encore une fois. Impossible d'éviter le sujet. Il est partout. Dans le livre que je prends au hasard, dans une discothèque, dans les ronds de serviette en os... Le butin des conquérants. Le fruit du pillage dont mon peuple a été victime.*

Je fais mine de considérer ces Japonais comme mes semblables, mais soyons lucides : même quand je me déclare satisfait qu'ils aient gagné la guerre et que mon propre pays l'ait perdue... nous n'avons aucun terrain d'entente. Le sens que je donne aux mots offre un contraste brutal avec celui qu'ils leur donnent, eux. Leur cerveau est différent. Leur âme. Regardez-les boire dans des tasses de porcelaine tendre anglaise, manger avec de l'argenterie américaine, écouter de la musique nègre. Superficialité. Ils ont l'avantage de la richesse et du pouvoir, qui leur permettent de s'offrir tout ça, mais ce n'est qu'un succédané, rien de plus.

Jusqu'au Yi King, qu'ils nous ont infligé de force ; un livre chinois. Emprunté je ne sais quand. Qui croient-ils tromper ? Ils chapardent des coutumes de-ci, de-là, habits, nourriture, langues, gestes... Ils se délectent de pommes de terre au four accompagnées de crème aigre à la ciboulette, un plat américain traditionnel, ajouté à leur chargement, mais ça ne trompe personne, je peux vous le dire ; surtout pas moi.

La créativité n'appartient qu'aux blancs. Et pourtant, moi qui suis de la race des créateurs, je suis contraint de frapper le sol de mon front devant ces deux Japs. Quand je pense à ce qui se serait passé si on avait gagné ! On les aurait annihilés. Il n'y aurait plus de Japon, aujourd'hui. Les États-Unis d'Amérique seraient l'unique grande puissance rayonnante du monde entier.

Il faut que je lise cette histoire de sauterelle. C'est manifestement mon devoir de patriote.

« Vous ne mangez pas, Robert, lui dit Betty d'une voix douce. La nourriture n'est pas bien préparée ? »

Il prit aussitôt une bouchée de salade.

« Si, si. Honnêtement, c'est le meilleur repas que j'ai fait depuis des années.

— Merci. » La réponse de son invité avait visiblement fait plaisir à la jeune femme. « Je m'efforce d'être authentique… de tout choisir avec soin dans les petits magasins américains de Mission Street. Puisque là sont les vraies choses. »

Vous réussissez les plats indigènes à la perfection, songea-t-il. *Ce qui se raconte est donc vrai : vos capacités d'imitation sont immenses. La tarte aux pommes, le Coca-Cola, la promenade après le cinéma, Glenn Miller… vous seriez capables de construire une Amérique artificielle tout entière en tôle et papier de riz. Maman papier de riz à la cuisine, papa papier de riz en train de lire le journal. Un chiot en papier de riz à ses pieds. Tout.*

Paul le regardait sans mot dire. Robert Childan en prit brusquement conscience et mit un terme à ses réflexions pour se consacrer à son assiette. *Mon esprit lui serait-il ouvert ? Y lirait-il ce que je pense vraiment ? Je n'ai rien laissé filtrer, j'en suis sûr. J'ai conservé l'expression appropriée ; il ne peut pas savoir.*

« Dites-moi, Robert, vous qui êtes né et avez été élevé ici, en parlant la langue des États-Unis, peut-être pourriez-vous m'apporter votre aide en ce qui concerne un livre qui m'a causé quelques problèmes. Un roman des années 1930, d'un auteur américain. » Robert s'inclina légèrement. « Cet ouvrage assez rare, dont je possède néanmoins un exemplaire, est une œuvre de Nathanael West intitulée *Miss Lonelyhearts*, continua Paul. Je l'ai lue avec plaisir, mais je ne comprends pas tout à fait ce que veut dire N. West. »

Il fixait sur son invité un regard plein d'espoir.

« Je... je crains de ne pas l'avoir lue », admit Robert.

Et de ne même pas en avoir entendu parler, ajouta-t-il en son for intérieur.

« Quel dommage. » Paul était visiblement déçu. « Il s'agit d'un livre très court. Parlant d'un homme qui écrit une rubrique dans un quotidien ; qui reçoit sans arrêt des lettres sur les peines de cœur des lectrices, jusqu'au moment où ses tourments lui font manifestement perdre la raison et où il se prend pour J. Christ. Vous vous rappelez ? Une lecture d'autrefois, peut-être.

— Non.

— Étrange point de vue sur la souffrance. Perception des plus originales de la signification revêtue par ladite souffrance lorsqu'on ne lui trouve aucune justification – problème qui préoccupe toutes les religions. Le christianisme, par exemple, pour lequel le péché en est souvent responsable. N. West ajoute à cela une vision plus irrésistible, supérieure aux anciennes notions. Il considérait peut-être la souffrance sans raison due à sa judéité.

— Si l'Allemagne et le Japon avaient perdu la guerre, les Juifs dirigeraient le monde à l'heure qu'il est, déclara Robert. Par l'intermédiaire de Moscou et de Wall Street. »

Les deux Japonais, homme et femme, semblèrent se racornir. Pâlir, se refroidir, plonger en eux-mêmes. La pièce se refroidit également. Robert Childan se sentit seul. Convive isolé à sa table. Qu'avait-il fait, cette fois-ci ? Qu'avaient-ils mal compris ? Leur incapacité stupide à maîtriser une langue étrangère et la pensée occidentale. Ils n'y arrivaient pas, ce qui les vexait. *Quelle tragédie*, songea-t-il en continuant à manger. *Mais... qu'y faire ?*

Restaurer la clarté antérieure – celle du moment enfui –, pour ce qu'elle valait ; alors que son éclat était passé inaperçu. Robert Childan ne se sentait pas aussi mal qu'à son arrivée, car le rêve dément libérait peu à peu son esprit. *Je suis venu plein d'attentes*, se rappela-t-il. *Grisé par un tournis quasi adolescent en montant l'escalier. Mais la réalité ne se laisse pas ignorer ; il faut grandir.*

Or je dispose en ce moment du stimulant le plus parfait. Ces gens ne sont pas réellement humains. *Ils en ont juste l'apparence, comme les singes costumés des cirques. Ils sont malins, ils apprennent,* rien de plus.

Pourquoi m'occuper d'eux, alors ? Parce qu'ils ont gagné ?

Ce dîner a servi de révélateur à un défaut très grave de ma personnalité. Ainsi va le monde. Une tendance pathétique à... eh bien, disons, à toujours choisir le plus supportable de deux maux. Une vache découvrant l'auge ; je me précipite sans réfléchir.

J'ai fait ce qu'il fallait d'un point de vue extérieur parce que c'était plus sûr. Après tout, ce sont les vainqueurs... les maîtres. Sans doute vais-je continuer.

Franchement, pourquoi me rendrais-je malheureux ?
Ils lisent un livre américain puis me demandent de le
leur expliquer ; dans l'espoir que je puisse leur donner
la réponse, en tant que blanc. Et j'essaie ! Mais je ne
peux pas, pas là, alors que si je l'avais lu, j'y arrive-
rais certainement.

« Peut-être jetterai-je un coup d'œil à *Miss Lonelyhearts*, un jour, dit-il à Paul. Je pourrai ainsi vous en expliquer le sens. » Le jeune homme hocha légèrement la tête. « Mais, pour l'instant, mon travail m'occupe trop. Plus tard… ça ne me prendra sans doute pas très longtemps.

— Non, murmura Paul. C'est court. »

Les deux Japonais avaient l'air tristes. Leur invité se demanda s'ils étaient eux aussi conscients du gouffre infranchissable qui les séparaient de lui. Il l'espérait. Ils le méritaient. Franchement… ils n'avaient qu'à trouver eux-mêmes quel message véhiculait le roman.

Il continua à manger avec davantage de plaisir.

La soirée se poursuivit sans autres frictions désagréables. En quittant l'appartement des Kasoura, à dix heures du soir, Robert Childan se sentait toujours empli de l'assurance qui l'avait envahi durant le repas.

Il descendit les escaliers de l'immeuble sans prêter vraiment attention aux quelques Japonais qui risquaient de le remarquer et de le suivre des yeux en se rendant aux bains communs. Puis, une fois dehors, sur le trottoir obscur, il appela un cyclopousse de passage. En route pour la maison.

Je me suis toujours demandé comment ça se passe-
rait si je fréquentais certains clients en société. Pas si
mal, après tout. Et puis ça m'aidera peut-être, d'un point
de vue professionnel.

Finalement, c'est thérapeutique de se frotter aux gens qui vous impressionnent. De découvrir à quoi ils ressemblent au fond. Ils en deviennent nettement moins impressionnants.

Il en était là de ses réflexions en arrivant dans son quartier, puis devant sa porte. Après avoir payé le *chintok*, il monta l'escalier familier.

Dans son salon était installé un inconnu. Un blanc en pardessus, assis sur le canapé, lisant le journal. Comme Robert Childan restait planté sur le seuil, stupéfait, l'intrus posa le quotidien, se leva sans se presser puis fouilla dans sa poche poitrine. Il en sortit un portefeuille, qu'il exhiba.

« Kempeitai. »

Un *pinoc*. Un employé de Sacramento et de la police d'État mise en place par les autorités japonaises. Effrayant !

« Monsieur R. Childan ?

— C'est moi. »

Le cœur de Childan battait à tout rompre.

« Vous avez été contacté récemment par un homme, un blanc, qui s'est présenté comme le représentant d'un officier de la marine impériale, dit le policier en consultant la liasse de papiers tirée de la mallette posée sur le canapé. Des investigations subséquentes vous ont prouvé qu'il n'était rien de tel. L'officier en question n'existe pas. Son bateau non plus. »

Le visiteur releva les yeux vers son hôte.

« En effet, acquiesça ce dernier.

— Nous avons été informés d'une escroquerie étendue à l'ensemble de la baie, continua le policier. Cet homme y est de toute évidence impliqué. Pouvez-vous me le décrire ?

— Petit, la peau assez sombre.

— Juif ?

— Oui ! Maintenant que vous me le dites...
Quoique je n'y aie pas pensé sur le moment.

— Regardez. »

Le *pinoc* tendit une photo.

« C'est lui. » Childan n'avait aucun doute. Les capacités d'enquête de la Kempeitai l'effrayaient un peu. « Comment lui avez-vous mis la main dessus ? Je ne l'ai pas dénoncé, mais j'ai contacté mon fournisseur, Ray Calvin, pour lui dire... »

Son interlocuteur le réduisit au silence d'un simple geste.

« Je vais vous demander une signature, rien de plus. Vous n'aurez pas à vous rendre au tribunal ; cette simple formalité légale mettra fin à votre implication dans l'affaire. » Il présenta à Childan un papier et un stylo. « Ce document stipule que l'homme en question est venu vous voir, a essayé de vous escroquer en se présentant sous une fausse identité et ainsi de suite. Lisez. »

Le policier tira sur sa manche pour examiner sa montre pendant que son hôte lisait en effet.

« Le rapport est-il globalement correct ? »

Il l'était – globalement. D'une part, Childan n'avait pas le temps de s'attacher aux détails ; d'autre part, il se sentait un peu étourdi par les événements de la journée. Toutefois, l'homme en question s'était présenté sous une fausse identité et trempait dans une escroquerie quelconque, ça ne faisait aucun doute ; et puis, comme l'avait dit le visiteur, c'était un Juif. Childan jeta un coup d'œil aux quelques mots griffonnés sous la photo. Frank Frink. Né Frank Fink. Oui, un Juif. Ça crevait les yeux, avec un nom pareil. Qu'il avait fait changer.

La signature s'imposait.

« Merci. »

L'employé de la Kempeitai rassembla ses affaires, recoiffa son chapeau, souhaita la bonne nuit au maître des lieux puis se retira. La scène tout entière n'avait duré que quelques minutes.

Ils le tiennent, on dirait. Peu importe ce qu'il mijotait.

Ouf, quel soulagement. Ils sont drôlement rapides.

Nous vivons dans une société de loi et d'ordre, où l'innocent est à l'abri des subtils mensonges des Juifs. On nous protège.

Comment se fait-il que je n'aie pas remarqué ses caractéristiques raciales au premier coup d'œil ? Je constitue manifestement une proie facile.

Le fait est que je suis incapable de tromperie et donc sans défense. Si la loi n'existait pas, je serais à la merci de ces gens-là. Ce type aurait pu me persuader de n'importe quoi. On dirait une sorte d'hypnose. Ils sont capables de contrôler une société tout entière.

Demain, j'achète cette histoire de sauterelle. Je suis curieux de voir comment l'auteur décrit un monde dominé par les Juifs et les communistes. Le Reich n'est plus que ruines, et je suppose que le Japon se retrouve réduit à l'état de province russe ; la Russie s'étend certainement de l'Atlantique au Pacifique. Je me demande s'il... je ne sais pas son nom... s'il évoque une guerre entre Russes et Américains... Ça doit être intéressant. Curieux que personne n'ait écrit un livre pareil avant.

Je devrais faire un effort pour expliquer à mes compatriotes la chance que nous avons. Malgré quelques désavantages évidents... nous pourrions être tellement plus mal lotis. Ce roman nous donne une leçon tellement importante. Oui, les Japs sont là ; oui, nous avons été vaincus. Mais il faut penser à l'avenir ; il faut bâtir. La situation actuelle donne lieu à de grandes choses, comme la colonisation des planètes.

Il doit y avoir un nouveau bulletin d'informations.
Childan s'assit et alluma la radio. *Peut-être le pro-*
chain chancelier du Reich a-t-il été choisi. Excitation,
attente. Personnellement, je pense que Seyss-Inquart
serait le plus dynamique. Le plus susceptible de lancer
des programmes exaltants.

Si seulement je vivais là-bas. Un jour, peut-être, je
serai assez riche pour aller voir en Europe ce qu'ont
accompli les Allemands. Quel dommage de manquer
ça. D'être coincé sur la côte Ouest, où il ne se passe
jamais rien. L'histoire nous laisse au bord du chemin.

CHAPITRE HUIT

À huit heures du matin, Freiherr Hugo Reiss, consul du Reich à San Francisco, descendit de sa Mercedes-Benz 220-E puis monta d'un pas vif le perron du consulat, suivi de deux jeunes employés du ministère des Affaires étrangères. Comme ses subordonnés avaient ouvert les locaux, il passa la porte en levant le bras pour saluer les deux standardistes et le vice-consul, Herr Frank. Un geste qu'il répéta en entrant dans son bureau personnel, à l'adresse cette fois de son secrétaire, Herr Pferdehuf.

« Un radiogramme codé arrive tout juste de Berlin, Freiherr, annonça Pferdehuf. Préface Un. »

En d'autres termes, il s'agissait d'un message urgent.

« Merci. »

Reiss ôta son pardessus et le tendit à son subordonné pour qu'il l'accroche au porte-manteaux.

« Herr Kreuz vom Meere a appelé il y a dix minutes. Il aimerait que vous le rappeliez.

— Merci », répéta Reiss en s'asseyant derrière le guéridon disposé près de la fenêtre.

Il souleva le couvercle qui protégeait son petit déjeuner, une assiette d'œufs brouillés et de saucisse accompagnée d'un petit pain, se servit le café noir brûlant qui attendait dans le pichet en argent puis déroula le journal du matin.

Kreuz vom Meere n'était autre que le chef du Sicherheitsdienst des États-Pacifiques d'Amérique, dont le quartier général occupait sous un nom de couverture une partie du terminal aérien. Les relations entre le consulat et le service de la sécurité étaient assez tendues, car leurs juridictions se chevauchaient sur d'innombrables sujets, sans doute par une volonté délibérée des huiles de Berlin. Reiss bénéficiait dans la S.S. d'un grade honorifique – commandant –, ce qui faisait techniquement de lui le subordonné de Kreuz vom Meere. Son grade lui avait été décerné des années plus tôt, il en avait clairement perçu le but à l'époque, mais il n'y pouvait rien. N'empêche que ça l'agaçait toujours autant.

Le journal, le *Frankfurter Zeitung*, arrivait à six heures du matin, acheminé par la Lufthansa. Le consul en lut la une avec attention. Von Schirach en résidence surveillée, peut-être mort, à présent. Dommage. Göring installé dans une base d'entraînement de la Luftwaffe, entouré d'anciens combattants expérimentés, forcément fidèles au Bouffi. Personne ne parviendrait jusqu'à lui. Aucun exécuteur du S.D. Quant à Goebbels… ?

Sans doute au cœur même de Berlin. Toujours aussi sûr de son intelligence, de sa capacité à se sortir de n'importe quelle situation par l'éloquence. *Si jamais Heydrich envoie un escadron l'éliminer, le petit docteur en philologie ne se contentera pas de persuader ses membres de l'épargner, il réussira sans doute à leur faire retourner leur veste. À les transformer en employés du ministère de la Propagande et de l'Éducation du peuple.*

Reiss imaginait très bien Goebbels à cet instant précis, en visite chez une actrice étourdissante – n'importe laquelle –, plein de mépris pour les unités de la Wehrmacht qui patrouillaient dans les rues en contrebas. Ce *Kerl* n'avait peur de rien. Goebbels devait arborer son sempiternel sourire moqueur... en caressant de la main gauche les seins de la belle et en écrivant de la droite un article destiné à l'*Angriff*...

On frappa à la porte du consul, ce qui interrompit le cours de ses pensées.

« Excusez-moi, mais Kreuz vom Meere est en ligne », annonça Pferdehuf.

Son supérieur alla décrocher le téléphone posé sur le bureau.

« Des nouvelles de ce type de l'Abwehr ? »

L'accent bavarois prononcé du chef des renseignements.

« Hmm », murmura Reiss, déconcerté, en se demandant de qui pouvait bien parler son correspondant. « À ma connaissance, il y a en ce moment au moins trois ou quatre *types de l'Abwehr* sur la côte Pacifique.

— Celui qui est arrivé par la Lufthansa la semaine dernière.

— Ah. » Le combiné coincé entre l'oreille et l'épaule, le consul sortit son étui à cigarettes. « Il ne s'est pas présenté ici.

— Qu'est-ce qu'il trafique ?

— Ma foi, je n'en sais rien. Posez la question à Canaris.

— J'aimerais que vous demandiez aux Affaires étrangères de contacter la chancellerie. Il doit bien y avoir là-bas quelqu'un de disponible pour dire à l'amirauté que l'Abwehr doit soit rapatrier les agents envoyés ici, soit nous informer de ce qu'ils y font.

— Vous ne pouvez pas vous en occuper vous-même ?

— C'est le cirque en ce moment. »

Ils ont perdu ce type dans la nature, se dit Reiss. Un homme d'Heydrich a chargé le S.D. du coin de le garder à l'œil, mais ils l'ont laissé filer à une de ses étapes. Et maintenant, ils aimeraient que je les tire d'affaire.

« Si jamais il se montre, je le ferai surveiller, assura tout haut le consul. Ne vous inquiétez pas. »

Il n'y avait évidemment aucune chance ou presque que l'agent se montre, Kreuz vom Meere et lui le savaient aussi bien l'un que l'autre.

« Il se sert sans aucun doute d'un faux nom, insista le Bavarois. Nous ne savons évidemment pas lequel. Un type d'allure aristocratique. La quarantaine. Capitaine. De son vrai nom, Rudolf Wegener. Une des vieilles familles monarchistes de Prusse orientale. Probablement des soutiens de von Papen à l'époque du Systemzeit[1]. » Reiss s'installa confortablement à son bureau, tandis que son interlocuteur continuait à bavarder. « À mon avis, la seule réaction à opposer à ces attardés monarchistes consiste à réduire le budget de la marine pour les empêcher de… »

Lorsque enfin le consul réussit à se débarrasser de son correspondant et retourna se consacrer à son assiette, le petit pain était froid, mais le café encore chaud. Il le but en lisant le journal.

Ça n'a pas de fin. Ces types du S.D. montent la garde toute la nuit. Ils appellent à trois heures du matin.

Pferdehuf passa la tête par la porte, constata que son supérieur n'était plus au téléphone et annonça : « Sacramento vient d'appeler, complètement affolé. Il paraît qu'il y a un Juif en liberté dans les rues de San Francisco. »

Les deux hommes éclatèrent de rire.

« Bon, dites-leur de se calmer et de nous envoyer les papiers habituels, répondit finalement Reiss. C'est tout ?

---

1. Appellation donnée par les nazis à la république de Weimar.

« — Les messages de condoléances. Vous les avez lus.

— Il en est arrivé d'autres ?

— Quelques-uns. Posés sur mon bureau, au cas où vous voudriez y jeter un œil. J'ai déjà envoyé les réponses.

— J'ai une réunion aujourd'hui. À treize heures. Des hommes d'affaires.

— Je ne vous laisserai pas oublier. »

Le consul s'adossa dans son fauteuil.

« Je vous propose un pari.

— Il est hors de question que je prenne des paris sur le résultat des délibérations du Partei. Si c'est à ça que vous pensez.

— Le Bourreau. »

— L'ascension d'Heydrich est terminée, répondit le secrétaire, qui s'attardait. Les gens comme lui n'obtiendront jamais le contrôle direct du Partei, parce qu'ils font peur à tout le monde. Les décideurs piqueraient une crise à une idée pareille. Il ne faudrait pas une demi-heure pour qu'ils forment une coalition, à partir du moment où la première voiture S.S. quitterait Prinz Albrecht Strasse. Tous les poids lourds de l'économie, Krupp, Thyssen et... »

Il s'interrompit, car un des cryptographes venait lui remettre une enveloppe.

Reiss tendit la main. Pferdehuf y déposa l'enveloppe. Elle contenait le radiogramme codé urgent, décodé et tapé à la machine.

Sa lecture terminée, le consul s'aperçut que son subordonné attendait ses commentaires. Il roula la feuille en boule, la posa dans le grand cendrier en céramique de son bureau puis y mit le feu avec son briquet.

« Un Japonais est censé arriver incognito à San Francisco. Un général. Tedeki. Vous devriez aller à la bibliothèque publique chercher un quelconque magazine militaire japonais contenant sa photo. En toute discrétion, bien entendu. Je ne crois pas que nous ayons quoi que ce soit sur ce monsieur au consulat. » Reiss se dirigea vers le classeur fermé, mais changea d'avis en chemin. « Procurez-vous le maximum d'informations. Les chiffres. Ils devraient être disponibles à la bibliothèque. Le général Tedeki était chef d'état-major il y a quelques années. Ça vous rappelle quelque chose ?

— Vaguement. Un exalté. Il devrait avoir dans les quatre-vingts ans, maintenant. Il me semble me souvenir qu'il conseillait un programme d'urgence destiné à mettre l'espace à portée du Japon.

— Il n'a pas obtenu gain de cause de ce côté-là.

— Ça ne m'étonnerait pas qu'il se déplace pour raisons médicales, continua Pferdehuf. Des tas de vieux militaires japonais viennent faire un petit tour au complexe de l'U.C. Hospital. Ça leur permet de bénéficier des techniques chirurgicales allemandes qu'ils n'ont pas chez eux. Ils ne s'en vantent pas, évidemment. Le patriotisme, vous comprenez. Alors on devrait peut-être poster quelqu'un à l'hôpital, si Berlin veut qu'on garde Tedeki à l'œil. »

Reiss acquiesça. Le retraité profitait peut-être aussi des relations nouées à l'époque de son service actif pour s'impliquer dans les spéculations commerciales florissantes de San Francisco. Mais était-il à la retraite ? Le message l'appelait *le général*, pas l'*ex-général*.

« Dès que vous aurez une photo, donnez-en des copies aux hommes postés à l'aéroport et sur le port. Peut-être est-il déjà arrivé. Vous savez qu'il leur faut un temps fou pour nous informer de ce genre de choses. »

En admettant que le général se trouve déjà à San Francisco, Berlin le reprocherait évidemment au consulat. Lequel aurait dû réussir à intercepter le vieillard avant même d'en recevoir l'ordre.

« Je vais tamponner le radiogramme codé avec la date de réception, déclara Pferdehuf. Comme ça, s'il

166

y a un doute plus tard, on sera capables de prouver le moment exact auquel on l'a reçu. À l'heure près.

— Merci. » Les Berlinois étaient passés maîtres dans l'art de rejeter la responsabilité sur autrui, et Reiss en avait assez de se faire avoir. C'était arrivé trop souvent. « Mais, par mesure de précaution, je crois que je vais vous demander d'envoyer une réponse. Du genre *Instructions excessivement tardives. Personne déjà arrivée. Possibilité d'interception réussie réduite, à ce stade.* Arrangez-moi quelque chose dans ce goût-là et expédiez. Restez bref et vague. Vous voyez.

— Je m'en occupe tout de suite, acquiesça le secrétaire. Et je garde trace de la date et de l'heure exactes de l'envoi. »

Il repartit, refermant la porte du bureau.

La moindre imprudence, et on se retrouve en un clin d'œil consul d'une bande de nègres, sur une île de la côte sud-africaine, se dit Reiss. *Là, on n'a pas le temps de se retourner qu'on a déjà une grosse maîtresse noire et une dizaine de petits bamboulas qui vous appellent papa.*

Il se rassit au guéridon près de la fenêtre, alluma une cigarette égyptienne Simon Artz numéro 70 et referma avec soin sa boîte en fer-blanc.

Selon toute apparence, il ne risquait plus guère d'être interrompu avant un moment, ce qui le persuada de tirer de sa mallette le livre entamé, de l'ouvrir à l'endroit marqué, de s'installer confortablement puis de reprendre sa lecture où il avait été obligé de l'interrompre.

… S'était-il réellement promené dans des rues aux voitures silencieuses, baigné de la paix dominicale du Tiergarten au matin, si loin de là ? Une autre vie. Les glaces ; un goût qui aurait pu ne jamais exister. Ils en étaient maintenant à faire cuire des orties, qu'ils étaient

bien contents de trouver. Seigneur, s'écria-t-il. N'en finiront-ils jamais ? Les énormes chars britanniques avançaient toujours. Un autre bâtiment – immeuble d'habitation, magasin, école, bureaux ; il n'aurait su le dire : ruines écroulées, réduites en pièces. Sous les décombres, quelques survivants de plus ensevelis, sans même le bruit de la mort. La mort qui s'était déployée partout très équitablement, sur les vivants, les blessés, les cadavres, des couches et des couches qui avaient déjà commencé à sentir. Le cadavre puant, frissonnant de Berlin, les tourelles aveugles, obstinément dressées, s'effaçant sans protester comme celle-ci – édifice sans nom autrefois érigé par l'homme avec fierté.

Le garçon s'aperçut qu'une pellicule grise lui couvrait les bras ; la cendre, en partie inorganique, en partie ultime produit tamisé de la vie consumée. Tout se mêlait, à présent, il en avait conscience en s'essuyant. Ses réflexions ne l'entraînèrent pas beaucoup plus loin, car une nouvelle pensée s'était emparée de son esprit, si l'on pouvait penser malgré les hurlements et les fump fump *des obus. La faim. Il n'avait rien mangé depuis six jours que des orties, et voilà qu'il n'y en avait plus. Le pré herbeux avait disparu dans un grand cratère boueux. D'autres silhouettes floues, émaciées, étaient apparues autour du trou en même temps que lui, avaient regardé en silence puis s'étaient évanouies. Une vieillarde à la tête grise coiffée d'un foulard, un panier – vide – sous le bras. Un manchot aux yeux aussi vides que le panier. Une jeune fille. Disparus, retournés aux déchets des arbres déchiquetés où se cachait Eric.*

Pourtant, le serpent avançait toujours.

La fin viendrait-elle jamais ? demanda le garçon, sans vraiment s'adresser à personne. Et, si elle venait, que se passerait-il ensuite ? Leur rempliraient-ils le ventre, ces…

« Freiherr. » La voix de Pferdehuf. « Excusez-moi de vous déranger. Ce ne sera pas long. »

Reiss referma son livre en sursaut.

« Oui ? »

Ce type sait vraiment écrire. Il m'a emporté. Littéralement. La chute de Berlin face aux Britanniques, aussi réaliste que si elle s'était réellement produite. Brrr. Le consul frissonna.

La fiction possède un pouvoir stupéfiant. La fiction populaire bon marché elle-même se révèle évocatrice. Pas étonnant que ce genre de choses ait été interdit sur le territoire du Reich ; je l'interdirais aussi. Dommage que j'aie commencé une lecture pareille. Mais trop tard ; il faut que je la termine, maintenant.

« Des marins naviguant sur bateau allemand. Tenus de vous faire leur rapport, expliqua son secrétaire.

— En effet. »

Reiss quitta son bureau d'un pas vif. Trois hommes en gros pull gris l'attendaient – épais cheveux blonds, traits accusés, un peu nerveux, tous les trois.

« Heil Hitler », lança-t-il, la main droite levée, en les gratifiant d'un sourire amical, quoique fugace.

« Heil Hitler », marmonnèrent-ils, avant de lui montrer leurs papiers.

Aussitôt leur passage au consulat certifié, il s'empressa de regagner son bureau.

Sa solitude retrouvée, il rouvrit *Le Poids de la sauterelle*.

Ses yeux se posèrent sur une scène concernant… Hitler. Incapable de se retenir, il se mit à la lire hors contexte, la nuque en feu.

Il s'agissait du procès du Führer. Après la guerre. Hitler aux mains des Alliés, grand Dieu. Mais aussi Göring, Goebbels et compagnie. À Munich. De toute évidence, Hitler répondait au procureur, un Américain.

... noir, flamboyant, l'esprit du passé me sembla un instant brûler au présent. Le corps frissonnant, affaissé, se redressa brusquement ; la tête se releva. De la bouche dont suintait en permanence un filet de bave sortirent quelques mots, mi-aboiement, mi-murmure : « Deutsche, hier steh' Ich. » Les témoins attentifs frémirent, les écouteurs pressés contre les oreilles, tendus, tous autant qu'ils étaient, Russes, Américains, Britanniques ou Allemands. Oui, se dit Karl. Le revoilà debout... Ils nous ont vaincus... et plus encore. Ils ont dépouillé ce surhomme, ils l'ont montré tel qu'il était. Un simple...

« Freiherr. »

Reiss s'aperçut que son secrétaire était là, dans son bureau.

« Je suis occupé », protesta le consul, exaspéré, avant de refermer brusquement son livre. « J'essaie de lire, figurez-vous ! »

Il n'avait aucune chance, il le savait.

« Un autre radiogramme crypté arrive de Berlin, lui apprit Pferdehuf. J'en ai eu un aperçu quand on a commencé à le décoder. Il parle de la situation politique.

— Que raconte-t-il ? murmura Reiss en se massant le front.

— Herr Goebbels est passé à l'improviste à la radio. Un discours très important. » Le secrétaire était visiblement agité. « Nous sommes censés prendre le texte en note... ils sont en train de le transmettre en clair... puis veiller à ce que la presse locale l'imprime.

— Bien, bien. »

L'intrus avait à peine tourné les talons que Reiss rouvrait son livre. Juste quelques lignes, tant pis pour les bonnes résolutions… Il feuilleta la partie précédente.

… Karl contemplait en silence le cercueil couvert du drapeau. Il y reposait ; sa disparition était bel et bien définitive, à présent. Les pouvoirs du démon eux-mêmes ne le ramèneraient pas. L'homme – à moins qu'il ne s'agisse après tout de l'Übermensch ? – à qui Karl avait obéi aveuglément, qu'il avait révéré jusqu'au bord de la tombe. Adolf Hitler s'était éteint, mais son fidèle se cramponnait à la vie. Je ne le suivrai pas, murmurait l'esprit du garçon. Je vivrai. Je reconstruirai. Nous reconstruirons tous. Il le faut.

La magie du chef l'avait mené loin, terriblement loin. Et qu'en était-il, maintenant que le point final avait été mis à ce récit inouï ? Ce périple entamé dans une petite ville rustique d'Autriche, poursuivi dans la pauvreté avilissante de Vienne et l'épreuve cauchemardesque des tranchées, dans les intrigues politiques et la création du Partei, puis conclu à la chancellerie par ce qui, un instant durant, avait évoqué la domination du monde ?

Karl le savait. De l'esbrouffe. Adolf Hitler leur avait menti. Il les avait dirigés grâce à des mots creux.

Il n'est pas trop tard. Nous savons que c'est de l'esbrouffe, Adolf Hitler. Nous savons ce que tu es. Enfin. De même que le parti nazi et sa terrible époque de meurtre et de fantasmes mégalomanes. Nous savons ce que c'est. Ce que c'était.

Karl tourna le dos au cercueil immuable puis s'éloigna…

Reiss referma le livre et resta un moment immobile. Bouleversé malgré lui. Il aurait fallu insister davantage auprès des Japs pour les obliger à interdire ce satané roman. *Ils l'ont fait exprès, c'est sûr.*

Ils auraient pu l'arrêter... je ne sais plus comment il s'appelle. Abendsen. Ils ont une sacrée influence dans le Middle West.

Voilà ce qui le bouleversait. La *mort* d'Adolf Hitler, sa défaite et sa destruction, celles du Partei et de l'Allemagne elle-même, telles que les décrivait Abendsen... D'une certaine manière, c'était plus imposant, plus conforme à l'esprit d'autrefois que le monde réel ; celui de l'hégémonie allemande.

Comment est-ce possible ? se demanda le consul. *Se peut-il que ce soit juste un effet des capacités littéraires de ce type ?*

Les romanciers ont des milliers de tours dans leur sac. Prenez Herr Doktor Goebbels ; à ses débuts, il écrivait de la fiction. Elle fait appel aux convoitises de base dissimulées au fond de chacun de nous, si respectables que nous paraissions en surface. Oui, le romancier connaît l'humanité ; il sait qu'elle ne vaut rien, qu'elle est menée par ses gonades, ébranlée par la lâcheté, prête à vendre par avidité les plus grandes causes... Il suffit au plumitif de battre le tambour pour provoquer la réaction désirée. Et ça l'amuse, bien sûr, il rit sous cape de l'effet obtenu.

Regardez-moi ça ; il a joué de mes sentiments, pas de mon intellect ; et ça va lui rapporter, évidemment – l'argent est là. Quelqu'un a commandité ce Hundsfott, *forcément ; quelqu'un lui a dit ce qu'il fallait écrire. Ils écriraient n'importe quoi, à condition d'être payés. Ils racontent les pires mensonges, et le public prend ces histoires nauséabondes au sérieux dès qu'elles sont publiées. Où ce livre a-t-il été publié ?* Reiss examina son exemplaire. À Omaha, au Nebraska. Le dernier poste avancé de l'industrie éditoriale des anciens États-Unis ploutocratiques, autrefois sise dans le centre de New York, soutenue par l'or juif et communiste...

Peut-être cet Abendsen est-il juif.

Ils persistent à essayer de nous empoisonner. Ce jüdisches Buch... Le consul referma violemment le roman. *Sans doute s'appelle-t-il Abendstein, en réalité. Le S.D. s'intéresse certainement à son cas, depuis le temps.*

Nous devrions envoyer quelqu'un dans les R.M.S. rendre visite à Herr Abendstein. Je me demande si Kreuz vom Meere a reçu des ordres à cet effet. Probablement pas, avec le chaos qui règne à Berlin. Tout le monde est trop occupé par les affaires domestiques.

Mais ce livre est dangereux.

Si on retrouvait Abendstein pendu un beau matin, ça calmerait quiconque aurait subi l'influence de son opuscule. Nous aurions le dernier mot. Nous écririons le post-scriptum.

Il faudrait un blanc, évidemment. Je me demande ce que fait Skorzeny, en ce moment.

Reiss réfléchit un moment puis relut la jaquette. *Le youpin se barricade. Dans son Haut Château. Ne soyons pas dupes. Si quelqu'un arrive à s'y introduire et à le tuer, il n'en ressortira pas.*

C'est peut-être idiot. Après tout, ce livre est disponible. Il est trop tard, maintenant. Et puis on est en territoire japonais... les petits jaunes en feraient tout un foin.

N'empêche qu'avec un minimum de doigté... si on s'en occupe correctement...

Freiherr Hugo Reiss coucha quelques mots sur son bloc-notes. Aborder le sujet avec le général S.S. Otto Skorzeny ou, mieux encore, Otto Ohlendorf, de l'Amt III du Reichssicherheitshauptamt[1]. Ohlendorf était bien le chef de l'Einsatzgruppe D... ?

---

1. Le Reichssicherheitshauptamt, ou RSHA, organisation créée en 1939 par la fusion de la Gestapo et de la police criminelle, afin de venir à bout des « ennemis du Reich », notamment des « indésirables ».

Sans le moindre avertissement, une fureur terrible envahit brusquement Reiss. *Je croyais que c'était fini. Ça va vraiment durer éternellement ? La guerre est terminée depuis des années. On croyait que c'était fini. Mais le fiasco africain, ce cinglé de Seyss-Inquart appliquant le programme de Rosenberg…*

Ce Herr Hope a raison. Quand il se moque de nos contacts avec Mars. Mars est peuplé de juifs. On en trouverait là-bas aussi. Malgré leurs deux têtes et leurs trente centimètres de haut.

J'ai ma charge de travail quotidien. Je n'ai pas le temps de me lancer dans ce genre d'aventures pour sans-cervelle et d'envoyer des Einsatzkommandos chez Abendsen. Je suis assez occupé à accueillir les marins allemands et à répondre aux radiogrammes cryptés ; que quelqu'un de plus haut placé s'occupe de ce genre de projet – c'est à eux de se charger de ça.

D'ailleurs, si je m'en chargeais et que ça tournait mal, je sais où je me retrouverais : en détention de protection, sous la supervision du gouvernement général, voire dans une petite pièce où on injecterait du Zyklon B, de l'acide cyanhydrique.

Reiss ratura avec soin les quelques mots couchés sur son bloc-notes pour les faire disparaître puis brûla la feuille dans son cendrier en céramique.

On frappa ; la porte s'ouvrit. Son secrétaire entra, une grosse liasse de papiers à la main.

« Le discours de Herr Goebbels. L'intégralité. » Pferdehuf posa les feuilles sur le bureau. « Lisez-le. Il est très bien ; un de ses meilleurs. »

Reiss alluma une autre Simon Artz numéro 70 puis se plongea dans la lecture du discours de Herr Goebbels.

CHAPITRE NEUF

Après deux semaines de travail quasi ininterrompu, Edfrank Custom Jewellery disposait de son
premier lot de bijoux, alignés sur deux planches dra-
pées de velours noir. Le tout tenait dans un unique
panier en osier carré, d'origine japonaise. Ed McCarthy
et Frank Frink s'étaient aussi fabriqué des cartes de
visite – le nom de l'entreprise imprimé en rouge à
la gomme mie de pain creusée, entouré d'un motif
géométrique grâce aux roues dentées d'un jeu de
dessin pour enfants. Le résultat était d'autant plus saisissant qu'ils avaient utilisé un épais papier couleur
d'excellente qualité, destiné en principe aux cartes
de vœux.

Le moindre aspect de leur travail avait fait l'objet
d'une attention toute professionnelle. Ni leurs bijoux,
ni leurs cartes, ni leur échantillonnage ne présentaient le plus petit signe d'amateurisme. *Et pourquoi
en irait-il autrement ?* se demanda Frink. *On est des
pros ; pas de la bijouterie, mais du travail d'atelier en
général.*

L'échantillonnage était varié : bracelets en laiton,
cuivre ou bronze, voire braunite grise ou noire ; pendentifs, la plupart en laiton, avec parfois des orne-
mentations en argent ; boucles d'oreilles en argent ;
broches en laiton ou argent. L'argent leur avait coûté

cher, y compris la simple soudure. Ils avaient aussi acheté quelques pierres semi-précieuses à monter sur les épingles : perles baroques, morceaux de spinelle et fragments d'opale de feu. Si les choses tournaient bien, ils étaient décidés à essayer l'or, plus, peut-être, de petits diamants de cinq ou six points.

Il fallait passer à l'or pour réaliser de vrais bénéfices. Ils avaient déjà commencé à chercher des fournisseurs du précieux métal, vendeurs de débris ou collecteurs de vieux bijoux démodés aussitôt refondus. Ça revenait nettement moins cher que de l'acheter de première main, mais ça représentait malgré tout un investissement énorme. Toutefois, la vente d'une unique épingle en or leur rapporterait davantage que celle des quarante mêmes en laiton. Sur le marché du détail, ils fixeraient pratiquement à leur gré le prix d'une broche en or bien dessinée et bien exécutée... en admettant, comme l'avait signalé Frink, qu'ils arrivent à écouler leur production.

Ils n'avaient pas encore essayé, préférant se consacrer en priorité à la résolution des problèmes techniques de base. Tour à moteur, machine à câble, arbre de meule, disques à polir – ils disposaient de tout cela, ainsi que d'une panoplie complète d'outils de finition. Depuis les rudes brosses métalliques jusqu'aux cotons, lins, cuirs et chamois les plus délicats – à enduire éventuellement de composants allant de l'émeri et de la pierre ponce jusqu'au subtil rouge de Paris –, en passant par les brossettes en laiton et les disques Cratex. À quoi il fallait bien sûr ajouter l'attirail de soudure à l'acétylène – réservoirs, jauges, tuyaux, embouts, masques.

Ils utilisaient aussi de superbes outils de joaillerie. Pinces diverses, y compris allemandes et françaises, micromètres, perceuses diamants, scies, brucelles, étaux, dont les fameuses « troisièmes mains » des soudeurs, chiffons à polir, minuscules marteaux artisanaux... des rangées et des rangées d'équipement de précision. Ainsi qu'un stock de baguettes à braser d'épaisseurs différentes, de feuilles de métal, d'épingles à broches, de maillons, de clips à boucles d'oreille. Bref, ils avaient dépensé plus de la moitié des deux mille dollars ; le compte d'Edfrank était même descendu à deux cent cinquante. Ils exerçaient cependant en toute légalité, puisqu'ils avaient jusqu'à leurs permis des P.S.A. Il ne leur restait qu'à vendre.

Personne ne peut les examiner d'un œil plus critique que le nôtre, se dit Frink en inspectant les bijoux. *Aucun commerçant.* Les quelques pièces sélectionnées avaient vraiment belle allure ; les deux associés avaient pris la peine de les scruter de près, à la recherche de soudures défectueuses, d'arêtes mal dégrossies ou coupantes, de taches de chaleur... un excellent contrôle qualité. La moindre ternissure, la plus petite égratignure infligée par une brosse métallique avaient suffi à renvoyer la production sur l'établi. *On ne peut pas se permettre de montrer quoi que ce soit de mal fini ou de grossier ; si on laisse passer un point noir sur un collier en argent... on est fichus.*

American Artistic Handcrafts Inc. figurait en tête de liste pour Edfrank Jewellery, mais c'était forcément à McCarthy de s'y rendre, car Childan risquait de se souvenir de Frink.

« Il va falloir te charger de la plupart des ventes », lui dit McCarthy, résigné à s'occuper en personne de la première visite. Le beau costume, la cravate et la chemise blanche achetés afin de faire bonne impression ne l'empêchaient pas d'être visiblement mal à l'aise. « Je sais qu'on est bons, répéta-t-il pour la millionième fois, seulement... merde, quoi. »

La plupart des bijoux présentaient des motifs abstraits, tourbillons de fils, boucles, dessins adoptés d'eux-mêmes – jusqu'à un certain point – par les métaux fondus. Certains étaient d'une délicatesse arachnéenne, quasi aérienne ; d'autres massifs, lourds, empreints d'une puissance presque barbare. L'éventail des formes se révélait étonnamment vaste, vu le nombre réduit des pièces disposées sur le velours. *Il suffirait d'un magasin pour acheter l'ensemble*, se dit Frink. *On les fera tous – si ça ne marche pas. Mais si ça marche, si on arrive à les persuader de prendre notre collection, on passera le reste de notre vie à répondre aux commandes.*

Les deux hommes rangèrent ensemble les plateaux de présentation dans le panier en osier. *Au pire, on tirera toujours quelque chose du métal*, se dit encore Frink. *Et des outils, de l'équipement. On y perdra, mais on récupérera au moins un petit quelque chose.*

C'est le moment de consulter l'oracle. Question : Comment Ed va-t-il se sortir de sa première tentative de vente ? Frink se sentait cependant trop nerveux. Il risquait d'obtenir un mauvais présage, qu'il n'arriverait pas à affronter. De toute manière, les dés étaient jetés : les bijoux fabriqués, l'entreprise lancée – quoi que le *Yi King* puisse dévoiler à ce sujet.

Il ne peut pas vendre nos bijoux à notre place… il ne peut pas nous porter *chance.*

« Je vais commencer par le magasin de Childan, déclara McCarthy. Autant en terminer. Après, tu n'auras qu'à en essayer un ou deux autres. Tu viens, hein ? Dans la camionnette. Je me garerai un peu plus loin. »

Dieu seul sait si Ed est un bon commercial, se dit Frink pendant qu'ils s'installaient dans le véhicule, avec leur panier. *Pareil pour moi. Childan achètera peut-être, mais il va falloir lui présenter nos produits, comme on dit.*

Si Juliana était là, elle n'aurait qu'à arriver tranquille dans sa boutique, elle n'aurait même pas à lever le petit doigt ; elle est jolie, elle est capable de discuter avec n'importe qui, et c'est une femme. Après tout, ce sont des bijoux pour femme. Elle n'aurait qu'à les porter devant Childan. Les yeux clos, Frink essaya de se représenter son ex avec un des bracelets. Ou des gros colliers en argent. Les cheveux noirs, la peau pâle, les yeux mélancoliques, attentifs… le pull gris un peu trop près du corps, le métal reposant sur la chair nue, se soulevant et retombant au rythme de la respiration…

Seigneur, Juliana était tellement nette dans l'esprit de Frink. Chacun des bijoux qu'ils avaient fabriqués, McCarthy et lui, ses doigts minces mais puissants s'en emparaient, elle l'examinait en le levant devant ses yeux, la tête rejetée en arrière. Elle sélectionnait, témoin des réalisations de Frink, comme toujours.

Ce sont les boucles d'oreilles qui lui iraient le mieux, décida-t-il. *Les longues très brillantes, surtout celles en laiton. À condition qu'elle s'attache les cheveux ou qu'elle se les coupe, de manière à dégager le cou et les oreilles. On ferait des photos pour la pub et les démonstrations.* Les deux associés avaient discuté d'un éventuel catalogue, qui leur permettrait de vendre par correspondance dans d'autres régions du monde. *Elle serait formidable… Elle a une belle peau, très saine – pas de rides, aucune trace d'affaissement –, et une carnation superbe. Est-ce qu'elle serait d'accord, si je la retrouvais ? Quoi qu'elle pense de moi ; ça n'aurait rien à voir avec notre vie personnelle. Ce serait juste une relation d'affaires.*

Ce n'est même pas moi qui me chargerais des photos, bordel. On s'offrirait un professionnel. Elle adorerait. Je te parie qu'elle est plus vaniteuse que jamais. Elle a toujours aimé qu'on la regarde, qu'on l'admire ; n'importe qui. Comme la plupart des femmes, je sup-

pose. Elles meurent d'envie qu'on fasse attention à elles. C'est d'une puérilité, franchement.

Juliana n'a jamais supporté la solitude ; il fallait que je lui tourne autour en permanence, à lui présenter des compliments. Les tout-petits ont ce problème-là aussi ; ce qu'ils trafiquent ne leur semble réel que si leurs parents les regardent. Ça m'étonnerait qu'elle ne se soit pas débrouillée pour se faire remarquer par un mec quelconque, depuis le temps. Il doit lui dire qu'elle est ravissante. Qu'elle a de belles jambes. Le ventre plat, doux...

« Qu'est-ce qui se passe ? demanda McCarthy en jetant un coup d'œil à son passager. Tu flippes ?

— Non.

— Je ne vais pas me contenter de rester planté là. J'ai ma petite idée, moi aussi. Et je vais te dire : je n'ai pas peur. Ça ne m'impressionne pas que ce soit une boutique de luxe et que j'aie été obligé de mettre un costume de luxe. Bon, je n'aime pas ce genre de vêtements, je le reconnais, mais ça n'a aucune importance. Je vais quand même y aller et me faire ce crétin. »

Tant mieux pour toi, se dit Frink.

« Merde, si toi, tu y es allé la dernière fois lui raconter ton histoire, là, que tu étais le valet d'un amiral japonais, je devrais bien être capable de lui dire la vérité, que c'est des bijoux originaux, créatifs, faits main...

— Façonnés à la main, rectifia Frink.

— Ouais, bon, *façonnés* à la main. Je veux dire, je vais entrer, et je ne ressortirai pas avant de m'être montré à la hauteur. Ce type devrait acheter. Sinon, c'est un imbécile patenté. J'ai vérifié ; aucun magasin ne propose quoi que ce soit qui ressemble à ce qu'on fait. Seigneur, quand je pense qu'il va peut-être regarder sans rien prendre... ça me rend tellement dingue que j'en ai le tournis.

— Pense à lui dire qu'on ne fait pas de plaqué, intervint Frink. Le cuivre, c'est du massif, et l'étain aussi.

— Laisse-moi trouver mon angle d'attaque. J'ai de très bonnes idées. »

Je sais ce que je vais faire. Choisir deux, trois pièces – Ed s'en fiche –, les emballer et les envoyer à Juliana. Comme ça, elle verra ce que je fais. La Poste la retrouvera. J'expédierai le paquet à sa dernière adresse connue. Je me demande ce qu'elle dira en ouvrant la boîte. Il faudra que je joigne une petite lettre pour lui expliquer que ce sont des bijoux de ma fabrication ; que je suis un des associés d'une petite entreprise de joaillerie créative. Ça lui enflammera l'imagination. Je lui raconterai ça de manière à lui donner envie d'en savoir davantage, à susciter son intérêt. Je parlerai des gemmes et des métaux. Des endroits où on vend, les magasins de luxe…

« C'est par là, non ? » demanda McCarthy en ralentissant. Ils se trouvaient pris dans la circulation dense du centre-ville ; les immeubles environnants dissimulaient le ciel. « Je ferais mieux de me garer.

— Cinq rues plus loin.

— Tu as des cigarettes de marie-jeanne ? Ça me calmerait, là, maintenant. »

Frink tendit à son compagnon son paquet de T'ienlai, la marque de la « Musique céleste » qu'il s'était mis à fumer à la W.-M. Corporation.

Elle ne vit pas seule, je sais bien. Elle ne dort pas seule. Elle a un mec. Autant dire un mari. Je la connais. Elle ne s'en sortirait jamais, autrement. Je sais comment elle est quand le soir tombe. Quand arrivent le froid et la nuit ; que les gens sont chez eux tranquilles, dans leur salle de séjour. Elle n'a jamais été faite pour vivre seule. Moi non plus, d'ailleurs – soudaine révélation.

Si ça se trouve, c'est un type génial. Un étudiant timide qu'elle a levé. Elle ferait du bien à un petit jeune qui n'a encore jamais eu le courage d'aborder une femme. Elle n'est ni dure ni cynique. Elle serait super. J'espère vraiment qu'elle n'a pas craqué sur un mec plus âgé. Ça, je ne le supporterais pas. Un salopard plein d'expérience, le cure-dents au coin des lèvres, qui s'amuse à la harceler.

Frink s'aperçut qu'il respirait plus fort. L'image d'un gros beauf velu, brutalement dominateur, rendant la vie impossible à Juliana... *Je suis sûre qu'elle finirait par se tuer. C'est écrit, si elle ne trouve pas l'homme qu'il lui faut – un homme vraiment doux, sensible, façon étudiant, capable d'apprécier toutes les idées qui lui traversent la tête.*

Moi, j'étais trop brut de décoffrage. Alors que je ne suis pas si mal ; il y a nettement pire. J'arrivais plutôt bien à savoir ce qu'elle pensait, ce qu'elle voulait, quand elle se sentait seule, mal, déprimée. Je passais un temps fou à m'inquiéter pour elle et à m'occuper d'elle. Mais ça ne suffisait pas. Elle méritait davantage. Elle mérite beaucoup.

« Je me gare », annonça McCarthy, qui avait trouvé une place.

Il entreprit de reculer en regardant par-dessus son épaule.

« Dis donc, je peux envoyer deux, trois bijoux à ma femme ? demanda Frink.

— Je ne savais pas que tu étais marié. » Attentif à sa marche arrière, McCarthy répondait machinalement. « Mais bien sûr, du moment que tu ne prends pas ceux en argent. » Il coupa le contact. « On y est. » Une dernière bouffée de sa cigarette de marie-jeanne, puis il écrasa le mégot sur le tableau de bord, avant de le laisser tomber par terre. « Allez, souhaite-moi bonne chance.

— Bonne chance.

— Hé, regarde-moi ça. Il y a un poème *waka* japonais au dos du paquet. » McCarthy lut la courte poésie à voix haute, dominant le bruit de la circulation :

Au chant du coucou,
Je lève les yeux
Vers sa voix.
Que vois-je ?
La lune pâle sur fond d'aube.

« Viiingt dieux ! » ajouta-t-il en rendant les T'ien-lai à Frink. Il lui donna une claque dans le dos, ouvrit sa portière, prit le panier en osier et descendit de voiture. « Je te laisse t'occuper du parcmètre. »

Déjà, il s'éloignait sur le trottoir.

Un instant plus tard, il disparaissait parmi les piétons.

Juliana… songea Frink. *Es-tu aussi seule que moi ?*

Il descendit à son tour de la camionnette pour aller glisser une pièce de monnaie dans le parcmètre.

La peur. Toute cette histoire de bijouterie. *Et si ça ne marche pas ? Si ça ne marche pas ?* C'était ce que disait l'oracle. Les hommes gémissent, pleurent, frappent sur le chaudron.

Le soleil couchant, symbole de la vieillesse de plus en plus proche. De la tombe. Si elle était là, ça n'irait pas si mal. Vraiment pas si mal.

J'ai peur – il s'en rendait enfin compte. *Supposons qu'Ed ne vende pas le moindre bijou. Supposons que tout le monde se moque de nous.*

Qu'est-ce qu'on va faire ?

*
*   *

Couchée par terre sur un drap, dans la pièce de façade de son appartement, Juliana serrait Joe Cinnadella dans ses bras. Le soleil de l'après-midi entrait à flots par les fenêtres, suscitant une chaleur étouffante qui emperlait de sueur les deux corps enlacés. Une goutte roula sur le front de Joe, resta un instant accrochée à sa pommette puis tomba sur la poitrine de Juliana.

« Tu es trempé », murmura-t-elle.

Il ne répondit pas. Son souffle lent, régulier... *On dirait l'océan*, songea-t-elle. *À l'intérieur, on n'est jamais que de l'eau.*

« Comment c'était ? » reprit-elle.

Il marmonna que ç'avait été bien.

Je me disais aussi, pensa-t-elle. *Je me rends compte. Maintenant, il faut qu'on se lève, qu'on reprenne possession de nous-mêmes. À moins que ce ne soit mal de faire ça ? Le signe d'une désapprobation inconsciente ?*

Il remua.

« Tu te lèves ? » Elle se cramponna à lui, les muscles des bras crispés. « Ne te lève pas. Pas encore.

— Tu n'es pas censée aller au club de gym ? »

Je n'irai pas, répondit-elle en son for intérieur. *Tu ne le sais donc pas ? On va partir je ne sais où ; on ne restera pas très longtemps. Mais ce sera un endroit où on n'a encore jamais mis les pieds. Il est temps.*

Elle le sentit s'écarter puis se redresser à genoux. Son dos humide se déroba sous les mains de la jeune femme ; ses pieds nus martelèrent le plancher. À tous les coups, il allait à la salle de bains. Se doucher.

Fini. Bon. Elle soupira.

« Je t'entends, lança-t-il. Tu gémis. Toujours déprimée, hein ? Tu t'inquiètes, tu as peur, tu te méfies, de moi et du monde entier... » Il réapparut brèvement, ruisselant d'eau savonneuse, rayonnant. « Un petit voyage, ça te plairait ? »

Le pouls de Juliana accéléra.

« Où est-ce qu'on irait ?

— Dans une grande ville. Pourquoi pas au nord, à Denver ? Je te sortirai ; je t'emmènerai au spectacle, au restaurant, en taxi, je t'achèterai des robes du soir ou je ne sais quoi d'autre, tout ce qu'il te faut. D'accord ? »

Elle avait du mal à y croire, mais elle en avait envie ; elle essayait.

« Ta Studebaker tiendra le coup ? ajouta Joe.

— Mais certainement.

— On s'habillera chic, tous les deux. On s'amusera, pour la première fois de notre vie, si ça se trouve. Comme ça, tu ne craqueras pas.

— Et où-est ce qu'on prendra l'argent ?

— Je l'ai. Regarde dans ma valise. »

Il ferma la porte de la salle de bains. Le vacarme de l'eau empêcha Juliana de continuer à discuter.

Elle ouvrit la commode, d'où elle tira la petite valise cabossée et sale. Une enveloppe y était effectivement rangée dans un coin ; pleine de gros billets de la Reichsbank, valables sur la Terre entière. *On peut le faire*, comprit Juliana. *Si ça se trouve, il ne me raconte pas d'histoires. Si seulement je pouvais entrer dans sa tête et voir ce qui s'y cache*, ajouta-t-elle pour elle-même en comptant l'argent.

Sous l'enveloppe se trouvait un énorme stylo plume cylindrique ; enfin, ça y ressemblait ; en tout cas, il y avait un clip. Elle prit maladroitement le mastodonte, dont elle dévissa le bouchon. Une plume en or, oui, mais...

« Qu'est-ce que c'est ? » demanda-t-elle à Joe, quand il en eut terminé avec sa douche.

Il lui prit l'objet, qu'il rangea dans sa valise. En le manipulant avec beaucoup de soin… Elle s'en fit la réflexion, perplexe.

« Toujours aussi morbide ? » questionna l'Italien, l'air plus allègre que jamais depuis leur rencontre.

Avec un cri d'enthousiasme, il l'attrapa par la taille, la souleva dans ses bras puis se mit à la balancer, la bercer, les yeux fixés sur son visage, lui soufflant une haleine chaude, la serrant contre lui jusqu'à ce qu'elle se mette à bêler.

« Non, je suis juste… lente à changer. »

Et j'ai encore un peu peur de toi, ajouta-t-elle en son for intérieur. *Tellement peur que je ne peux même pas te le dire. T'en parler.*

« Par la fenêtre », s'écria-t-il en traversant la pièce, sans la lâcher. « Allez, on y va.

— Arrête.

— Je plaisante. Écoute… on va faire une marche, comme la marche sur Rome, tu te souviens ? Le Duce entraînait tout le monde, mon oncle Carlo, par exemple. Nous, là, on a notre petite marche, moins importante, qui ne figure pas dans les livres d'histoire. D'accord ? » Il pencha la tête pour embrasser la jeune femme sur la bouche, si fort que leurs dents s'entrechoquèrent. « On sera magnifiques tous les deux, dans nos habits neufs. Tu m'expliqueras exactement comment parler et me tenir. D'accord ? Tu m'enseigneras les bonnes manières.

— Tu parles très bien. Mieux que moi, même.

— Non. » Il s'assombrit brusquement. « Je parle mal. J'ai l'accent rital. Tu n'as pas remarqué, quand on s'est rencontrés à la brasserie ?

— Peut-être. »

Pour elle, ça n'avait pas d'importance.

« Les femmes connaissent les conventions sociales », affirma Joe en retournant sur ses pas et en la lâchant au-dessus du lit, sur lequel elle rebondit de manière effrayante. « Si les femmes n'étaient pas là, on parlerait voitures et chevaux de course, on raconterait des blagues graveleuses. La civilisation n'existerait pas. »

Te voilà d'une drôle d'humeur, se dit-elle. *Tu ruminais, tu étais agité, jusqu'au moment où tu as décidé de partir ; du coup, te voilà tout excité. Tu veux vraiment de moi ? Tu peux me laisser tomber, m'abandonner ici. Ça m'est déjà arrivé. Moi, je te laisserais tomber, si je partais.*

« C'est ta paie ? demanda-t-elle pendant qu'il s'habillait. Tes économies ? » Ça représentait une sacrée somme. Bien sûr, il y avait de l'argent, à l'Est. « Les routiers avec qui j'ai discuté, à l'occasion, ne se faisaient pas autant...

— Tu me prends pour un routier ? coupa Joe. Écoute. Je n'étais pas dans ce camion pour conduire, mais pour m'occuper des pirates de la route. En imitant un routier qui ronfle dans son camion. » Il se laissa tomber sur une chaise, dans un coin, à moitié allongé, feignant de dormir ; la bouche ouverte, le corps abandonné. « Tu vois ? »

Elle ne vit pas tout de suite. Puis elle s'aperçut qu'il tenait à la main un couteau à la lame aussi fine qu'une brochette. Seigneur Dieu. D'où avait-il sorti un truc pareil ? De sa manche ? de nulle part...

« C'est pour ça que les gens de chez Volkswagen m'ont embauché. Mes états de service. On était aux prises avec Haselden et ses commandos. » Les yeux noirs étincelaient. Joe adressa un sourire tors à Juliana. « Devine qui a eu le colonel, à la fin. Quand on les a chopés sur le Nil... lui et ses quatre sous-fifres du groupe du désert, des mois après la campagne du Caire. Une nuit, ils nous ont attaqués pour nous voler notre essence. Je montais la garde.

Haselden s'est approché en rampant, après s'être badigeonné de noir la figure et le corps, même les mains, oui ; ils n'avaient pas de fil de fer, ce coup-ci, juste des grenades et des mitraillettes. Beaucoup trop bruyant. Il a essayé de m'écraser le larynx. Je l'ai eu. » L'Italien bondit de sa chaise en riant. « Allez, on fait les bagages. Tu n'as qu'à dire au club de sport que tu prends quelques jours de vacances. Vas-y, appelle-les. »

Son histoire n'avait tout simplement pas convaincu Juliana. Peut-être n'était-il jamais allé en Afrique, n'avait-il pas fait la guerre dans le camp de l'Axe, n'avait-il pas fait la guerre tout court. Des pirates de la route ? Autant qu'elle sache, jamais les camions de la côte Est qui passaient à Cañon City ne transportaient de gardes professionnels armés – d'anciens militaires. Peut-être Joe n'avait-il même pas vécu aux U.S.A. ; peut-être avait-il tout inventé depuis le début ; pour la prendre dans ses filets, l'intéresser, avoir l'air d'un aventurier.

Peut-être qu'il est fou, se dit-elle. Quelle ironie… je vais peut-être finir par faire ce que j'ai prétendu je ne sais combien de fois avoir fait ; utiliser le judo pour me défendre. Pour protéger ma… virginité ? Ma vie. Mais c'est sans doute juste un pauvre macaroni du bas de l'échelle qui gagne difficilement sa vie et qui a des illusions de grandeur. Il a envie de s'éclater, de jeter son fric par la fenêtre, de mener la vie de château… avant de reprendre sa petite existence monotone. Seulement pour ça, il lui faut une femme.

« D'accord, dit-elle tout haut. J'appelle le club. »

Il va m'acheter des vêtements chics et m'emmener dans un hôtel de luxe, pensa-t-elle en gagnant le hall. *Tous les hommes rêvent de se faire une femme vraiment bien habillée au moins une fois dans leur vie, même s'ils doivent lui payer ses habits de leur poche. Joe Cinnadella rêve sans doute d'une bombe pareille depuis X temps. Et il est malin ; je te parie qu'il a raison dans l'analyse qu'il fait de moi : j'ai une peur névrotique du masculin en général. Frank aussi le savait. C'est pour ça qu'on a rompu ; c'est pour ça que je suis anxieuse, maintenant, méfiante.*

Lorsqu'elle revint, après avoir appelé depuis le téléphone payant, Joe était une fois de plus plongé dans *Le Poids de la sauterelle*, les sourcils froncés, si absorbé qu'il n'avait conscience de rien d'autre.

« Tu ne devais pas me le laisser ? demanda-t-elle.

— Pendant que je conduirai, peut-être, répondit-il sans lever les yeux du roman.

— C'est *toi* qui vas conduire ? C'est ma voiture, dis donc ! »

Pas de réponse, cette fois ; il lisait.

*
*   *

Posté à la caisse, Robert Childan leva les yeux au moment où un homme de haute taille, mince et brun, pénétrait dans la boutique. L'inconnu portait un costume qui le rendait presque élégant et un énorme panier en osier. Un commercial. Sans son grand sourire ; au contraire, une expression morose, voire sinistre, marquait ses traits burinés. En fait, il avait plutôt l'air d'un plombier ou d'un électricien.

Lorsque Childan en eut terminé avec son client, il se tourna vers l'arrivant :

« Pour qui travaillez-vous ?

— Edfrank Jewellery, marmonna le nouveau venu, après avoir posé son panier sur une des vitrines.

— Jamais entendu parler. »

Childan s'approcha, pendant que le type débloquait puis soulevait le couvercle d'osier avec de trop grands gestes.

« Façonnés à la main. Exemplaires uniques. Originaux. Laiton, cuivre, argent. Et même braunite, travaillée à chaud. »

Le maître des lieux jeta un coup d'œil dans le panier. Métal sur fond de velours noir. Bizarre.

« Non, merci. Ce n'est pas le genre de la maison.

— Ce sont des échantillons d'art américain. Contemporain. »

Il secoua la tête en regagnant la caisse.

L'inconnu resta un instant planté près de la vitrine à tripoter ses plateaux de présentation, sans les tirer de son panier ni les y reposer vraiment ; comme s'il ne savait pas ce qu'il faisait. Childan le regardait, les bras croisés, en réfléchissant aux problèmes immédiats. À deux heures, rendez-vous de démonstration, tasses de la première période. À trois... réception de la fournée d'artefacts qui venait de subir les tests d'authenticité au laboratoire de l'université. Il faisait examiner de plus en plus de pièces, depuis deux semaines. Depuis l'incident désagréable du Colt 44.

« On ne fait pas de plaqué, déclara le commercial en levant un bracelet. C'est du cuivre massif. »

Son hôte hocha la tête sans répondre. Le type allait s'attarder un moment en tripotant ses échantillons, mais il finirait bien par s'en aller.

Le téléphone sonna. Childan décrocha. Un client, désireux d'avoir des nouvelles du fauteuil à bascule dont il avait confié la réparation à American Artistic Handcrafts Inc. Le travail n'étant pas terminé, son correspondant dut lui raconter quelque chose de convaincant. Les yeux fixés par-delà la vitrine, sur la circulation de la mi-journée, il apaisa, rassura. Le client raccrocha enfin, légèrement calmé.

À n'en pas douter, l'affaire de Colt 44 avait secoué Childan. Il ne considérait plus ses objets d'art avec le même respect. Ce genre de révélation vous marque profondément. Un peu comme l'éveil primaire de l'enfance ; les réalités de la vie. *Le lien avec les premières années est évident*, rumina-t-il ; *ce n'est pas seulement l'histoire américaine qui est concernée, mais mon histoire personnelle. Comme si l'authenticité de mon certificat de naissance était sujette à caution. Ou mon souvenir du Père.*

Je ne me rappelle peut-être pas réellement Franklin Delano Roosevelt en tant qu'exemple. Plutôt une image synthétique, distillée par l'ensemble des discours entendus. Un mythe subtilement implanté dans les tissus de mon cerveau. À la manière de celui d'Hepplewhite. De Chippendale. Ou alors, ça équivaut à dire qu'Abraham Lincoln a déjeuné ici ou là. A utilisé tel couteau, telle fourchette, telle cuiller. Ça ne se voit pas, mais le fait n'en demeure pas moins.

Près de l'autre vitrine, le commercial tripotait toujours ses plateaux et son panier en osier.

« Nous exécutons des travaux sur commande, déclara-t-il. Sur mesure. Si certains de vos clients ont des idées… »

Comme sa voix s'étranglait, il s'éclaircit la gorge, le regard fixé d'abord sur le marchand d'art, puis sur le bijou qu'il tenait lui-même à la main. Visiblement incapable de faire sa sortie.

Childan resta silencieux, souriant.

Pas de mon ressort. À lui de s'en aller. Renvoyé ou pas.

Mais quelle gêne. Il n'est pourtant pas obligé de s'en tenir à ce métier-là. Nous souffrons tous en ce monde. Regardez-moi. À supporter chaque jour des Japs du genre de M. Tagomi. Il lui suffit d'une simple inflexion de voix pour me rabaisser ; me gâcher la vie.

Une idée lui vint alors. *Ce type n'a aucune expérience, c'est net. Je peux peut-être lui prendre quelques bijoux en dépôt. Ça vaut la peine d'essayer.*

« Dites… » commença-t-il.

L'inconnu releva aussitôt la tête, les yeux fixés sur lui.

« Il semblerait que j'aie un moment de répit, continua Childan en le rejoignant, les bras croisés. Je ne vous promets rien, mais montrez-moi donc quelques pièces. Vous n'avez qu'à écarter les présentoirs de cravates, là. »

Il montrait du doigt les présentoirs en question.

Le visiteur acquiesça en dégageant de l'espace sur la vitrine, rouvrit son panier et se remit à tripoter ses plateaux.

Il va tout sortir – Childan en était certain. *Passer une heure à disposer ses bijoux avec un soin maniaque. Les tourner, les retourner et les déplacer jusqu'à ce que la présentation soit parfaite. L'espoir au cœur. En priant. En me guettant du coin de l'œil du début à la fin. Pour voir si ça m'intéresse un tant soit peu.*

« Quand vous aurez terminé, je viendrai voir une minute, si je ne suis pas trop occupé. »

Le commercial travaillait avec fièvre, comme si une mouche l'avait piqué.

Plusieurs clients entrèrent, Childan les salua puis entreprit de s'occuper d'eux et de leurs désirs, ce qui lui fit oublier le représentant penché sur son échantillonnage. Conscient de la situation, l'homme adopta des mouvements furtifs, se faisant le plus discret possible. Son hôte vendit un bol à raser, faillit placer une carpette crochetée main et accepta des arrhes pour un tapis afghan. Le temps passa. Les clients repartirent enfin. Le magasin se retrouva désert, une fois de plus, à l'exception du maître des lieux et du commercial.

Lequel en avait terminé. Sa sélection de bijoux tout entière était disposée sur le velours noir, déployé sur la vitrine.

Childan s'approcha d'un pas tranquille en allumant une Land-O-Smiles puis se mit à se balancer sur ses talons en fredonnant tout bas. Le représentant s'était figé. Les deux hommes restaient muets.

« Celle-ci me plaît assez, dit enfin Childan en montrant une broche du doigt.

— Très bon choix, assura le visiteur d'une voix rapide. Pas une égratignure de brosse. Finition au rouge. Aucun risque de ternissement. Le vernis plastique dont sont aspergées les pièces durera des années. Le meilleur vernis industriel disponible. » Son interlocuteur hocha légèrement la tête. « Ce que nous avons fait, voyez-vous, c'est adapter des techniques industrielles éprouvées à la confection de bijoux. Autant que je sache, personne n'avait jamais essayé avant nous. Pas de moules. Du métal et encore du métal. Soudure et brasure. » Une pause. « L'envers est brasé. »

Childan prit deux bracelets. Une broche. Une autre. Il les garda un instant en main avant de les poser de côté.

Les traits du commercial se tordirent. L'espoir.

Son hôte examina l'étiquette accrochée à un collier.

« Est-ce que…

— C'est le prix au détail. Vous, vous en payez cinquante pour cent. Et si vous achetez pour, disons, une centaine de dollars, on vous fait deux pour cent. »

Childan posa une à une plusieurs autres pièces de côté. L'agitation du représentant ne faisait que croître ; il parlait de plus en plus vite, finissait par se répéter, racontait des idioties sans queue ni tête, tout bas, d'un ton pressant. *Il s'imagine vraiment qu'il va vendre*, se dit Childan. Sa propre expression restait indéchiffrable, tandis qu'il continuait par jeu à choisir des bijoux.

« Une de nos plus belles pièces », marmonna le type en le regardant s'emparer d'un gros pendentif, qui mit le point final à sa sélection. « Je crois que vous avez pris ce que nous avons de mieux. Tout ce que nous avons de mieux. » Il se mit à rire. « Vous avez très bon goût. »

Ses yeux papillotaient. Il additionnait les prix dans sa tête. Le total de la vente.

« En ce qui concerne les nouvelles marchandises, nous sommes obligés d'avoir recours à une politique de dépôt », déclara Childan.

Le commercial ne saisit pas immédiatement. Il se tut, un regard d'incompréhension fixé sur le marchand d'art.

Qui lui sourit.

« De dépôt, répéta enfin le représentant.

— Vous préférez ne pas me les laisser ? demanda Childan.

— Vous voulez dire que je vous les laisse et que vous les payez plus tard, quand… finit par balbutier le visiteur.

— Vous touchez les deux tiers du prix de vente. Quand je vends. Ça vous rapporte nettement plus. Il faut attendre, évidemment, mais… » Childan haussa les épaules. « À vous de voir. Je peux peut-être les exposer en vitrine. Et si ça marche, ma foi, d'ici quelque temps, dans un mois, par exemple, à la prochaine commande… j'en aurai assez vu pour vous acheter des pièces ferme. »

Le type avait passé plus d'une heure à montrer sa marchandise. Il avait tout sorti de son panier. Ses plateaux avaient été démantelés, éparpillés. Il lui faudrait une heure de plus pour les remettre en ordre, avant de pouvoir les montrer à quelqu'un d'autre. Le silence s'installa. Les deux hommes restaient muets.

« Les pièces que vous avez posées de côté… dit enfin le commercial à voix basse. Ce sont celles qui vous intéressent ?

— Oui. Vous pouvez me les laisser. Toutes. » Childan gagna son bureau, dans l'arrière-boutique. « Je vais noter les prix, comme ça, vous saurez de quoi il s'agit. » Il revint avec son livre d'étiquettes. « Vous comprenez bien qu'en ce qui concerne la marchandise acceptée en dépôt, le magasin ne peut être tenu pour responsable des dégradations ni des vols. »

Il fallait que le commercial lui signe un petit reçu photocopié, mais jamais American Artistic Handcrafts Inc. n'aurait à rendre de comptes. Au moment de la restitution des invendus, s'il s'avérait qu'il en manquait certains… ils auraient sans doute été volés. Il se commet tellement de vols dans les boutiques. Surtout des babioles de ce genre.

Childan ne pouvait pas y perdre. Il n'avait pas à payer les pièces ; il n'investissait pas un dollar. Si quelque chose se vendait, il y gagnait ; sinon, il rendait le tout – enfin, tout ce qu'il retrouvait – plus tard, à une date non précisée.

Il dressa le reçu en établissant la liste des pièces, le signa et en remit copie à son interlocuteur.

« Appelez-moi d'ici un mois, à peu près. Pour savoir si ça marche. »

Pendant que le type rassemblait les pièces restantes, il emporta celles de son choix dans l'arrière-boutique.

Je ne pensais pas qu'il accepterait. On ne sait jamais. Ça prouve bien qu'il faut toujours essayer.

Lorsqu'il releva les yeux, le représentant était prêt à partir. Planté près du comptoir libéré, son panier sous le bras. Mais s'approchant, la main tendue.

« Oui ? » demanda Childan, qui s'occupait de sa correspondance d'affaires.

« Je vais vous laisser notre carte. » Le commercial posa sur le bureau un curieux petit carré de papier rouge et gris. « Edfrank Custom Jewellery. Avec notre adresse et notre téléphone. Au cas où vous voudriez nous contacter. »

Son hôte hocha la tête sans mot dire, souriant, puis se remit au travail.

Lorsqu'il s'interrompit de nouveau et releva les yeux, le magasin était désert. Le représentant avait disparu.

Childan glissa une pièce dans le distributeur mural, qui lui délivra une tasse de thé instantané qu'il sirota pensivement.

Je me demande si ça va se vendre. Ça m'étonnerait. Mais c'est de la belle ouvrage. Jamais rien vu de pareil. Il examina une des broches. *Vraiment remarquable. On n'a pas affaire à des amateurs.*

Je vais changer les étiquettes. Proposer tout ça beaucoup plus cher. Insister sur le côté artisanal. L'unicité. L'originalité. De petites sculptures. Portez une Œuvre d'Art. Une création exclusive, à votre poignet ou votre revers.

Une autre idée s'agitait au fond de son esprit, de plus en plus présente. *Avec ça, pas de problème d'authenticité. Un problème qui risque de détruire un jour l'industrie des artefacts américains historiques. Ni aujourd'hui ni demain… mais par la suite, qui sait ?*

Il vaut mieux ne pas mettre tous ses œufs dans le même panier. La visite de cet escroc juif… c'était peut-être un signe. Si je rassemble discrètement un stock d'objets non historiques, d'artefacts contemporains dépourvus d'historicité, réelle ou imaginaire, je me retrouverai peut-être bien placé dans la course. Et puis ça ne me coûte rien…

La chaise penchée en arrière, appuyée au mur, il sirota son thé, plongé dans ses réflexions.

Le Moment change. Il faut être prêt à changer avec lui. Ou rester au bord du chemin. Il faut s'adapter.

La loi de la survie. Ouvrir l'œil, observer ce qui se passe aux alentours. Découvrir ce qu'exige la situation. Et... le faire. Faire la *bonne chose* au *bon moment*.

Être yin. Les Orientaux savent. Les petits yeux noirs pleins d'intelligence et de yin...

Une bonne idée lui vint brusquement ; il se redressa aussitôt sur sa chaise. D'une pierre deux coups. Ah. Childan bondit sur ses pieds, tout excité. Emballer avec soin le plus beau des bijoux (en enlevant l'étiquette, bien sûr). Broche, pendentif ou bracelet. Quelque chose de superbe, de toute manière. Puis – obligé de quitter le magasin et de fermer à deux heures, quoi qu'il arrive –, faire un saut jusque chez les Kasoura. Monsieur – Paul – sera au travail. Mais Madame – Betty – *sera sans doute à la maison*.

Cadeau. Œuvre d'art américaine moderne originale. Hommages personnels dans le but d'obtenir noble réaction. Et voilà : introduction d'une nouvelle ligne de produits. Magnifique, non ? Grand choix au magasin ; passez donc, etc. Échantillon : pour vous, Betty.

Il en tremblait. Elle et moi, seule à seul, en début d'après-midi, à son domicile. Le mari au travail. Mais en toute correction ; excellent prétexte.

Ça ne peut pas rater !

Après avoir déniché une petite boîte, du papier d'emballage et du ruban, Robert Childan entreprit de préparer le cadeau destiné à Mme Kasoura. Belle, brune, mince, robe de soie orientale, hauts talons, etc. Ou, peut-être, pyjama d'intérieur en coton bleu, façon coolie, léger, confortable, sans façons. Ah...

À moins que... *serait-ce trop téméraire ?* Paul, le mari, contrarié. Flairant quelque chose, réagissant mal. Un peu plus de mesure, alors ; apporter le

197

cadeau à son bureau à *lui* ? raconter la même histoire. Le laisser donner le bijou à sa femme ; éviter la méfiance. Et puis, d'ici un jour ou deux, coup de fil à Betty pour lui demander son avis.

Ça peut encore moins rater !

Il suffit à Frank Frink de voir approcher son associé pour deviner que les choses avaient mal tourné.

« Qu'est-ce qui s'est passé ? » demanda-t-il en s'emparant du panier et en le posant à l'arrière. « Tu y es resté une heure et demie, bordel. Il lui a fallu si longtemps que ça pour dire non ?

— Il n'a pas dit non », répondit McCarthy d'un ton las, avant de se laisser tomber sur son siège.

« Qu'est-ce qu'il a dit, alors ? » Son compagnon ouvrit le panier. Il manquait pas mal de pièces. Notamment parmi les plus réussies. « Il en a pris un paquet. C'est quoi, le problème ?

— En dépôt.

— Et tu l'as laissé faire ? » Frink n'en croyait pas ses oreilles. « On en avait parlé…

— Je ne sais pas ce qui s'est passé.

— Nom de Dieu.

— Je suis désolé. Il se conduisait comme s'il allait acheter. Il en a choisi un tas. J'étais sûr qu'il allait acheter. »

Ils restèrent assis un long moment dans la camionnette, silencieux.

CHAPITRE DIX

M. Baynes avait passé deux semaines terribles. Chaque jour, il appelait la Mission Commerciale depuis sa chambre d'hôtel pour demander si le vieux monsieur avait fait son apparition. Chaque jour, la réponse était négative, et la voix de M. Tagomi devenait plus froide et plus polie. M. Baynes se préparait à présent à appeler pour la seizième fois. *Tôt ou tard, un subordonné va me répondre que M. Tagomi est sorti. Qu'il ne prend plus mes appels. Et voilà, ce sera fini.*

Mais qu'a-t-il bien pu se passer ? Où est M. Yatabe ?

Le voyageur avait sa petite idée. La mort de Martin Bormann avait jeté Tokyo dans la consternation. Le vieillard devait être à ce moment-là en route pour San Francisco, à un jour ou deux du but, mais de nouvelles instructions lui étaient sans doute parvenues. Rentrez dans l'archipel pour de plus amples discussions.

Manque de chance. Peut-être fatal.

M. Baynes n'en devait pas moins rester où il se trouvait, à San Francisco. Essayer d'organiser la réunion qui justifiait son voyage. Quarante-cinq minutes de vol depuis Berlin, grâce à une fusée de la Lufthansa, et maintenant, voilà. Drôle d'époque. On va où on veut, jusque sur d'autres planètes, tout ça pour quoi ? Attendre, jour après jour, avec de moins en moins d'espoir et d'énergie. En sombrant dans un ennui interminable. Pendant que d'autres s'activent. Tout le monde ne reste pas assis à ronger son frein, impuissant.

M. Baynes déploya son exemplaire du *Nippon Times* de la mi-journée pour en lire une fois de plus la manchette :

LE DOCTEUR EN PHILOLOGIE GOEBBELS NOMMÉ CHANCELIER DU REICH
Le comité du Partei apporte une solution surprenante au problème du commandement.
Discours radio déterminant. Explosions de joie de la foule berlinoise.
Déclaration attendue.
Herr Göring pourrait être préféré à Herr Heydrich à la tête de la police.

Il relut l'article en entier puis reposa une fois de plus le journal, décrocha le téléphone et demanda le numéro de la Mission Commerciale.

« Allô, ici M. Baynes. Pourrais-je parler à M. Tagomi ?
— Une minute, je vous prie. »
Une très longue minute.
« Ici M. Tagomi. »
M. Baynes inspira à fond.
« Je vous prie de me pardonner la situation, aussi déprimante pour vous que pour moi…
— Ah. M. Baynes.
— L'hospitalité que vous m'avez offerte était incomparable, monsieur. Je ne doute pas que vous compreniez un jour les raisons qui me poussent à différer notre réunion jusqu'à ce que le visiteur…
— Il n'est malheureusement pas encore arrivé. »
M. Baynes ferma les yeux.
« Je me disais que depuis hier…

— Je crains que non, monsieur. » La plus minima-
liste des politesses. « Si vous voulez bien m'excuser.
Des affaires pressantes.

— Bonne journée… »

Un cliquetis. Cette fois, M. Tagomi avait raccroché
sans dire au revoir. Son interlocuteur reposa lentement le combiné.

*Il faut que je fasse quelque chose. Je ne peux pas
rester là, les bras croisés.*

Ses supérieurs lui avaient très clairement interdit
de prendre contact avec l'Abwehr, quelles que soient
les circonstances. Il devait attendre le représentant
de l'armée japonaise, discuter avec lui puis regagner
Berlin. Mais il n'était venu à l'idée de personne que
Bormann allait mourir à ce moment-là. Donc…

Les ordres passaient à l'arrière-plan. Dominés par des
considérations plus pratiques. Celles de M. Baynes, en
l'occurrence, puisqu'il n'avait personne à consulter.

Il se trouvait aux P.S.A. dix agents de l'Abwehr en
mission, minimum, mais certains – sinon tous –
étaient connus du S.D. local et de son chef, Bruno
Kreuz vom Meere, un homme d'une certaine com-
pétence. M. Baynes l'avait croisé des années plus tôt,
à une réunion du Partei. Kreuz vom Meere jouissait
alors dans les cercles policiers d'un certain prestige
sinistre, puisqu'il avait percé à jour en 1943 le complot monté par les Britanniques et les Tchèques pour
assassiner Reinhard Heydrich ; on pouvait donc dire
qu'il avait sauvé le Bourreau. D'ailleurs, il s'élevait
déjà à l'époque dans la hiérarchie du S.D. Ce n'était
pas un simple bureaucrate.

Non. C'était un type dangereux.

Or, malgré les précautions prises à la fois par
l'Abwehr de Berlin et par la Tokkoka de Tokyo, il se
pouvait que le S.D. ait été informé de la rencontre organisée à San Francisco dans les bureaux de la Mission

Commerciale. On se trouvait néanmoins dans une région sous administration japonaise : le S.D. n'y disposait pas officiellement de l'autorité nécessaire pour intervenir. Il pouvait faire arrêter le composant allemand – M. Baynes, en l'occurence – dès qu'il remettrait les pieds sur le territoire du Reich, mais il lui était impossible de tenter quoi que ce soit contre le composant japonais ou la rencontre proprement dite.

Du moins fallait-il l'espérer.

Le S.D. avait-il réussi à entraver à un moment ou à un autre le voyage du vieillard ? La route était longue, de Tokyo à San Francisco, surtout lorsqu'on était trop âgé et trop frêle pour emprunter la voie des airs.

Il faut que j'apprenne de mes supérieurs si M. Yatabe est toujours censé venir, décida M. Baynes. *Ils doivent être au courant. Si le S.D. l'a intercepté ou si Tokyo l'a rappelé... ils le savent sans doute.*

Si le S.D. a réussi à le capturer, ça m'étonnerait qu'il n'arrive pas à me mettre la main dessus, à moi.

Admettons que tel soit en effet le cas... la situation n'en est pas désespérée pour autant. M. Baynes avait eu une idée, en attendant jour après jour dans sa chambre de l'hôtel Abhirati.

Il vaudrait mieux transmettre les informations à M. Tagomi que rentrer bredouille à Berlin. Comme ça, au moins, il y aurait une chance, si mince soit-elle, que les personnes concernées finissent par apprendre de quoi il retournait. Le problème, c'était que M. Tagomi ne pourrait qu'écouter. Dans le meilleur des cas, il retiendrait ce qu'on lui dirait puis partirait dès que possible en voyage d'affaires pour l'archipel. Tandis que M. Yatabe jouait un rôle politique. Il pouvait à la fois écouter... et s'exprimer.

Ce serait malgré tout mieux que rien. Le temps n'allait pas tarder à manquer. Tout reprendre de zéro, remettre au point prudemment, difficilement, des mois durant, une rencontre délicate entre deux factions, une allemande, une japonaise…

M. Tagomi serait surpris, évidemment, se dit M. Baynes non sans acrimonie. *Se retrouver soudain chargé d'un fardeau d'informations pareil. Rien à voir avec les moules à injection…*

Peut-être en fera-t-il une dépression nerveuse. Qui le poussera soit à se confier à un proche, soit à se replier sur lui-même ; à faire mine de ne pas savoir, y compris en son for intérieur. À refuser de croire ce que je lui dirai. À se lever, s'incliner et sortir, dès que j'ouvrirai la bouche.

Indiscret. Voilà ce qu'il en pensera. Il n'est pas censé être au courant de ce genre de choses.

C'est tellement facile. Il peut échapper à la difficulté si simplement, si directement. J'aimerais pouvoir en faire autant.

Mais, en dernière analyse, ce n'est pas possible pour lui non plus. Il n'existe aucune différence entre nous de ce point de vue-là. Il peut fermer ses oreilles aux nouvelles lorsque je les lui donne sous forme de mots. N'empêche que plus tard. Quand il n'est plus question de mots. Si je peux lui faire comprendre ça dès maintenant. Ou à la personne à qui je vais parler en fin de compte, qui que ce soit…

M. Baynes quitta sa chambre et prit l'ascenseur pour gagner le hall de l'hôtel. Une fois sur le trottoir, il demanda au portier de lui appeler un cyclo-pousse. Un instant plus tard, il était en route pour Market Street, pendant que le conducteur pédalait avec énergie.

« Là, lança son passager en voyant apparaître l'enseigne qu'il guettait. Arrêtez-vous contre le trottoir. »

Le léger véhicule s'immobilisa près d'une bouche d'incendie. M. Baynes paya le Chinois puis le renvoya, en vérifiant autant que possible qu'il n'avait pas été suivi, avant de repartir à pied. Quelques instants plus tard, il pénétrait dans le grand magasin Fuga du centre-ville, en même temps que plusieurs autres clients.

Il y en avait partout, très occupés à faire des achats. Comptoir après comptoir. Les vendeuses étaient pour l'essentiel des blanches, plus quelques Japonaises – les chefs de rayon. Il régnait un vacarme assourdissant.

Après un moment d'égarement, M. Baynes repéra la zone des vêtements pour homme. Il s'arrêta devant les étalages de pantalons, qu'il se mit à examiner. Un vendeur, un jeune blanc, s'approcha en le saluant poliment.

« Je suis revenu pour le pantalon en laine sombre que j'ai vu hier. » M. Baynes regardait l'inconnu dans les yeux. « Mais vous n'êtes pas le monsieur à qui j'ai parlé. Il était plus grand. Roux. Moustachu. Assez mince. Un certain Larry, d'après son badge.

— Il est parti déjeuner. Il ne va pas tarder à revenir.

— Je vais essayer celui-là, annonça M. Baynes en prenant un pantalon.

— Mais certainement, monsieur. »

Le vendeur lui indiqua une cabine d'essayage libre puis repartit s'occuper de quelqu'un d'autre.

M. Baynes s'enferma dans la cabine, s'assit sur une des deux chaises qui s'y trouvaient et attendit.

Quelques minutes plus tard, on frappa. La porte s'ouvrit sur un petit Japonais d'âge mûr, qui entra.

« Vous n'êtes pas de notre État, monsieur ? demanda-t-il. Il faut que je vérifie votre solvabilité. Montrez-moi vos papiers, je vous prie. »

Lorsqu'il referma la porte, M. Baynes sortit son portefeuille de sa poche. Le Japonais s'en empara, s'assit et entreprit d'en examiner le contenu. Il s'interrompit en arrivant à la photo d'une jeune fille.

« Ravissante.

— Ma fille. Martha.

— Ma fille s'appelle Martha aussi. Elle se trouve à Chicago, où elle étudie le piano.

— La mienne ne va pas tarder à se marier. »

L'employé du magasin rendit son portefeuille à M. Baynes et attendit.

« Je suis arrivé depuis deux semaines, et M. Yatabe ne s'est pas montré, déclara le visiteur. Je veux savoir s'il vient toujours. Et, sinon, ce que je suis censé faire.

— Revenez demain après-midi. » Le Japonais se leva, aussitôt imité par son interlocuteur. « Au revoir.

— Au revoir. »

M. Baynes quitta la cabine, raccrocha le pantalon à l'endroit où il l'avait pris puis quitta le grand magasin Fuga.

Ça n'a pas été long, se dit-il en parcourant le trottoir encombré de piétons. *Arrivera-t-il à obtenir l'information d'ici demain ? À contacter Berlin, relayer mes questions, se charger du cryptage et du décryptage… toutes les étapes impliquées ?*

Il semblerait.

Je regrette de ne pas y être allé plus tôt. Ça m'aurait évité beaucoup de soucis et d'inquiétudes. D'autant qu'il n'y avait visiblement aucun risque. Tout s'est bien passé. À mon avis, ça n'a pas pris plus de cinq ou six minutes.

Il continua son chemin en regardant les vitrines. Extrêmement rasséréné. Et finit par se retrouver devant des photos de spectacles de cabaret tachées, couvertes de chiures de mouches, sur lesquelles des blanches dénudées exhibaient des seins flasques évoquant des ballons de volley dégonflés. Amusé par ces visions, il ralentit le pas, tandis que les passants qui allaient et venaient dans Market Street le bousculaient en vaquant à leurs affaires.

Au moins, il avait fait quelque chose. Enfin.

Quel soulagement !

*

* *

Juliana lisait, confortablement appuyée à la portière. Joe conduisait, le coude passé par la fenêtre, une main négligente posée sur le volant, la cigarette aux lèvres. Il conduisait bien ; ils avaient déjà parcouru une bonne partie du chemin depuis Cañon City.

La radio diffusait de la musique sentimentale de bal musette, un groupe avec accordéon jouant une des sempiternelles polkas ou scottish ; Juliana n'avait jamais réussi à les distinguer les unes des autres.

« Kitsch, hein, commenta Joe, profitant d'une pause. Je m'y connais en musique, tu sais. Je vais te dire, moi, qui était un grand chef d'orchestre. Tu ne t'en souviens probablement pas. Arturo Toscanini.

— Non », admit-elle, sans interrompre sa lecture.

« Un Italien. Après la guerre, les nazis l'ont empêché d'exercer à cause de ses opinions politiques. Il est mort, depuis. Karajan, le type qu'ils ont nommé directeur permanent du Philarmonique de New York, je ne l'aime pas, lui. On était obligés d'aller à ses concerts, avec mes copains de dortoir. Moi, en tant que Rital, je préfère… je suis sûr que tu devines. » Il jeta un coup d'œil à la jeune femme. « Il te plaît, ce livre ?

— Je le trouve fascinant.

— J'adore Verdi et Puccini, mais à New York, ils ne jouent que ces gros pétaradants de Wagner et d'Orff. Et puis toutes les semaines, on a droit à un grand spectacle nazi super ennuyeux au Madison

Square Garden, avec drapeaux, tambours, trompettes, flamme vacillante. L'histoire des Goths ou autres idioties éducatives, chantées, pas racontées, parce que c'est censé en faire de l'*art*. Tu as connu New York avant la guerre ?

— Oui, répondit Juliana en essayant de continuer sa lecture.

— Ils avaient du bon théâtre, à l'époque ? J'en ai entendu parler. Maintenant, c'est comme le cinéma. Un cartel berlinois. J'ai vécu treize ans à New York ; il ne s'y est jamais joué une seule pièce ou comédie musicale intéressantes, juste ces...

— Laisse-moi lire, coupa-t-elle.

— Pareil pour l'édition, continua Joe, imperturbable. Un cartel dirigé depuis Munich. Tout ce qu'ils font à New York, c'est l'impression ; ça, ils ont de sacrées presses... mais avant la guerre, New York était le centre du monde de l'édition. Il paraît, en tout cas. »

Elle se boucha les oreilles pour se concentrer sur le livre ouvert dans son giron et exclure la voix de son compagnon. La partie du *Poids de la sauterelle* qu'elle avait entamée décrivait la fabuleuse télévision, qu'elle trouvait fascinante ; surtout ce qui concernait les petits appareils bon marché destinés aux sous-développés d'Afrique et d'Asie.

... Il avait fallu les techniciens américains et le système de production de masse – Detroit, Chicago, Cleveland, les noms magiques ! – pour réussir ce tour de force d'une noblesse quasi involontaire, envoyer un flot ininterrompu de téléviseurs en kit à un dollar (le dollar chinois, le dollar commercial) jusque dans le moindre village, le moindre trou perdu d'Orient. Une fois le kit assemblé par un quelconque jeune émacié, fiévreux, prêt à saisir sa chance, à prendre ce que

lui offraient les généreux Américains, ce minuscule appareil à batterie intégrée, pas plus grosse qu'une bille, se mettait à capter. Et que captait-il ? Assis devant l'écran, les jeunes de la communauté – souvent accompagnés des anciens – contemplaient des mots. Des instructions. Qui leur apprenaient d'abord à lire. Le reste suivait. Comment creuser un puits plus profond. Tracer un sillon plus profond. Purifier l'eau. Soigner les malades. Au-dessus des têtes, la lune artificielle américaine tournait, distribuant ses signaux, les envoyant à travers le monde entier... à tous ceux qui les attendaient, les masses avides de l'Est.

« Tu le lis de bout en bout, ou tu le feuillettes ? s'enquit Joe.

— C'est génial, répondit-elle. Il nous fait envoyer de la nourriture et de l'instruction à tous les Asiatiques. Des millions.

— L'assistance sociale à l'échelle mondiale.

— Eh oui. Le New Deal à la Tugwell ; ça fait progresser les masses... écoute. »

Elle se mit à lire tout haut :

... Qu'avait été la Chine ? Une aspiration, une entité mêlée, avide, tournée vers l'Occident, son grand président démocrate, Chiang Kaï-chek, qui l'avait dirigée pendant les années de guerre, la dirigeant à présent pendant les années de paix, durant la décennie de la Reconstruction. Mais il ne s'agissait pas de reconstruction, car ce pays quasi surnaturel dans sa morne vastitude n'avait jamais été construit ; il reposait toujours, somnolent, au creux de son rêve antique. L'éveil ; oui, cette entité, ce géant devait partager enfin la pleine conscience, s'éveiller au monde moderne et aux avions à réaction, à l'énergie atomique, aux grands-routes et aux usines, aux médicaments. Mais

d'où viendrait le coup de tonnerre qui tirerait le colosse du sommeil ? Chang Kaï-chek le savait, dès l'époque de la lutte contre le Japon. Il viendrait des États-Unis. À partir de 1950, les techniciens, ingénieurs, enseignants, médecins, agronomes américains grouilleraient comme une nouvelle forme de vie dans la moindre province, la...

« Tu te rends compte de ce qu'il fait, hein ? coupa Joe. Il prend le meilleur du nazisme, le côté socialiste, la Todt Organisation et le progrès économique pour lequel a œuvré Speer, et à qui en attribue-t-il le mérite ? Aux artisans du New Deal. En laissant de côté le pire, les S.S., l'extermination et la ségrégation raciales. C'est une utopie ! Tu crois vraiment que si les Alliés avaient gagné, le New Deal aurait réussi à revivifier l'économie et à mener aux avancées sociales dont il parle ? Jamais de la vie ; il décrit une forme de syndicalisme d'État, d'État corporatif, comme celui qu'on a eu sous le Duce. Il dit, Vous auriez eu le bon sans le...

— Laisse-moi lire », répéta Juliana avec rage.

Il haussa les épaules, mais cessa de papoter. Elle poursuivit aussitôt sa lecture, pour elle-même, cette fois.

... Et les marchés, les innombrables millions de Chinois, avaient lancé dans leur train-train les usines de Detroit et de Chicago ; cette vaste bouche ne serait jamais pleine, ces gens n'auraient pas avant une centaine d'années assez de camions, de briques, de lingots d'acier, de tissu, de machines à écrire, de petits pois en conserve, de réveils, de radios, de gouttes pour le nez. En 1960, l'ouvrier américain jouissait du niveau de vie le plus élevé du monde, grâce à la suave clause de « la nation la plus favorisée » qui s'appliquait à toutes les transactions commerciales

avec les pays orientaux. Les États-Unis n'occupaient plus le Japon, ils n'avaient jamais occupé la Chine, mais on ne pouvait nier ce simple fait : Canton, Tokyo, Shangai n'achetaient pas aux Britanniques ; ils achetaient aux Américains. Chaque vente accroissant un peu plus la prospérité de l'ouvrier de Baltimore, de Los Angeles ou d'Atlanta.

Il semblait aux planificateurs, aux visionnaires de la Maison-Blanche, qu'ils avaient presque atteint leur but. Les fusées d'exploration ne tarderaient pas à s'aventurer prudemment dans le vide, à partir d'un monde qui avait enfin mis le point final à ses souffrances sans âge : la faim, la maladie, la guerre, l'ignorance. Dans l'Empire britannique, des mesures semblables destinées à favoriser les progrès sociaux et économiques avaient apporté le même soulagement en Inde, en Birmanie, en Afrique, au Moyen-Orient. Les usines de la Ruhr, de Manchester, de la Sarre, le pétrole de Bakou, ces flots interagissaient harmonieusement, de manière efficace, quoique intriquée ; les populations européennes jouissaient de...

« C'est eux qui devraient diriger, dit Juliana tout haut, interrompant sa lecture. Ils sont trop forts. Ils l'ont toujours été. Les Britanniques. »

Joe ne répondit pas, alors qu'elle attendait un commentaire. Elle finit par se replonger dans le roman.

... la réalisation de la vision napoléonienne : l'homogénéité rationnelle des diverses ethnies qui s'étaient affrontées et avaient morcelé l'Europe depuis la chute de Rome. La vision de Charlemagne aussi : la Chrétienté unifiée, parfaitement en paix avec elle-même, ainsi qu'avec l'équilibre du monde. Pourtant... il restait une plaie lancinante.

Singapour.

Les États monarchiques de Malaisie accueillaient une population chinoise importante, surtout des hommes d'affaires et des entrepreneurs, bourgeois prospères et industrieux pour qui l'administration américaine de la Chine offrait un traitement plus équitable à ceux qu'on appelait « les indigènes ». Sous domination britannique, les races plus sombres étaient exclues des country clubs, des hôtels, des meilleurs restaurants ; elles se retrouvaient, comme aux époques archaïques, confinées dans des sections particulières des trains et des bus, et – pire que tout, peut-être – ne pouvaient s'installer où elles le voulaient dans aucune ville. Les « indigènes » s'apercevaient, ils le constataient dans leurs conversations de table et leurs journaux, que ces problèmes de couleur avaient été résolus aux États-Unis en 1950. Blancs et Nègres y vivaient, y travaillaient, y mangeaient côte à côte, jusque dans le Sud profond. La Seconde Guerre mondiale avait mis fin aux discriminations...

« Il y a quelque chose qui coince, hein ? » demanda Juliana à Joe. Il répondit par un grognement, sans quitter la route des yeux. « Dis-moi ce qui se passe après. Je sais que je ne le finirai pas, on ne va pas tarder à arriver à Denver. L'Amérique et la Grande-Bretagne entrent en guerre ? Les vainqueurs se retrouvent maîtres du monde ?

— Ce n'est pas un mauvais livre, par certains côtés. L'auteur règle tous les détails ; les États-Unis ont le Pacifique, un peu comme notre sphère de coprospérité d'Asie de l'Est. Ils divisent la Russie. Ça marche une dizaine d'années. Et puis après, ça se gâte... évidemment.

— Pourquoi *évidemment* ?

— La nature humaine. La nature étatique, ajouta-t-il. La méfiance, la peur, l'avidité. Churchill estime que les États-Unis sapent la domination britannique de l'Asie du Sud en séduisant les nombreuses populations chinoises, qui leur sont naturellement favorables, à cause de Chiang Kaï-chek. Les Anglais commencent à installer... » Il adressa à Juliana un rapide sourire. « ... ce qu'ils appellent des *centres de détention*. En d'autres termes, des camps de concentration. Pour des milliers de Chinois peut-être déloyaux. Qu'ils accusent de sabotage et de propagande. Churchill est tellement...

— Tu veux dire qu'il est *toujours* au pouvoir ? Il aurait dans les quatre-vingt-dix ans, non ?

— De ce point de vue-là, le système britannique est supérieur au système américain. Tous les huit ans, les États-Unis chassent leurs dirigeants, si qualifiés soient-ils... alors que Churchill reste en poste, tout simplement. Après Tugwell, les États-Unis ne se trouvent aucun homme d'état comparable. Juste des inexistants. Et plus il vieillit, plus il devient autocratique et rigide... Churchill, je veux dire. Jusqu'en 1960, où il rappelle un peu les vieux seigneurs de la guerre d'Asie centrale. Personne n'ose le contrarier. Il est au pouvoir depuis vingt ans.

— Doux Jésus. »

Elle feuilleta la dernière partie du roman, dans l'espoir de vérifier ce que lui apprenait Joe.

« Je suis bien d'accord, acquiesça-t-il. Churchill a été le seul bon dirigeant britannique pendant la guerre. Si les Brits ne l'avaient pas perdu, ils se seraient mieux débrouillés. Je vais te dire ; un État ne vaut jamais mieux que son chef. *Führerprinzip* – le principe du commandement, comme disent les nazis. Ils ont raison. Même cet Abendsen y est confronté. Après avoir battu le Japon, les États-Unis gagnent une énorme influence économique, parce qu'ils bénéficient de l'énorme marché asiatique arraché aux Japs, mais ça ne suffit pas. Ils n'ont aucune spiritualité. Bon, les Britanniques non plus. Ce sont deux ploutocraties, dirigées par le fric. Si ces richards l'avaient emporté, ils n'auraient pensé qu'à une chose : faire encore plus d'argent. Abendsen a tort ; il n'y aurait pas eu de réforme sociale, de projets de sécurité sociale… les ploutocrates anglo-saxons ne l'auraient pas permis. »

Tu parles vraiment comme un bon petit fasciste, se dit Juliana.

Joe devina apparemment ce qu'elle pensait à son expression ; il se tourna vers elle en ralentissant, un œil sur sa passagère, l'autre sur la route et les voitures.

« Écoute, je ne suis pas un intellectuel. Le fascisme n'en a pas besoin. Ce qu'il lui faut, ce sont des *actes*. Or la théorie écarte de l'action. Ce que notre État corporatiste exige de nous, c'est la compréhension des forces sociales… de l'histoire. Tu vois ? Je te le dis ; et je sais de quoi je parle. » Il s'exprimait avec passion, quasi implorant. « Ces vieux empires pourris dirigés par l'argent, la Grande-Bretagne, la France, les États-Unis, même si les États-Unis sont en fait une sorte de rejet bâtard, pas un véritable empire, mais tournés vers le fric malgré tout… ils n'ont pas d'âme, donc pas d'avenir, évidemment. Ils ne peuvent pas grandir. Les nazis sont un ramassis de voyous, je suis bien d'accord. Toi aussi, hein ? »

Elle ne put s'empêcher de sourire ; les manières d'Italien avaient pris le dessus en lui, parce qu'il essayait à la fois de conduire et de structurer son discours.

« Abendsen fait comme si c'était important de savoir qui finit par l'emporter, des États-Unis ou de la Grande-Bretagne, mais c'est n'importe quoi ! Ils n'ont aucun mérite, aucune historicité. C'est pareil et même. Tu as lu ce qu'a écrit le Duce ? L'inspiration. La beauté de l'homme. La beauté de l'écrit. Il explique les dessous de ce qui se passe. Le véritable enjeu de la guerre : l'ancien contre le neuf. L'argent... c'est pour ça que les nazis ont commis l'erreur d'introduire les Juifs là-dedans... l'argent contre l'esprit de masse communautaire, ce que les Allemands appellent *Gemeinschaft*... l'appartenance au peuple. Comme les Soviétiques. Les communistes. D'accord ? Seulement les communistes y ont mélangé les ambitions panslavistes de Pierre le Grand, ils ont fait de la réforme sociale le moyen de leurs ambitions impérialistes. »

Comme Mussolini, se dit Juliana. *Exactement.*

« La brutalité nazie, c'est une tragédie, bégaya Joe en dépassant un camion plus lent. Mais le changement est toujours dur pour le perdant. Ce n'est pas nouveau. Regarde les révolutions précédentes, en France, par exemple. Ou ce qu'a fait Cromwell aux Irlandais. Le tempérament germanique est trop porté sur la philosophie ; et sur le théâtre. Tous ces rassemblements. Le vrai fasciste, il ne parle pas, il agit... comme moi. D'accord ?

— Arrête, tu es un vrai moulin à paroles, protesta-t-elle en riant.

— Je t'explique la théorie fasciste de l'action ! » s'écria-t-il avec ardeur.

Elle fut incapable de répondre : c'était trop drôle.

Mais son compagnon ne trouvait pas ça drôle du tout. Rouge de colère, il la fixa d'un regard noir, puis les veines de son front se gonflèrent, tandis qu'il se mettait à trembler, une fois de plus. Et à se passer les doigts crispés dans les cheveux, aller retour, sans mot dire, mais sans la quitter des yeux.

« Ne t'énerve pas après moi », dit-elle.

Elle crut un instant qu'il allait la frapper. Il ramena le bras en arrière… puis lâcha un grognement, tendit la main et ralluma la radio.

Ils continuèrent leur route. Musique orchestrale, électricité statique. Une fois de plus, Juliana essaya de se concentrer sur le livre.

« Tu as raison, dit Joe au bout d'un long moment.

— À quel sujet ?

— L'empire partagé. Le clown comme chef. Pas étonnant qu'on n'ait rien tiré de la guerre. » Elle lui tapota le bras. « Tout est si sombre. Il n'y a rien de vrai ni de sûr. D'accord ?

— Peut-être », répondit-elle distraitement, s'obstinant à essayer de lire.

« C'est la Grande-Bretagne qui l'emporte. » Joe montrait le roman. « Je te fais gagner du temps. Les États-Unis dépérissent pendant que les Anglais continuent à les asticoter, à les énerver et à s'étendre ; ils gardent l'initiative. Voilà, repose-le.

— J'espère qu'on va bien s'amuser à Denver, dit-elle en refermant le livre. Tu as besoin de distraction. Je veux que tu t'amuses. »

Autrement, tu vas voler en millions de morceaux, ajouta-t-elle en son for intérieur. *À la manière d'un ressort qui se détend brusquement. Et qu'est-ce que je vais devenir, moi ? Comment je vais rentrer ? Est-ce que… je vais te quitter, tout simplement ?*

Je veux m'amuser ; tu me l'as promis. Pas question que je me fasse avoir. Ça m'est arrivé trop souvent, avec trop de gens.

« Mais oui, répondit Joe. Écoute. » Il l'examinait avec une curieuse expression introspective. « Tu t'intéresses tellement à cette histoire de sauterelle ; je me demande… tu crois qu'un type qui publie un best-seller, un auteur comme cet Abendsen… tu crois que les gens lui écrivent ? Je te parie que des tas de lecteurs lui envoient des lettres pour lui dire du bien de son livre. Peut-être même qu'ils vont le voir. »

Elle comprit brusquement.

« Joe ! Ça fait à peine deux cents kilomètres de plus ! »

Il lui sourit, les yeux brillants ; enchanté, une fois de plus ; fini, les joues rouges et l'agitation.

« On pourrait ! reprit-elle. Tu conduis tellement bien… ça ne poserait aucun problème de continuer jusque chez lui, hein ?

— Ma foi, je doute que quelqu'un de célèbre reçoive des visiteurs inattendus, répondit-il lentement. Il doit y en avoir beaucoup.

— On peut toujours essayer… » Elle l'attrapa par l'épaule, qu'elle serra, tout excitée. « On ne risque rien, à part se faire mettre dehors. *S'il te plaît*.

— Après les boutiques et les vêtements, une fois qu'on sera sur notre trente et un… dit-il avec beaucoup de circonspection. C'est important, il faut faire bonne impression. Peut-être même louer une autre voiture à Cheyenne. Tu n'auras qu'à t'en occuper.

— D'accord. Il faut aussi que tu ailles chez le coiffeur. Et tu me laisses choisir tes vêtements. S'il te plaît. C'était moi qui choisissais ceux de Frank ; les hommes sont incapables de s'acheter leurs propres vêtements.

— Tu as bon goût de ce côté-là », affirma Joe, le regard sombre, en se tournant une fois de plus vers la route qui s'étendait devant eux. « Et pas seulement de celui-là. C'est *toi* qui l'appelles. Ça vaut mieux. Tu le contactes.

— Je vais passer chez la coiffeuse aussi.

— Parfait.

— Ça ne me fait pas peur d'aller sonner chez lui. Je veux dire, on ne vit qu'une fois. Il n'y a pas de raison de se sentir intimidés. Ce n'est qu'un homme comme les autres. D'ailleurs, il sera sans doute ravi de savoir que quelqu'un est venu d'aussi loin juste pour lui dire que son livre est super. On lui demandera un autographe sur la première page, là où ça se fait. C'est bien là, hein ? Il vaudrait mieux en acheter un nouvel exemplaire ; celui-là est tout taché. Ça ferait mauvaise impression.

— Comme tu voudras. Je te laisse te charger de tous les détails. Je sais que tu en es capable. Les jolies femmes se débrouillent toujours avec tout le monde ; en te voyant, il nous ouvrira sa porte en grand, tu es superbe. Mais attention ; ne fais pas de bêtises.

— Comment ça ?

— Dis-lui qu'on est mariés. Je ne veux pas que tu t'embrouilles avec lui... tu vois ce que je veux dire. Ce serait terrible. Ça nous gâcherait la vie à tous. Il serait vraiment mal récompensé d'avoir accueilli des visiteurs ; ce serait d'une ironie. Alors attention, hein.

— Tu pourras en discuter avec lui. Cette histoire comme quoi l'Italie a fait perdre la guerre à l'Allemagne en la trahissant ; tu pourras lui dire ce que tu m'as dit.

— Exactement, acquiesça Joe. On pourra en discuter en long et en large. »

Ils poursuivirent leur route à vive allure.

*
* *

Le lendemain, à sept heures du matin, heure des P.S.A., M. Nobusuke Tagomi sortit du lit, prit le chemin de la salle de bains, mais changea d'avis et alla tout droit consulter l'oracle.

Assis en tailleur par terre dans la salle de séjour, il commença à manipuler les quarante-neuf tiges d'achillée. Son interrogation lui inspirait une profonde sensation d'urgence, aussi s'activa-t-il fiévreusement jusqu'à ce que les six traits s'étalent devant lui.

Quel choc ! L'hexagramme cinquante et un !

Dieu se manifeste dans le signe de l'Éveilleur. Tonnerre et foudre. Vacarme – il leva involontairement les mains pour se couvrir les oreilles. Oh ! Oh ! Ha ! Ha ! Un grand ébranlement qui le fit tressaillir et cligner des yeux. Le lézard s'enfuit, le tigre rugit, Dieu en personne apparaît !

Qu'est-ce que ça veut dire ? Il parcourut la pièce du regard. *L'arrivée de... de quoi ?* Il bondit sur ses pieds et resta immobile à attendre, haletant.

Rien. Le cœur battant. La respiration et tous les processus somatiques, y compris les réactions autonomes aux crises contrôlées par le diencéphale : adrénaline, violentes palpitations, pouls rapide, déversements glandulaires, paralysie de la gorge, yeux fixes, entrailles relâchées, etc. Écœurement, instinct sexuel bloqué.

Pourtant, rien en vue ; rien à fuir. Fuir ? Tous ces préparatifs pour une fuite paniquée. Mais où ? pourquoi ? M. Tagomi n'en avait aucune idée. D'où l'impossibilité de la chose. Le dilemme de l'homme civilisé : le corps mobilisé, mais le danger obscur.

Il gagna la salle de bains, où il entreprit de se savonner le visage avant de se raser.

Le téléphone sonna.

« Le choc, dit-il tout haut en reposant son rasoir. Prépare-toi. » Il s'empressa de regagner la salle de séjour. « Je suis prêt, ajouta-t-il avant de décrocher. Ici M. Tagomi. »

Sa voix dérapa dans les aigus ; il s'éclaircit la gorge.

Un silence. Puis un faible bruissement sec, lointain, évocateur de feuilles mortes :

« Monsieur. Ici Shinjiro Yatabe. Je suis arrivé à San Francisco.

— L'Estimable Mission Commerciale vous salue. Je suis enchanté. Êtes-vous en bonne santé et détendu ?

— Oui, M. Tagomi. Quand puis-je vous voir ?

— Bientôt. Dans une demi-heure. » M. Tagomi jeta un coup d'œil au réveil de la chambre, s'efforçant d'y lire l'heure. « Une troisième partie, M. Baynes, que je dois contacter. Un délai, peut-être, mais...

— Disons dans deux heures ?

— Très bien. »

Il s'inclina.

« Dans vos bureaux du Nippon Times Building. »

Il s'inclina derechef.

Clic. M. Yatabe avait raccroché.

Ravissement de M. Baynes, se dit M. Tagomi. *Plaisir, comme le chat à qui on jette un morceau de saumon, la queue bien grasse, par exemple.* Il secoua la fourche du téléphone puis composa rapidement le numéro de l'hôtel Abhirati.

« Fin de l'épreuve », annonça-t-il dès que la voix ensommeillée de son correspondant se fit entendre au bout du fil.

« Il est là ? demanda la voix, perdant instantanément son côté endormi.

— À mon bureau. À dix heures vingt. Au revoir. »

M. Tagomi raccrocha et retourna aussitôt se raser à la salle de bains. Pas le temps de déjeuner ; M. Ramsey s'en occupera après les diverses arrivées. *Peut-être pourrons-nous nous restaurer ensemble, tous les trois...* M. Tagomi organisait en se rasant un bon petit déjeuner commun.

*
*   *

Planté en pyjama devant son téléphone, M. Baynes se frottait le front, pensif. *Dommage que j'aie craqué et contacté cet agent. Si seulement j'avais attendu un jour de plus...*

Enfin, ça n'a sans doute pas fait de mal. N'empêche que je suis censé retourner au magasin aujourd'hui. Supposons que je n'y aille pas ? Ça risque de déclencher une réaction en chaîne. Ils vont croire que je me suis fait assassiner ou quelque chose comme ça. Essayer de me retrouver.

Peu importe. Il est là. Enfin. *L'attente est terminée.*

M. Baynes se précipita à la salle de bains pour se raser.

Je ne doute pas que M. Tagomi le reconnaisse à l'instant même où il le verra. Autant laisser tomber la couverture de « M. Yatabe ». D'ailleurs, autant laisser tomber toutes les couvertures. Tous les mensonges.

Sitôt rasé, M. Baynes passa sous la douche. L'eau rugissait autour de lui, tandis qu'il chantait à pleins poumons :

« Wer reitet so spät
Durch Nacht und Wind ?
Es ist der Vater
Mit seinem Kind. »

Il est sans doute trop tard pour que le S.D. tente je ne sais quoi. Même s'il a eu vent de quelque chose. Je peux peut-être cesser de m'inquiéter. Enfin, les inquiétudes triviales. Les modestes inquiétudes privées qui concernent ma propre peau.

Quant au reste… ça ne fait que commencer.

CHAPITRE ONZE

Pour le consul du Reich à San Francisco, Freiherr Hugo Reiss, le premier événement de la journée se révéla aussi pénible qu'inattendu. Lorsqu'il arriva à son burau, un visiteur l'y avait précédé, un homme d'âge moyen imposant, à la mâchoire lourde, à la peau grêlée et aux sourcils noirs broussailleux, réunis par un froncement réprobateur.

« Heil, murmura-t-il en se levant et en exécutant le salut du Partei.

— Heil », répondit Reiss, qui poussa un gémissement en son for intérieur, mais conserva aux lèvres un sourire sérieux. « Herr Kreuz vom Meere. Quelle surprise. Entrez donc, je vous en prie. »

En ouvrant la porte de son bureau privé, il se demanda où était passé le vice-consul et qui avait laissé entrer le chef du S.D. Quoi qu'il en soit, l'intrus était là. On n'y pouvait plus rien.

Kreuz vom Meere lui emboîta le pas, les mains dans les poches de son pardessus de laine sombre.

« Écoutez, Freiherr, on a localisé l'agent de l'Abwehr. Rudolf Wegener. Il s'est montré à un point de rendez-vous de l'Abwehr qu'on avait mis sous surveillance. » Le visiteur gloussa, dévoilant d'énormes dents en or. « À partir de là, on l'a filé jusqu'à son hôtel.

— Parfait. »

Reiss remarqua le courrier posé sur son bureau, signe que Pferdehuf se trouvait dans les parages. Sans doute avait-il refermé la porte à clé pour éviter une petite fouille officieuse du chef du S.D.

« C'est important, reprit ce dernier. J'en ai parlé à Kaltenbrunner. Priorité des priorités. Vous n'allez sans doute pas tarder à recevoir un message de Berlin. À moins que ces *Unratfressers*, là-bas, ne s'emmêlent les pinceaux. » Il s'assit sur la table de travail du consul puis tira de la poche de son manteau une liasse de papiers, qu'il déplia laborieusement en remuant les lèvres. « Notre homme se fait appeler Baynes. Se présente comme un industriel ou un commercial suédois, enfin, un type de l'industrie. A reçu ce matin à huit heures dix un coup de fil d'un officiel japonais, fixant un rendez-vous à dix heures vingt, dans le bureau dudit Japonais. On est en train de tracer ce coup de fil. Ça devrait être fait dans la demi-heure. On m'appellera ici pour m'en informer.

— Je vois.

— Bon, on va le cueillir, l'oiseau. Auquel cas, bien sûr, on le renverra à Berlin par le premier avion de la Lufthansa. Le problème, c'est que les Japs de Sacramento risquent de protester et d'essayer de s'y opposer. C'est à vous qu'ils s'adresseront, à ce moment-là. Le fait est qu'ils risquent d'exercer une pression énorme. Et d'envoyer un plein camion de leurs durs de la Tokkoka à l'aéroport.

— Vous ne pouvez pas les empêcher d'apprendre de quoi il retourne ?

— Trop tard. Il est en route pour le fameux bureau. Il se peut qu'on soit obligés d'aller l'y chercher. On entre, on lui met la main dessus, on se tire.

— Ça ne me plaît pas, protesta Reiss. Supposons qu'il ait rendez-vous avec quelqu'un d'extrêmement haut placé. Il est possible qu'un représentant personnel de l'Empereur se trouve à San Francisco en ce moment. J'ai entendu dire il y a quelques jours que…

— Peu importe, coupa Kreuz vom Meere. C'est un citoyen allemand. Soumis aux lois du Reich. »

Lois que nous connaissons bien, se dit Reiss.

« Un petit commando se tient prêt, continua son interlocuteur. Cinq bons éléments. » Il gloussa. « On dirait des violonistes. De beaux visages ascétiques. Expressifs. Ou des étudiants en théologie. Ils entrent. Les Japs les prennent pour un quartet de…

— Un quintet.

— Oui. Ils entrent par la grand-porte… ils sont habillés exactement comme il faut. » Le visiteur examina le consul. « Comme vous, en gros. »

Merci, se dit Reiss.

« Au vu et au su de tous. En plein jour. Ils trouvent ce Wegener. Ils l'entourent. Ils ont l'air de discuter. Message important. » Kreuz vom Meere parlait toujours, tandis que son hôte ouvrait peu à peu son courrier. « Pas de violence. Juste *Herr Wegener. Veuillez nous suivre, s'il vous plaît. Vous comprenez*. Plus une petite tige entre deux vertèbres. Poum. Paralysie des ganglions supérieurs. » Reiss hocha la tête. « Vous m'écoutez ?

— *Ganz bestimmt*.

— Et hop, tout le monde dehors. Retour à la voiture. À mon bureau. Les Japs font tout un foin. En restant polis, vous les connaissez. » Le chef du S.D. descendit lourdement du bureau pour mimer un Japonais en train de s'incliner. « *Très vulgaire de nous tromper de cette manière, Herr Kreuz vom Meere. Au revoir, Herr Wegener…*

— Baynes, coupa le consul. Il ne se sert pas de son faux nom ?

— Baynes. *Désolés de votre départ. Une plus longue discussion la prochaine fois, peut-être.* » Le téléphone sonna, coupant court la plaisanterie du visiteur. « C'est peut-être pour moi. »

Il allait répondre, mais Reiss décrocha lui-même. « Ici Reiss.

— Ici l'Ausland Fernsprechamt de Nouvelle-Écosse, M. le consul, lança une voix inconnue. Un appel transatlantique de Berlin pour vous. Urgent.

— Très bien.

— Un instant, je vous prie. »

Un faible grésillement, des crépitements. Suivis d'une autre voix, féminine.

« Kanszlei.

— Oui, ici l'Ausland Fernsprechamt de Nouvelle-Écosse. Un appel pour le consul du Reich à San Francisco. Le consul est en ligne.

— Ne quittez pas. »

Long silence, dont Reiss profita pour continuer à s'occuper de son courrier, d'une seule main, sous les yeux vides de Kreuz vom Meere.

« Je suis navré de vous déranger, Herr Konsul. » Une voix masculine, cette fois. Le sang de Reiss se figea instantanément dans ses veines. Un baryton cultivé, suave, familier. « Ici le Doktor Goebbels.

— Oui, Kanzler. »

Un lent sourire monta aux lèvres du Bavarois, immobile. Ses mâchoires relâchées se serrèrent fermement.

« Le général Heydrich vient de me demander de vous appeler. Un agent de l'Abwehr se trouve à San Francisco. Un certain Rudolf Wegener. Je vous prie de travailler en ce qui le concerne en complète collaboration avec la police. Je n'ai pas le temps de vous donner les détails. Mettez vos services à la disposition du S.D., tout simplement. *Ich danke Ihnen sehr dabei.*

— Je comprends, Herr Kanzler, assura Reiss.

— Bonne journée, Konsul. »

Le Reichskanzler raccrocha.

« Alors, j'avais raison ? » s'enquit Kreuz vom Meere pendant que son vis-à-vis raccrochait, lui aussi.

« Je n'ai jamais dit le contraire, répondit Reiss avec un haussement d'épaules.

— Faites-moi une autorisation de ramener de force ce Wegener en Allemagne. »

Il prit son stylo, rédigea le document demandé, le signa puis le tendit au chef du S.D.

« Merci, lâcha le visiteur. Bon, quand les autorités japonaises vous appelleront pour se plaindre que…

— Si elles appellent.

— Elles appelleront, affirma-t-il en jaugeant le consul du regard. Ça ne leur prendra pas un quart d'heure, une fois qu'on aura embarqué Wegener. »

Ses manières de clown, de plaisantin, avaient disparu.

« Je ne connais pas le moindre quintet de violonistes, dit Reiss.

— On l'aura dans la matinée, déclara Kreuz vom Meere sans répondre. Tenez-vous prêt. Dites aux Japs que c'est un homosexuel, un faussaire, quelque chose dans ce goût-là. Recherché en Allemagne pour un crime important. Mais ne parlez pas de crime politique. Ils refusent de reconnaître quatre vingt-dix pour cent des lois nationales socialistes, vous savez.

— Oui, je sais. Et je sais quoi faire. »

Reiss se sentait irrité, exploité. *Personne ne m'a consulté. Comme d'habitude. Ils ont contacté la chancellerie. Les salopards.*

Ses mains tremblaient. Le coup de fil du Doktor Goebbels, peut-être ? La crainte des puissants ? Ou la rancune, l'impression d'être cerné... *Au diable la police. Elle ne fait que croître en force. Goebbels est déjà à son service ; elle dirige le Reich.*

Mais qu'y puis-je ? Qu'y pouvons-nous tous ?

La résignation l'envahissait. *Il vaut mieux coopérer. Ce n'est pas le moment d'être du mauvais côté, avec ce type. Sans doute peut-il obtenir ce qu'il veut en Allemagne, y compris le renvoi de quiconque lui est hostile.*

« Je vois que vous n'avez pas exagéré l'importance de la question, Herr Polizeiführer, déclara Reiss à haute voix. De toute évidence, la sécurité de l'Allemagne dépend de la localisation rapide de cet espion, ce traître ou je ne sais quoi encore. »

Le choix des mots le hérissa intérieurement, mais Kreuz vom Meere en parut ravi.

« Merci, consul.

— Peut-être nous avez-vous tous sauvés.

— Hmm, on ne le tient pas encore, déclara le Bavarois d'un air sombre. Il ne nous reste qu'à attendre. Si seulement ils appelaient...

— Je m'occuperai des Japonais, assura Reiss. J'en ai l'expérience, vous savez. Ils se plaignent...

— Arrêtez de papoter, coupa son interlocuteur. Il faut que je réfléchisse. »

Depuis l'appel de la chancellerie, il semblait préoccupé ; lui aussi se sentait stressé, maintenant.

Si jamais ce type s'en tire, il va te coûter ton poste, songea le consul. *Le tien, le mien... on risque de se retrouver tous les deux à la rue n'importe quand. Tu n'es pas plus à l'abri que moi.*

En fait, Herr Polizeiführer, ce serait peut-être intéressant de voir s'il suffit de traîner un peu les pieds par moments pour entraver vos activités. Un petit quelque chose de négatif, mais d'impossible à définir. Quand les Japonais vont venir se plaindre, par exemple, je pourrais laisser échapper un indice sur le vol de la Lufthansa par lequel ce type doit être rapatrié de force… ou, sinon, les asticoter pour les énerver encore plus en, disons, laissant paraître le plus léger signe d'un rictus méprisant – qui tendrait à prouver que le Reich les trouve comiques, qu'il ne prend pas les petits jaunes au sérieux. Ils sont susceptibles. Et si je les énerve assez, peut-être s'adresseront-ils directement à Goebbels.

Que de possibilités. Le S.D. ne peut pas sortir ce Wegener des P.S.A. sans ma collaboration active. Si je me débrouille vraiment bien…

Je déteste qu'on ne me consulte pas. Ça me met tellement mal à l'aise. Je deviens tellement nerveux que j'en perds le sommeil, et quand je n'arrive pas à dormir, je n'arrive pas à travailler. Je dois donc résoudre le problème, pour le bien de l'Allemagne. Je me sentirais beaucoup mieux la nuit – le jour aussi, d'ailleurs –, si ce vulgaire voyou bavarois était de retour au pays, en train de rédiger des rapports dans un obscur commissariat de Gau.

Le problème, c'est que le temps presse. *Je suis là, à essayer de décider comment…*

Le téléphone sonna.

Cette fois, Reiss n'essaya pas d'empêcher le visiteur de décrocher.

« Allô ? » lança Kreuz vom Meere dans le combiné.

Il écouta un instant en silence. *Déjà ?* se disait Reiss, jusqu'au moment où le chef du S.D. lui tendit le combiné. Il le prit avec un soulagement dissimulé.

« Un instituteur, expliqua Kreuz vom Meere. Il veut savoir si vous pouvez lui donner des affiches de paysages autrichiens pour ses cours. »

*
* *

Ce matin-là, Robert Childan ferma son magasin vers onze heures et partit à pied pour le bureau de Paul Kasoura.

Heureusement, le jeune Japonais n'était pas trop occupé. Il accueillit poliment l'arrivant en lui proposant une tasse de thé.

« Je ne vais pas vous déranger bien longtemps », dit Childan lorsqu'ils eurent tous deux siroté quelques gorgées.

Malgré son exiguïté, la pièce, meublée avec simplicité, donnait une impression de modernité. Une unique affiche, superbe, ornait le mur : le Tigre de Mokkei, un chef-d'œuvre de la fin du XIIIe siècle.

« C'est toujours un plaisir de vous voir, Robert », répondit Paul, d'une voix où le visiteur crut percevoir une pointe de réserve.

Mais peut-être n'était-ce que le fruit de son imagination. Il jeta un coup d'œil prudent par-dessus le bord de sa tasse. Paul avait l'air amical, oui… mais son attitude avait subtilement changé.

« Mon humble cadeau a déçu votre femme par sa grossièreté, déclara Childan. Peut-être s'est-elle sentie insultée. Toutefois, avec quelque chose de neuf, d'inconnu, comme je vous l'ai expliqué en vous le remettant, il est impossible de se livrer à une évaluation correcte ou définitive… du moins quand on occupe une position purement commerciale. Betty et vous êtes certainement mieux en mesure que moi de juger ce bijou.

— Elle n'a pas été déçue, Robert. Je ne le lui ai pas donné. » Paul tira de son bureau la petite boîte blanche. « Il n'a pas quitté cette pièce. »

Il sait, se dit son interlocuteur. *Il est malin. Il ne lui en a même pas parlé. C'est donc ça. Pourvu que maintenant, il ne s'en prenne pas à moi. Qu'il ne m'accuse pas de chercher à la séduire.*

Il pourrait me ruiner.

Childan prit soin de continuer à siroter son thé, impassible.

« Ah ? dit-il juste d'un ton léger. Intéressant. »

Paul ouvrit l'écrin, en tira la broche puis se mit à l'examiner à la lumière, la tournant et la retournant entre ses doigts.

« J'ai pris la liberté de montrer cette petite chose à un certain nombre de mes relations d'affaires, des personnes qui partagent mon goût pour les objets historiques américains ou le mérite esthétique et artistique en général. » Son regard se reposa sur Childan. « Aucun d'eux n'avait jamais rien vu de tel, bien sûr. Comme vous me l'aviez expliqué, il n'existait pas *a priori* de production contemporaine de ce genre, du moins jusqu'ici. Il me semble que vous m'avez aussi affirmé en être le seul dépositaire.

— En effet.

— Désirez-vous être informé de leur réaction ? »

Childan s'inclina.

« Ces messieurs ont ri, continua Paul. Oui ; ils ont ri. » Silence. « Moi-même, j'avais ri derrière ma main, sans vous le montrer, quand vous étiez venu l'autre jour me montrer cette chose. J'avais dissimulé mon amusement, comme il se doit, afin de préserver votre sang-froid ; je ne doute pas que vous vous rappeliez la réserve plus ou moins parfaite dont j'ai fait preuve en apparence. »

Childan acquiesça.

« Une réaction tellement compréhensible, poursuivit Paul, plongé dans l'examen de la broche. Nous avons ici un morceau de métal, informe après fusion. Il ne représente rien. Il ne comporte aucun motif intentionnel. Ce n'est qu'une petite masse amorphe. Disons, un simple volume, dépourvu de définition. »

Childan acquiesça.

« Il n'empêche que je l'examine depuis maintenant plusieurs jours, continua Paul ; et que, sans la moindre raison logique, *il m'inspire un certain attachement*. Pourquoi ? Telle est la question. Je ne projette même pas ma propre psyché sur cette chose, comme dans les tests psychologiques allemands. Je n'y discerne toujours ni forme ni motif. Mais, d'une manière ou d'une autre, elle participe du Tao. Vous voyez ? » Il fit signe au visiteur d'approcher. « Elle est équilibrée. Les forces y sont stabilisées. Au repos. Cet objet a pour ainsi dire fait la paix avec l'univers. Il s'en est séparé, ce qui lui a permis d'atteindre l'homéostase. »

Childan acquiesça en examinant la broche, lui aussi, mais il n'y comprenait plus rien.

« Il n'a pas de *wabi*, ce n'est pas possible, enchaîna Paul. Pourtant… » Il toucha le bijou de son ongle. « Pourtant, il renferme du *wu*.

— Sans doute avez-vous raison. »

Childan essayait de se rappeler ce qu'était le *wu* ; il ne s'agissait pas d'un mot japonais, mais chinois. La sagesse, peut-être. Ou la compréhension. Quelque chose de très positif, en tout cas.

« Le fabricant avait les mains pleines de *wu*, qu'il a laissé couler dans cette pièce. Peut-être était-il juste conscient de la trouver satisfaisante. Mais elle est accomplie, Robert. Sa contemplation nous emplit de *wu*, nous aussi. Nous connaissons la tranquillité associée non à l'art, mais au sacré. Je me souviens d'un sanctuaire d'Hiroshima où il était possible de voir le tibia d'un saint du Moyen Âge. Toutefois, il y a ici un artefact, il y avait là-bas une relique. L'artefact existe au présent, la relique n'était qu'un *souvenir*. La méditation à laquelle je me suis longuement livré depuis votre dernière visite m'a permis d'identifier la valeur de ce bijou, par opposition à l'historicité. Je suis bouleversé, comme vous pouvez le constater.

— En effet.

— Être dépourvu d'historicité, de valeur esthétique et artistique, mais participer d'une qualité intangible... c'est merveilleux. Précisément parce qu'il s'agit d'une misérable petite masse informe qui n'a l'air de rien ; voilà qui contribue au fait qu'elle recèle du *wu*, Robert. Car il est de fait qu'on trouve souvent le *wu* dans l'enveloppe la plus modeste, suivant l'aphorisme chrétien de *la pierre méprisée par les bâtisseurs*. On expérimente la conscience du *wu* dans des débris tels qu'un vieux bâton ou une canette de bière rouillée, jetée au bord de la route, mais c'est alors l'observateur qui en est imprégné. Il s'agit d'une expérience religieuse. Dans le cas qui nous occupe, l'artisan a transféré du *wu* dans l'objet, il ne s'est pas contenté d'en percevoir le *wu* inhérent. » Paul releva les yeux. « Me fais-je bien comprendre ?

— Oui.

— En d'autres termes, cette chose ouvre la voie à un monde entièrement neuf. Il ne s'agit pas d'art, car elle n'a pas de forme, ni de religion. De quoi, alors ? Moi qui ai sans fin soupesé cette broche, je ne peux le déterminer. De toute évidence, nous n'avons pas de mot pour décrire un objet pareil. Vous avez donc raison, Robert. Il s'agit de quelque chose d'entièrement neuf en ce monde. »

Authentique, se dit Childan. *Oui, certes. Ça, je comprends. Quant au reste...*

« Étant parvenu à ce résultat, continua Paul, j'ai ensuite demandé aux mêmes connaissances de revenir me voir. J'ai pris la responsabilité, comme je le fais avec vous, de leur adresser des remontrances dépourvues de tact. L'importance du sujet incite à l'abandon des formes de politesse, tant est grande la nécessité de faire partager la conscience proprement dite. J'ai demandé à ces personnes de m'écouter. »

Pour un Japonais tel que Paul, imposer ses idées à autrui était quasi inimaginable, Childan le savait.

« Le résultat a été prometteur, poursuivit le jeune homme. Sous la contrainte, mes visiteurs ont réussi à adopter mon point de vue ; ils ont perçu ce que j'esquissais. Cela en valait donc la peine. La tâche accomplie, je me suis reposé. Voilà tout, Robert. Je suis épuisé. » Il rangea la broche dans sa boîte. « Ma responsabilité s'arrête là. Le fardeau n'est plus mien.

— Mais elle est à vous, monsieur », protesta Childan, inquiet, car son hôte poussait l'écrin dans sa direction.

Rien de ce qu'il avait vécu jusqu'alors ne pouvait lui servir de modèle dans une situation pareille : un Japonais haut placé célébrait chaudement un de ses cadeaux… avant de le lui rendre. Ses genoux flageolaient. Il ne savait absolument pas quoi faire et tiraillait nerveusement sa manche, rougissant.

« Il faut affronter la réalité avec courage, Robert », déclara Paul, très calme, d'un ton presque dur.

« Je suis déconcerté… » balbutia Childan, blêmissant, à présent.

Le jeune homme se leva.

« Écoutez-moi. La tâche vous revient. Vous êtes le seul dépositaire de cette pièce et de ses semblables. Vous êtes un professionnel. Retirez-vous un moment dans la solitude. Méditez. Consultez le *Livre des mutations*, peut-être. Ensuite, examinez vos étalages, vos publicités, votre stratégie de vente. » Childan le regardait, bouche bée. « La voie à suivre vous apparaîtra. Vous verrez comment vous y prendre pour diffuser ces objets en grand nombre. »

Stupeur. *Ce type est en train de me dire que je suis* obligé *d'assumer la responsabilité morale d'Edfrank Jewellery ! Point de vue typique du cinglé japonais névrotique : il estime nécessaire que je noue rien moins qu'une relation spirituelle et commerciale de haut niveau avec les fabricants.*

Le pire, c'était que Paul Kasoura s'exprimait avec une indéniable autorité, émanant du cœur même de la culture et de la tradition japonaises.

L'obligation, songea le visiteur avec amertume. Une fois qu'on se l'était attirée, elle vous poursuivait toute votre vie. Jusqu'à la tombe. Paul s'en était débarrassé – de son propre point de vue, en tout cas. Mais Childan… ah, il semblait hélas s'agir en ce qui le concernait d'un véritable tatouage, ineffaçable.

Ils sont fous. Figurez-vous qu'ils n'aident pas quelqu'un qui tombe dans le caniveau, sous prétexte que ça en fait leur obligé. Qu'est-ce que vous dites de ça ? Moi, je dis que c'est caractéristique ; exactement ce qu'on attend d'une race qui va jusqu'à reproduire les réparations de la chaudière, quand on la charge de construire la copie d'un destroyer britannique…

Paul le fixait avec attention. Heureusement, Childan avait depuis longtemps l'habitude d'éliminer par automatisme le moindre signe d'émotion. Il arborait une expression calme et neutre, une persona adaptée à la situation. Le masque était en place, il le sentait.

Quelle horreur, se disait-il. *C'est une catastrophe. Il aurait mieux valu que Paul me soupçonne de chercher à séduire sa femme.*

Betty. Il n'y avait plus aucune chance qu'elle voie la broche et que les projets originaux de Childan se concrétisent. Le *wu* n'était pas compatible avec la sexualité ; il relevait comme l'avait dit Paul du domaine du sacré, du solennel – celui des reliques.

« J'ai remis un exemplaire de votre carte à chacun de ces messieurs, reprit le jeune homme.

— Je vous demande pardon ? répondit Childan, préoccupé.

— Votre carte professionnelle. Pour qu'ils passent à votre magasin voir les autres bijoux.

— Ah.

— Encore une chose. L'une de ces personnes souhaite discuter du sujet avec vous dans ses propres locaux. Je vous ai noté son nom et son adresse. » Paul tendit au visiteur une feuille pliée. « Pour que ses collègues assistent à l'entretien. Il s'agit d'un importateur. Qui fait de l'import-export en gros. Surtout avec l'Amérique du Sud. Radios, appareils photo, jumelles, magnétophones, ce genre de choses. »

Childan baissa les yeux vers le papier.

« Nous parlons bien sûr de quantités énormes, continua Paul. Des dizaines de milliers d'exemplaires, peut-être. Sa compagnie contrôle diverses entreprises, qui fabriquent les marchandises à moindre coût en Orient, puisque les salaires y sont moins élevés.

— Pourquoi est-il… ?

— Des pièces de ce genre… » Paul reprit l'épingle, brièvement, avant de refermer la boîte et de la tendre à Childan. « … peuvent très bien se produire à la chaîne. En métal de base ou en plastique. À l'aide d'un moule. En quantité voulue.

— Et le *wu* ? » s'enquit le visiteur, après un silence. « Il serait toujours là ? » Son hôte ne répondit pas. « Vous me conseillez de voir cet homme ?

— Oui.

— Pourquoi ?

— Des amulettes. »

Childan le fixa sans mot dire.

« Des porte-bonheur. À garder sur soi. Pour les classes laborieuses. Une collection de talismans à vendre à travers tout l'Orient, toute l'Amérique latine. La plupart des gens croient encore à la magie, vous savez. Sortilèges. Potions. C'est un marché important, paraît-il. »

Paul s'exprimait d'une voix sans timbre, les traits figés.

« À vous entendre, ça pourrait rapporter des sommes folles », dit lentement son interlocuteur. Le jeune Japonais acquiesça. « C'est une idée à vous ?

— Non. »

Pas un mot de plus.

Votre employeur, songea Childan. *Vous lui avez montré la broche, il connaît ce fameux importateur, c'est donc lui qui… Un de vos supérieurs, en tout cas, quelqu'un qui a de l'influence, un homme riche, important… Bref, un dignitaire quelconque a contacté l'importateur en question.*

Voilà pourquoi vous me rendez l'épingle. Vous ne voulez pas être mêlé à ça. Mais vous savez ce que je sais : j'irai à cette adresse, je verrai cet industriel. Il le faut. Je n'ai pas le choix. Je lui laisserai les originaux ou les lui vendrai contre pourcentage ; ce monsieur et moi ferons affaire.

Sans que vous vous en occupiez. Du tout. Il serait de mauvais goût de votre part de chercher à m'en empêcher ou d'en discuter avec moi.

« Vous avez là l'occasion de devenir extrêmement riche », déclara Paul, le regard toujours fixé stoïquement droit devant lui.

« Je trouve l'idée bizarre. Faire des porte-bonheur de ce genre d'objets d'art. C'est difficile à imaginer.

— Parce que ce n'est pas votre commerce habituel. Vous être le chantre de l'ésotérique vénéré. Personnellement, je vous comprends. Ainsi que les personnes qui vous rendront bientôt visite à votre magasin, celles dont je vous ai parlé.

— Que feriez-vous à ma place ?

— Ne sous-estimez pas les possibilités offertes par le respectable importateur. C'est un homme très perspicace. Vous et moi... nous n'avons aucune idée du vaste nombre des gens peu instruits. Des objets identiques, produits par moulage, peuvent leur apporter une joie qui nous serait déniée. Il nous est nécessaire de penser détenir les seuls dans leur genre ou, au moins, des choses très rares, telles qu'en possèdent quelques connaisseurs seulement. Des choses d'une authenticité indéniable. Pas des copies ou de simples exemplaires parmi une multitude. » Paul regardait toujours dans le vide, au-delà du visiteur. « Pas des produits fabriqués à l'identique par dizaines de milliers. »

Aurait-il abouti, d'une manière ou d'une autre, à l'idée justifiée que certains des objets historiques en vente dans les magasins comme le mien (sans parler de nombreux éléments de sa collection personnelle) sont des imitations ? se demanda Childan. *Ses propos le laissent très vaguement entendre. Comme s'il me soufflait dans un murmure ironique un message bien différent de celui qu'il m'adresse en surface. L'ambiguïté... telle qu'on la rencontre dans l'oracle... une des qualités de l'esprit oriental, paraît-il.*

Ce qu'il me dit, en réalité, c'est : Qu'êtes-vous, Robert ? Celui que l'oracle appelle « l'homme inférieur » ou l'autre, à qui s'adressent ses bons conseils ? Il faut vous décider ici même. Vous pouvez emprunter l'une ou l'autre route, mais pas les deux. L'heure du choix a sonné.

Mais quelle route emprunterait *réellement* l'homme supérieur ? – Robert Childan se posait la question. Du point de vue de Paul Kasoura. *Ce qui nous intéresse ici, ce n'est pas une compilation de la sagesse inspirée par le Ciel il y a des milliers d'années, mais l'opinion d'un simple mortel – un jeune homme d'affaires japonais.*

Oui, telle est l'essence de la chose. Le wu*, dirait Paul. Le* wu *de la situation. Quels que soient nos penchants personnels, la réalité nous pousse dans la direction de l'importateur. Tant pis pour nos projets ; nous devons nous adapter, l'oracle le dit bien.*

Après tout, je peux toujours vendre les originaux. Aux connaisseurs comme les amis de Paul, par exemple.

« Vous luttez contre vous-même, constata le Japonais. Nul doute que vous désiriez un peu de solitude, en ces circonstances. »

Déjà, il se dirigeait vers la porte.

« Ma décision est prise », déclara Childan. Les paupières de son hôte battirent. « Je vais suivre vos conseils, continua le visiteur en s'inclinant. Permettez-moi de me retirer pour rendre visite à l'importateur. »

Il levait le papier plié.

Curieusement, la nouvelle n'eut pas l'air de satisfaire Paul ; il se contenta de regagner son bureau avec un vague grognement. Childan se fit la réflexion qu'ils refrénaient tous deux leurs émotions jusqu'à la fin.

« Je vous remercie infiniment de l'aide professionnelle que vous m'avez apportée, reprit-il, prêt à partir. Un jour, je vous rendrai si possible la pareille. Je me rappellerai. »

Son interlocuteur n'en resta pas moins impassible. *Ce que nous disions et répétions n'est que trop vrai,* songea Childan : *ils sont inscrutables.*

Paul le raccompagna à la porte, plongé dans ses pensées.

« Les artisans américains ont fabriqué cette pièce entièrement à la main, n'est-ce pas ? demanda soudain le jeune Japonais. En œuvrant physiquement ?

— Oui, de la conception initiale au polissage final.

— Seront-ils d'accord, Robert ? Je ne peux que supposer qu'ils rêvaient d'autre chose pour leur travail.

— Je me permets de suggérer qu'il sera possible de les convaincre », répondit Childan, à qui le problème semblait de peu d'importance.

« Oui, sans doute », acquiesça Paul.

Quelque chose dans sa voix alerta brusquement le visiteur. Une insistance nébuleuse, bizarre. Puis la compréhension s'imposa. L'ambiguïté disparut. Childan *voyait*.

Évidemment. Il s'agissait d'un rejet brutal des efforts américains, ni plus ni moins. Accompli sous ses yeux. Cynique. Et – que Dieu lui pardonne – il avait gobé l'appât, l'hameçon, le plomb tout entier. *Il m'a fait acquiescer, pas à pas ; il m'a entraîné par un chemin détourné jusqu'à la conclusion que voici : les produits de l'artisanat américain ne sont bons qu'à servir de modèles à des porte-bonheur de pacotille.*

Voilà comment régnaient les Japonais, sans rudesse, mais avec subtilité, ingéniosité, ruse millénaire.

Seigneur ! Nous sommes de véritables barbares, par comparaison. Des idiots, oui, de vrais idiots, face à cette intelligence impitoyable. Paul n'a pas dit… il ne m'a pas dit… que notre art ne valait rien ; il me l'a fait dire à sa place. Et, ultime ironie, il déplore que je l'aie dit. Un petit geste de regret civilisé en entendant la vérité sortir de ma bouche.

Il m'a brisé. Childan faillit le dire tout haut mais, heureusement, réussit à maintenir la compréhension à l'état de pensée ; à la cantonner à son monde intérieur, comme toujours, isolée et secrète, à lui seul réservée. *Il nous a humiliés, ma race et moi. Et je n'y peux rien. Il m'est impossible de me venger ; nous sommes vaincus, et toutes nos défaites ressemblent à celle-là, si ténues, si délicates que c'est tout juste si nous en avons conscience. À vrai dire, nous ne comprenons ce qui se passe qu'en nous élevant d'un cran sur l'échelle de l'évolution.*

Quelle meilleure preuve pourrait-il exister de la capacité des Japonais à diriger ? Childan se retenait de rire, peut-être même d'un rire appréciateur. *Oui, oui, exactement, comme quand quelqu'un raconte une bonne blague. Il faut que je m'en souvienne, que je la savoure plus tard, que je la répète – pourquoi pas. Mais à qui ? Problème. C'est beaucoup trop personnel.*

Une corbeille à papier était posée dans un coin du bureau. Hop ! Allez zou, le truc informe, la broche pleine de *wu.*

Est-ce que je pourrais… ? La jeter… Mettre un point final à cette histoire, sous les yeux de Paul ?

Non, je ne peux pas. Le visiteur s'aperçut qu'il avait les doigts crispés sur la boîte. *Je ne dois pas. Pas si vous voulez continuer à fréquenter ces gens-là.*

Qu'ils aillent au Diable ! Je n'arrive pas à me libérer de leur influence, à céder à une impulsion. Finis, la spontanéité… Paul l'examinait ; le Japonais n'avait nul besoin de parler. Sa seule présence suffisait. *Ma conscience est prise au piège ; un fil invisible relie maintenant ma main, mon bras, mon âme à cette broche.*

Je les côtoie sans doute depuis trop longtemps. Il est trop tard pour que je leur échappe, que je rejoigne les blancs et que je me remette à penser en blanc.

« Paul… » commença Robert Childan, d'une voix qu'une envie de fuir maladive faisait dérailler, privait de maîtrise et de modulation.

« Oui, Robert ?

— Je… je suis… humilié. »

La pièce tournait autour de lui.

« Pourquoi cela, Robert ? »

Ton compatissant, mais aussi détaché. Au-delà de l'implication.

« Paul. Un instant. » Robert Childan tripotait la broche, à présent poissée de sueur. « Je… je suis fier de ce travail. Il ne peut être question de porte-bonheur de pacotille. Je refuse. » Une fois de plus, la réaction de son hôte lui restait indéchiffrable. Seules son écoute, son attention étaient évidentes. « Je vous remercie néanmoins. »

Paul s'inclina.

Robert Childan s'inclina.

« Les hommes qui ont confectionné cet objet sont de fiers artistes américains, reprit-il. Je le suis également. Les associer à des amulettes de pacotille est donc une insulte qui nous est faite. Je demande des excuses. »

Un silence d'une durée inouïe.

Le jeune Japonais examinait son interlocuteur. Un de ses sourcils s'arqua légèrement, tandis que ses lèvres fines se tordaient. Un sourire ?

« J'insiste », ajouta Robert Childan.

Pas un mot de plus ; il ne pouvait en dire davantage. Il ne lui restait qu'à attendre.

Rien.

S'il vous plaît, implora-t-il en son for intérieur. *Aidez-moi.*

« Pardonnez-moi ma brutalité arrogante », dit enfin Paul.

Il tendit la main.

« Bon », dit Robert Childan.

Il la serra.

Le calme descendit en lui. *Je m'en suis sorti. C'est fini. La grâce de Dieu ; existant à l'instant précis où j'en avais besoin. Un autre jour… autrement. Oserais-je encore tenter ma chance ? Sans doute pas.*

La mélancolie l'envahit, fugace. L'art, ou ce qui n'est pas la vie, s'étire sans fin tel un ver de béton. Plat, blanc, insensible à l'érosion, quoi qu'il puisse passer sur lui. *Je suis là. Je n'y suis plus.* Il rangea la petite boîte contenant la broche d'Edfrank Jewellery dans la poche de son manteau.

CHAPITRE DOUZE

« M. Tagomi, M. Yatabe est arrivé », annonça M. Ramsey avant de se retirer dans un coin du bureau, tandis que s'avançait un mince vieillard.

M. Tagomi tendit la main.

« Monsieur, je suis enchanté de faire votre connaissance en personne. »

Une main fine, fragile, se glissa dans la sienne, qui la serra à peine puis la relâcha aussitôt. *J'espère que je ne lui ai rien cassé*, songea-t-il en examinant l'arrivant, dont les traits lui inspirèrent un certain plaisir. *Un esprit sévère, cohérent. Pas question de pensées brouillonnes. La transmission lucide des antiques traditions dans toute leur stabilité, certainement. La meilleure qualité que puisse représenter l'âge...* Alors seulement M. Tagomi s'aperçut qu'il se trouvait en présence du général Tedeki, l'ancien chef du gouvernement impérial.

Le directeur de la Mission Commerciale s'inclina très bas.

« Général.

— Où est notre troisième homme ? s'enquit le vieillard.

— D'un bon pas, il vient. Je l'ai prévenu moi-même à son hôtel. »

L'esprit de M. Tagomi se débattait littéralement. Il recula de quelques pas, toujours incliné, et ne se redressa qu'avec difficulté.

Le visiteur s'assit. M. Ramsey, toujours ignorant de son identité, sans doute, lui avança sa chaise mais ne lui témoigna par ailleurs aucune déférence particulière. M. Tagomi prit place en face de lui, non sans hésitation.

« Nous tardons, dit le général. C'est regrettable, mais inévitable.

— Certes. »

Dix minutes s'écoulèrent. Les deux hommes gardaient le silence.

« Excusez-moi, monsieur, finit par dire M. Ramsey, mal à l'aise, mais je vais me retirer, à moins que vous n'ayez besoin de mes services. »

Son supérieur acquiesça ; il quitta la pièce.

« Du thé, général ? proposa M. Tagomi.

— Non, merci.

— Monsieur, je reconnais que j'ai peur. Je sens que cette entrevue va être terrible. » L'officier baissa la tête. « M. Baynes, dont j'ai fait la connaissance et que j'ai invité chez moi, se présente comme suédois. Pourtant, mes recherches m'ont persuadé qu'il s'agit en réalité d'un Allemand haut placé. Je me permets cette déclaration, car...

— Poursuivez, je vous prie.

— Merci. L'agitation qui entoure cette rencontre me pousse à déduire qu'elle est liée aux bouleversements politiques du Reich. »

M. Tagomi passa sous silence un autre aspect de la situation : il savait que le général n'était pas arrivé au moment prévu.

« Vous partez à la pêche, M. Tagomi ; vous n'en rapportez pas vos prises », déclara le vieillard.

Ses yeux gris pétillaient, paternels. On n'y voyait pas trace de dureté.

« Ma présence lors de cette entrevue n'est-elle qu'une simple formalité, destinée à égarer les espions nazis ? » s'enquit son hôte, acceptant le reproche.

« Il est évidemment dans notre intérêt de préserver une façade. M. Baynes est le représentant de Tor-Am Industries, de Stockholm, un pur homme d'affaires. Quant à moi, je suis Shinjiro Yatabe. »

Et moi, M. Tagomi, ajouta M. Tagomi en son for intérieur. *De ce côté-là, il en est bien ainsi.*

« Je ne doute pas que les nazis aient passé au crible les allées et venues de M. Baynes », continua le visiteur. Il posa ses mains sur ses genoux, le dos très droit… *comme s'il avait remarqué une lointaine odeur de bouillon de bœuf*, se dit son interlocuteur. « Mais démolir la façade les obligerait à employer des procédés légaux. Tel est le véritable but ; non tromper, mais exiger en cas d'exposition les formalités adéquates. Vous comprenez par exemple que pour appréhender M. Baynes, il ne leur suffirait pas de lui tirer dessus… ce qu'ils pourraient faire s'il voyageait en tant que… ma foi, s'il voyageait sans cette ombrelle verbale.

— Je vois. »

On dirait un jeu, songea M. Tagomi. *Mais ils connaissent la mentalité nazie. Je suppose donc que c'est utile.*

L'interphone du bureau bourdonna.

« M. Baynes vient d'arriver, monsieur, annonça la voix de M. Ramsey. Dois-je vous l'envoyer ?

— Oui ! » s'exclama son supérieur.

La porte s'ouvrit sur M. Baynes, élégamment vêtu, sa tenue tout entière bien repassée et bien coupée, l'air calme.

Le général Tedeki se leva, imité par M. Tagomi. Les trois hommes s'inclinèrent.

« Monsieur, dit M. Baynes au général. Je me présente : capitaine R. Wegener, du contre-espionnage naval du Reich. Nous sommes bien d'accord, je ne représente que moi-même et certaines personnes privées que je ne nommerai pas. Aucun bureau ou département du gouvernement du Reich d'aucune sorte.

— Herr Wegener, je comprends que vous ne prétendez représenter d'aucune manière aucune branche du gouvernement du Reich, assura le vieillard. Quant à moi, je suis ici en tant que personne privée sans charge officielle, mais pouvant se prévaloir, en vertu d'une position antérieure dans l'armée impériale, d'un accès aux cercles tokyoïtes désireux d'entendre ce que vous avez à dire. »

Étrange discours, se dit M. Tagomi. *Pas désagréable, pourtant. Une qualité quasi musicale. Un soulagement rafraîchissant, à vrai dire.*

Les trois hommes s'assirent.

« Je me permets de vous informer sans préambule, vous et les personnes de votre connaissance, qu'il existe dans le Reich un programme déjà bien avancé du nom de Löwenzahn, déclara M. Baynes. Pissenlit.

— Oui », acquiesça le général, comme s'il avait déjà entendu parler de ce fameux Pissenlit.

M. Tagomi lui trouvait pourtant l'air désireux d'en entendre davantage.

« Ce programme, continua M. Baynes, consiste à organiser un incident frontalier entre les États des Rocheuses et les États-Unis. »

Le vieillard acquiesça à nouveau, un léger sourire aux lèvres.

« Les forces états-uniennes, attaquées, riposteront en traversant la frontière et en affrontant les troupes régulières des Rocheuses en poste à proximité. Les soldats états-uniens disposent de cartes détaillées des installations militaires du Midwest. C'est là l'étape numéro un. L'étape numéro deux consiste en une déclaration de guerre de l'Allemagne à cause de ce conflit. Un détachement de parachutistes de la Wehrmacht, composé de volontaires, se portera au secours des États-Unis. Cette intervention ne sera cependant que de la poudre aux yeux.

— Oui, acquiesça le général, attentif.

— Le but premier de l'opération Pissenlit n'est autre qu'une attaque nucléaire massive contre les îles de l'archipel, sans avertissement d'aucune sorte. »

M. Baynes se tut.

« Dans le but de balayer la famille royale, l'armée de défense de notre patrie, l'essentiel de la marine impériale, la population civile, l'industrie et les ressources, compléta le général Tedeki. Livrant les territoires étrangers à l'absorption par le Reich. » M. Baynes resta muet. « Autre chose ? » s'enquit son interlocuteur, ce qui le dérouta visiblement. « La date, par exemple.

— Modifiée. À cause de la mort de Herr Bormann. À mon avis, en tout cas. Je ne suis pas en contact avec l'Abwehr, en ce moment.

— Continuez, Herr Wegener.

— Nous recommandons au gouvernement japonais de se mêler de la situation domestique du Reich. C'est du moins ce que je devais recommander. Certaines factions allemandes sont favorables à l'opération Pissenlit ; d'autres non. Nous espérions que celles qui s'y opposent arriveraient au pouvoir à la mort du chancelier Bormann.

— Mais Herr Bormann s'est éteint pendant votre séjour ici, et la situation politique a trouvé sa propre solution. Herr Goebbels est chancelier, à présent. Les troubles sont terminés. » Le vieillard s'interrompit. « De quel œil son camp considère-t-il l'opération Pissenlit ?

— Le Doktor Goebbels est un de ses défenseurs. »

M. Tagomi ferma les yeux sans que ses deux visiteurs s'en aperçoivent.

« Et qui s'y oppose ? » s'enquit le général Tedeki.

La voix de M. Baynes résonna aux oreilles de M. Tagomi :

« Le général S.S. Heydrich.

— Je suis surpris, commenta le vieillard. Et je doute. S'agit-il d'une information avérée ou juste du point de vue partagé par vos collègues ?

— L'administration de l'Est – c'est-à-dire des zones actuellement sous domination japonaise – reviendrait au ministère des Affaires étrangères, donc aux amis de Rosenberg, qui travaillent en étroite collaboration avec la chancellerie, expliqua M. Baynes. L'an dernier, le sujet a donné lieu à d'âpres discussions entre les différentes parties. J'ai des photostats des comptes rendus. La police a demandé à exercer son autorité sur ces territoires, mais a été écartée. Il lui revient de gérer la colonisation spatiale, Mars, la Lune, Vénus. Ce sera son domaine réservé. Une fois cette division des responsabilités entérinée, la police a pesé de tout son poids en faveur du programme spatial et contre l'opération Pissenlit.

— La rivalité, dit le général Tedeki. Dresser différents groupes les uns contre les autres. Quand on est le chef. De manière à ce que personne ne vous défie jamais.

— Exactement. C'est pour ça qu'on m'a envoyé ici. Pour vous supplier d'intervenir. C'est encore possible ; la situation n'est pas figée. Il faudra des mois au Doktor Goebbels pour consolider sa position. Il va devoir briser la police, peut-être faire exécuter Heydrich et quelques autres personnalités très importantes de la S.S. et du S.D. Ensuite...

— Nous devrions soutenir le Sicherheitsdienst ? coupa le général Tedeki. La pire fraction de la société allemande ?

— En effet, répondit M. Baynes.

— Jamais l'empereur ne tolérerait une politique pareille. Il considère les corps d'élite du Reich, tous ceux dont les membres portent l'uniforme, la tête de mort, le système des châteaux... oui, à ses yeux, le mal est là, partout. »

Le mal, pensa M. Tagomi. *C'est pourtant vrai. Allons-nous l'aider à gagner en puissance afin d'être épargnés ? Est-ce là le paradoxe de notre situation terrestre ?*

Je ne puis affronter pareil dilemme. L'homme, contraint d'agir dans une telle ambiguïté morale. Il n'existe pas de Voie ; tout est brouillé. Chaos de lumière et de nuit, d'ombre et de substance.

« La Wehrmacht, l'armée... est la seule structure du Reich à détenir la bombe à hydrogène, expliqua M. Baynes. Chaque fois que les chemises brunes s'en sont servies, c'était sous supervision militaire. Du temps de Bormann, jamais la chancellerie n'a autorisé la police à posséder le moindre armement nucléaire. Dans l'opération Pissenlit, c'est l'O.K.W., le haut commandement militaire, qui doit mener la danse.

— J'en suis bien conscient, acquiesça le général Tedeki.

— Les chemises brunes sont plus féroces que la Wehrmacht dans leurs pratiques morales, mais moins puissantes. La réflexion doit se baser sur la réalité, sur le pouvoir réel. Pas sur les intentions éthiques.

— Oui, dit tout haut M. Tagomi, il faut être réalistes. »

Les deux autres lui jetèrent un coup d'œil.

« Avez-vous des suggestions spécifiques ? demanda le général Tedeki à M. Baynes. Devrions-nous prendre contact avec le S.D. ici même, dans les États-Pacifiques ? Négocier directement avec… j'ignore qui est le chef du S.D. dans la région. Un personnage répugnant, j'imagine.

— Le S.D. local n'est au courant de rien, répondit M. Baynes. Son directeur, Bruno Kreuz vom Meere, est un tâcheron de longue date du Partei. *Ein Altparteigenosse.* Un imbécile. Personne à Berlin n'envisagerait une seule seconde de l'informer de quoi que ce soit ; il se charge du travail de routine, voilà tout.

— Alors ? » insista le vieillard d'un ton coléreux. « Le consul de San Francisco ? Ou l'ambassadeur du Reich à Tokyo ? »

Les négociations vont échouer, songea M. Tagomi. *Malgré l'importance de l'enjeu. Il nous est impossible de pénétrer dans le monstrueux marigot schizophrénique des intrigues nazies, qui ne visent qu'à la destruction réciproque ; notre esprit ne s'y adapte pas.*

« La situation exige une grande délicatesse, déclara M. Baynes. Il faut la gérer par une série d'intermédiaires. Un proche d'Heydrich stationné à l'extérieur du Reich, dans un pays neutre. Ou une personnalité habituée à aller et venir entre Tokyo et Berlin.

— Vous pensez à quelqu'un de précis ?

— Le ministre des Affaires étrangères italien, le comte Ciano. Un homme courageux, fiable, intelligent, tout dévoué à la compréhension internationale. Malheureusement… il n'a aucun contact avec l'appareil du S.D. Mais en Allemagne, il peut œuvrer à travers quelqu'un d'autre, un représentant des intérêts économiques tel que Krupp ; ou alors le général Speidel ; peut-être même un cadre des Waffen-S.S. Les Waffen sont moins fanatiques, plus en phase avec la société allemande.

— Vos dirigeants de l'Abwehr... il serait vain de chercher à atteindre Heydrich par votre intermédiaire.

— Les chemises brunes nous détestent, purement et simplement. Il y a vingt ans que ces monstres cherchent à obtenir l'autorisation de nous liquider jusqu'au dernier.

— N'êtes-vous pas en grand danger de ce fait ? Personnellement, je veux dire. J'ai cru comprendre qu'ils étaient très actifs ici, sur la côte Pacifique.

— Actifs, mais ineptes. Le type des Affaires étrangères, Reiss, a beau être incompétent, il n'aime pas le S.D., expliqua M. Baynes avec un haussement d'épaules.

— J'aimerais disposer de vos photostats. Pour les remettre à mon gouvernement. Tout ce que vous avez réuni sur les discussions menées en Allemagne. Et... » Le général réfléchit. « Des preuves. Objectives.

— Mais certainement. » M. Baynes tira de la poche de son manteau un étui à cigarettes plat en argent. « Vous constaterez que chaque cigarette est creuse et sert de conteneur à un microfilm. »

Il tendit l'objet à son interlocuteur, qui le prit puis l'examina avec attention.

« Et la boîte ? Elle a l'air trop précieuse pour que vous me la donniez.

— La boîte aussi », répondit M. Baynes, souriant, car le vieillard avait entrepris de vider l'étui.

« Merci. »

Le général Tedeki, également souriant, glissa le coffret dans la poche supérieure de son pardessus.

L'interphone du bureau bourdonna. M. Tagomi en pressa le bouton.

« Monsieur, plusieurs hommes du S.D. se sont introduits dans le hall du rez-de-chaussée, dit la voix de M. Ramsey. Ils cherchent à prendre l'immeuble. Les gardes du *Nippon Times* le défendent. » Le bruit d'une sirène s'éleva au loin ; à l'extérieur, dans la rue sur laquelle donnait la fenêtre du bureau. « La police militaire est en route, ainsi que la Kempeitai de San Francisco.

— Merci, M. Ramsey, répondit M. Tagomi. Il est tout à votre honneur de m'avoir informé de la situation avec calme. » Les visiteurs écoutaient, figés. « Messieurs », reprit-il, à leur intention, cette fois, « nous éliminerons sans le moindre doute les brutes du S.D. avant qu'elles n'arrivent à notre étage. » Il ajouta, pour son secrétaire : « Coupez l'électricité des ascenseurs.

— Bien, monsieur. »

La communication s'interrompit.

« Nous allons attendre », conclut M. Tagomi.

Il ouvrit le tiroir de son bureau, d'où il sortit une boîte en teck ; lorsqu'il en eut fait jouer la serrure, apparut un Colt 44 de la guerre de Sécession des États-Unis, fabriqué en 1860 et parfaitement conservé, une pièce de collection des plus précieuses. M. Tagomi entreprit de la charger avec de la poudre, des balles et des amorces. Ses deux compagnons le regardaient, les yeux écarquillés.

« Collection personnelle, expliqua-t-il. Loisirs gaspillés à des bêtises prétentieuses, dégainer et tirer vite, par exemple. Je reconnais humblement être au niveau des autres enthousiastes dans les concours. Mais, jusqu'ici, aucun usage sérieux. »

Il braqua d'une main sûre le revolver vers la porte de son bureau. Et resta assis à attendre.

*
* *

Assis à l'établi de la cave-atelier, Frank Frink appliquait une boucle d'oreille en argent presque terminée contre le polissoir en coton qui tournait à grand bruit ; des éclats de rouge lui éclaboussaient les lunettes, lui noircissaient les ongles et les mains. La boucle d'oreille, en forme de coquille spiralée, chauffait terriblement sous l'effet de la friction, mais il s'obstinait à la polir d'un air sombre.

« Ne la fais pas trop briller, intervint Ed McCarthy. Contente-toi des bosses. Tu peux même laisser tomber complètement les creux. » Frink grogna. « L'argent a plus de succès quand il n'est pas trop éclatant. Qu'il a l'air ancien. »

Du succès, se dit Frink.

Ils n'avaient rien vendu. Et, à part American Artistic Handcrafts, où ils avaient laissé leurs créations en dépôt, personne ne leur avait rien pris, alors qu'ils avaient démarché cinq magasins de détail.

On ne gagne pas un sou, se dit Frink. On fabrique encore et encore, mais les bijoux s'entassent autour de nous, point final.

Le fermoir de la boucle d'oreille se prit dans le disque, qui la lui arracha de la main et la projeta contre le bouclier du polissoir. Elle retomba à terre, tandis qu'il coupait le moteur.

« Ne lâche pas les pièces, lança McCarthy, qui travaillait à la torche à souder.

— Elles ne sont pas plus grosses que des petits pois, bordel. Pas moyen de trouver une prise.

— Bon, ben, ramasse-la, au moins. » *Au diable tout ça*, se dit Frink. « Qu'est-ce qui se passe ? » ajouta son associé en constatant qu'il ne faisait pas mine de récupérer la boucle d'oreille.

« On claque notre argent pour rien.

— On ne risque pas de vendre ce qu'on n'a pas fabriqué.

— On ne vend rien. Fabriqué ou non.

— Cinq magasins. Une goutte d'eau dans l'océan.

— La tendance. Ça suffit pour savoir.

— Tu te racontes des conneries.

— Je ne me raconte pas de conneries.

— Ce qui veut dire ?

— Ce qui veut dire qu'il est temps de se mettre à revendre le métal au poids.

— Bon, laisse tomber alors.

— C'est fait.

— Moi, je continue. »

McCarthy ralluma la torche.

« Et comment on s'y prend pour diviser tout ça ? demanda Frink.

— Je ne sais pas. On trouvera.

— Achète-moi ma part.

— Certainement pas. »

Il fit ses calculs de tête.

« Donne-moi six cents dollars.

— Non, tu n'as qu'à prendre la moitié de l'ensemble.

— La moitié du moteur ? »

Ils restèrent un moment silencieux.

« Trois boutiques de plus, dit enfin McCarthy. On en reparlera après. »

Il rabaissa son masque puis entreprit de braser un morceau de laiton dans un bracelet.

Frink s'éloigna de l'établi, repéra la boucle d'oreille, la ramassa et la replaça dans la boîte des bijoux inachevés.

« Je sors m'en griller une », annonça-t-il avant de gagner l'escalier.

Un instant plus tard, il se tenait sur le trottoir, une T'ien-lai entre les doigts.

C'est fini. Je n'ai pas besoin que l'oracle me le dise. Je sais ce que c'est comme Moment. Je sais ce que ça sent. La défaite.

Mais je ne sais pas vraiment pourquoi on en est arrivés là. Peut-être qu'on pourrait continuer ; en théorie. De magasin en magasin ; dans d'autres villes. Mais... il y a quelque chose qui cloche. Nos efforts et notre ingéniosité n'y changeront rien.

Je veux savoir pourquoi.

Mais je ne saurai jamais.

Qu'est-ce qu'on aurait dû faire ? Qu'est-ce qu'on aurait dû faire autrement ?

On a raté le Moment. Raté le Tao. On est partis dans la mauvaise direction. Et voilà... la dissolution. Le pourrissement.

Le yin nous a eus. La lumière nous a tourné le dos ; elle s'est cassée.

On ne peut que se soumettre.

Il restait planté là, sous l'avant-toit de l'immeuble, à tirer de rapides bouffées de sa cigarette à la marie-jeanne en regardant la circulation d'un air morose, quand un blanc d'âge moyen, très ordinaire, s'approcha de lui.

« M. Frink ? Frank Frink ?

— En personne. »

L'inconnu fit apparaître un papier plié et une carte.

« Police de San Francisco. J'ai un mandat d'arrêt à votre nom. »

Déjà, il tenait Frink par le bras ; déjà, c'était fait.

« Pourquoi ?

— Fraude. M. Childan, d'American Artistic Handcrafts. »

Le flic entraîna son prisonnier le long du trottoir ; lorsqu'un de ses collègues en civil les rejoignit, Frink se retrouva encadré. Ils le poussèrent en direction d'une Toyopet banalisée, garée un peu plus loin.

Voilà ce que le Moment exige de nous, se dit-il après avoir été projeté sur la banquette de la voiture, entre ses deux gardiens. La portière claqua ; le conducteur, en uniforme, lui, se glissa vivement dans le flot de la circulation. *Voilà les fils de pute à qui nous sommes obligés d'obéir.*

« Vous avez un avocat ? demanda un des flics.

— Non.

— Ils vous donneront une liste au commissariat.

— Merci.

— Qu'est-ce que vous avez fait du fric ? » demanda encore l'un d'eux, plus tard, pendant qu'ils se garaient dans le garage du commissariat de Kearny Street.

« Dépensé.

— Tout ? »

Frink ne répondit pas.

Le type secoua la tête en riant.

« Vous ne vous appelleriez pas Fink, en réalité ? » interrogea un autre quand ils descendirent de voiture.

Le prisonnier sentit la terreur l'envahir.

« Fink, répéta le flic. Un youpin. » Il produisit un gros dossier gris. « Un réfugié européen.

— Je suis né à New York, répondit Frank Frink.

— Vous avez fui les nazis, affirma son interlocuteur. Vous savez ce que ça veut dire ? »

Frank Frink se dégagea et fonça à travers le garage. Ses trois gardiens hurlèrent ; en arrivant à la porte, il se retrouva face à une voiture pleine de policiers en uniforme, armés, qui lui barrait le chemin. Ses occupants lui sourirent tandis que l'un d'eux, le pistolet à la main, mettait pied à terre et lui refermait autour du poignet un des bracelets de ses menottes.

Après quoi il tira brusquement sur l'autre bracelet pour faire rebrousser chemin au captif – que le mince cercle de métal coupa jusqu'à l'os.

« On rentre en Allemagne, lui lança un des flics en le fixant d'un regard attentif.

— Je suis américain, riposta Frank Frink.

— Vous êtes juif, s'obstina le type.

— On l'enregistre ici ? » questionna un de ses collègues, pendant qu'on entraînait le prisonnier dans l'escalier.

« Non, répondit un autre. On le garde juste pour le consul allemand. Ils veulent le juger d'après les lois du Reich. »

Il n'y eut pas de liste d'avocats, en fin de compte.

*
*   *

Depuis vingt minutes, M. Tagomi restait immobile à son bureau, le revolver braqué vers la porte, pendant que M. Baynes faisait les cent pas. Quant au général Tedeki, il avait à la réflexion décroché le téléphone pour appeler l'ambassade du Japon à San Francisco, mais n'avait pas réussi à joindre le baron Kaelemakule. Un bureaucrate avait informé le requérant que l'ambassadeur était sorti.

Le vieillard cherchait maintenant à contacter Tokyo grâce à un appel transpacifique.

« Je vais m'entretenir avec l'École militaire, expliqua-t-il à M. Baynes. Ses membres n'auront plus qu'à s'adresser aux forces impériales stationnées près du Nippon Times Building. »

Il n'avait pas l'air anxieux du tout.

Nous serons donc secourus d'ici quelques heures, se dit M. Tagomi, *peut-être par des marins japonais armés de mitrailleuses et de mortiers.*

Passer par les canaux officiels se révèle extrême-ment efficace en termes de résultats... mais le déca-lage temporel est regrettable. Des voyous en chemise brune sont en train d'assommer secrétaires et employés dans les étages inférieurs.

Toutefois, il n'y pouvait personnellement pas grand-chose.

« Je me demande si ça servirait à quelque chose d'essayer de joindre le consul d'Allemagne », dit M. Baynes.

M. Tagomi eut une vision : il demandait à Mlle Ephreikian d'enregistrer sur son magnétophone les protestations adressées d'urgence à M. Reiss.

« Je peux appeler Herr Reiss sur une autre ligne, proposa-t-il.

— S'il vous plaît », acquiesça M. Baynes.

Sans lâcher son Colt 44 de collection, M. Tagomi pressa un bouton. Une ligne téléphonique tout par-ticulièrement destinée aux communications les plus obscures et ne figurant sur aucune liste fut aussitôt mise à sa disposition.

Il composa le numéro du consulat allemand.

« Bonjour, qui est à l'appareil ? »

Voix brusque, masculine, affairée, affligée d'un fort accent. Un sous-fifre, indéniablement.

« Passez-moi son excellence Herr Reiss, s'il vous plaît. D'urgence. Ici M. Tagomi. De l'Estimable Mission Commerciale, premier rang. »

Voix dure, la plus pragmatique possible.

« Oui, monsieur. Un instant, je vous prie. »

Long silence. Pas le moindre bruit au bout du fil, pas même un cliquetis. *Il reste juste planté là*, en déduisit M. Tagomi. *À me retarder. Ruse nordique caractéristique.*

« On me fait attendre, naturellement », dit-il tout haut au général Tedeki, qui patientait également, à l'autre téléphone, et à M. Baynes, qui faisait les cent pas.

Enfin, le fonctionnaire reprit la parole : « Je suis désolé de ce contretemps, M. Tagomi.

— Je vous en prie.

— Le consul est en réunion. Toutefois… »

M. Tagomi raccrocha.

« Vains efforts, c'est le moins qu'on puisse dire. »

Il se sentait déçu. Qui d'autre appeler ? La Tokkoka était déjà au courant, de même que les unités des M.P. du front de mer ; inutile de les contacter. Téléphoner à Berlin même ? Au chancelier du Reich, Goebbels ? À l'aéroport impérial militaire de Napa, pour demander à être secouru par voie aérienne ?

« Je vais essayer le chef du S.D., Herr Kreuz vom Meere, décida-t-il à voix haute. Pour me plaindre avec aigreur. Déblatérer et hurler des invectives. » Il entreprit de composer le numéro, attribué en toutes lettres – par euphémisme – au *Terminal aérien de la Lufthansa, Cargaisons de prix, Garde*. « Vitupérer avec une extrême hystérie », ajouta-t-il, tandis que l'écouteur bourdonnait.

« Jouez votre rôle de manière convaincante », dit le général Tedeki, souriant.

« Qui est à l'appareil ? » demanda une voix allemande à l'oreille de M. Tagomi. Plus pragmatique que la sienne. Mais il avait la ferme intention de persévérer. « Soyez bref.

— J'ordonne l'arrestation et la comparution immédiates de votre bande de brutes sanguinaires dégénérées, ces bêtes sauvages blondes bavantes, enragées, indescriptibles ! brailla-t-il. Vous me connaissez, *Kerl* ? Je suis M. Tagomi, consultant du gouvernement impérial. Cinq secondes, ou fini la légalité, les troupes de choc de la marine commenceront le massacre aux bombes à phosphore flamboyantes. Vous déshonorez la civilisation. »

À l'autre bout du fil, le sous-fifre bégayait anxieusement.

Son correspondant adressa un clin d'œil à M. Baynes.

« ... ne sommes au courant de rien, balbutiait le laquais.

— Menteur ! hurla M. Tagomi. Nous n'avons donc pas le choix. » Il raccrocha brutalement. « Ce ne sont que des gesticulations, bien sûr, dit-il à ses compagnons, mais cela ne peut faire de mal. Il existe toujours une infime possibilité qu'il y ait un élément nerveux, y compris au S.D. »

Le général Tedeki allait prendre la parole, mais un vacarme énorme à la porte du bureau l'interrompit. Elle s'ouvrit brutalement.

Deux blancs trapus apparurent, armés de pistolets à silencieux.

« *Da ist er* », dit l'un des intrus, quand leurs yeux se posèrent sur M. Baynes.

Ils lui foncèrent droit dessus.

Sans se lever, M. Tagomi pointa vers eux son antique Colt 44 de collection et pressa la détente. L'un des deux hommes s'effondra, tandis que l'autre tournait brusquement son arme vers le maître des lieux pour riposter. Il n'y eut pas de détonation, mais une minuscule volute de fumée s'éleva du canon à silencieux, pendant qu'une balle sifflait à l'oreille de M. Tagomi. Il ramena plusieurs fois de suite en arrière le chien de son Colt à une vitesse éclipsant tous les records, afin de faire feu encore et encore.

La mâchoire de l'intrus explosa. Des fragments d'os, des lambeaux de chair, des morceaux de dents volèrent alentour. *En pleine bouche*, réalisa M. Tagomi. Très mauvaise blessure, surtout si la balle suivait une trajectoire ascendante. Les yeux de l'Allemand n'en restaient pas moins pleins de vie, d'une certaine manière. *Il me voit toujours.* Puis ils perdirent leur éclat et le blessé s'effondra en produisant des gargouillis inhumains, lâchant son arme.

« Écœurant », déclara M. Tagomi.

Personne n'apparaissait plus à la porte ouverte.

« Peut-être est-ce fini », dit le général Tedeki au bout d'un moment.

M. Tagomi, qui avait entamé la longue tâche fastidieuse consistant à recharger son Colt – ce qui prenait trois minutes –, pressa le bouton de l'interphone.

« Aide médicale requise d'urgence, annonça-t-il. Voyou horriblement blessé. »

Pas de réponse, juste un léger bourdonnement.

M. Baynes s'était baissé pour ramasser les armes des deux intrus ; il en donna une au général, et garda la seconde.

« Nous allons maintenant les faucher, dit M. Tagomi en reprenant position avec son Colt 44. Formidable triumvirat, en ces lieux.

— Les voyous allemands se rendent ! cria une voix, dans le couloir.

— Nous nous en sommes occupés, répondit-il sur le même ton. Ils sont morts ou mourants. Venez vérifier empiriquement. »

Quelques employés du *Nippon Times* se montrèrent, non sans maladresse. Certains maniaient l'équipement anti-émeute de l'immeuble, haches, fusils ou grenades lacrymogènes.

« *Cause célèbre*, déclara M. Tagomi. Le gouvernement des P.S.A. pourrait sans hésiter déclarer la guerre au Reich. » Il ouvrit son revolver. « Fini.

— Ils nieront toute complicité, affirma M. Baynes. Comme d'habitude. La technique a servi cent fois. »

Il posa sur le bureau le pistolet à silencieux. « Fabriqué au Japon. »

Ce n'était pas une plaisanterie. Il avait raison, il s'agissait d'une arme japonaise de précision, M. Tagomi le constata de ses yeux.

« D'ailleurs, ils ne sont pas allemands », continua M. Baynes, qui s'était emparé du portefeuille d'un des deux blancs, le mort. « Celui-ci est citoyen des P.S.A. De San José. Il n'y a pas moyen de l'associer au S.D. *M. Jack Sanders.* »

Il jeta le portefeuille près du corps.

« Un hold-up, commenta M. Tagomi. Motif : notre chambre forte. Aucun aspect politique. »

Il se leva, chancelant.

De toute manière, la tentative d'enlèvement ou de meurtre avait échoué. Du moins cette fois-ci, la première. Mais le S.D. savait manifestement qui était M. Baynes et connaissait sans doute le but de son voyage.

« Le pronostic est mauvais », ajouta M. Tagomi.

L'oracle serait-il de la moindre utilité en l'occurrence ? Peut-être les protégerait-il. Peut-être les avertirait-il par l'interposition de ses conseils.

Toujours aussi secoué, M. Tagomi entreprit de tirer de leur boîte les quarante-neuf tiges d'achillée. La situation était déconcertante et anormale dans son ensemble. Une intelligence humaine ne pouvait la déchiffrer ; seul un esprit conjoint de cinq mille ans en serait capable. La société totalitaire allemande évoquait une forme de vie tarée, pire qu'il ne pouvait en exister au naturel. Par ses mélanges, son pot-pourri d'inutilité sans but.

Ici, se dit M. Tagomi, *le S.D. local sert d'instrument à une politique en complet désaccord avec celle de ses chefs berlinois. Où trouver un sens à cet être composite ? Qui est l'Allemagne, en réalité ? Qui a-t-elle*

jamais été ? Une parodie cauchemardesque déstructu-
rante des problèmes fréquemment rencontrés dans
l'existence.

L'oracle y verra clair. Le Yi King *comprend*
jusqu'aux drôles de pistolets comme les Allemands.

En voyant M. Tagomi manipuler distraitement sa
poignée de minces baguettes, M. Baynes prit
conscience de sa profonde détresse. *L'événement qui*
vient de se produire – l'obligation de tuer ou de muti-
ler deux êtres humains – n'est pas seulement terrible,
à ses yeux, mais aussi inexplicable, songea le visiteur.

Que dire pour le consoler ? C'est en mon nom qu'il
a tiré ; la responsabilité morale de ces deux vies est
donc mienne. Je l'accepte. C'est comme ça que je vois
les choses.

Le général Tedeki s'approcha de lui.

« Vous constatez le désespoir de cet homme, dit-
il à voix basse. Sans doute a-t-il été éduqué en
bouddhiste. Peut-être pas formellement, mais
l'influence du bouddhisme était là. Une culture dans
laquelle on ne prend nulle vie, car toute vie est
sacrée. »

M. Baynes acquiesça.

« Il recouvrera son équilibre, poursuivit le vieillard.
Avec le temps. Mais il ne dispose à l'heure actuelle
d'aucun point de vue d'où contempler et comprendre son acte. Le livre va l'aider, en lui fournis-
sant un cadre de références externe.

— Je vois. »

Un autre cadre de références pourrait aussi l'aider,
songea M. Baynes : *la doctrine du péché originel. Je*
me demande s'il en a entendu parler. Nous sommes
condamnés, tous tant que nous sommes, à commettre
des actes de violence et de cruauté ; à commettre le

mal. Telle est notre destinée, pour d'antiques raisons. Notre karma.

M. Tagomi a été contraint de prendre deux vies dans le but d'en sauver une. L'esprit logique, équilibré ne peut trouver de sens à une chose pareille. Un homme de bien tel que celui-là risque la folie à cause des implications de cette réalité.

Mais ce n'est pas au présent qu'il faut chercher le point crucial de la situation ; il n'a rien à voir avec ma mort ni avec celle des deux hommes du S.D. ; ce point se trouve – hypothétiquement – dans l'avenir. Ce qui s'est passé ici se justifie, ou pas, par ce qui se passe plus tard. Réussirons-nous à sauver la vie de millions de Japonais ? Du Japon tout entier, en fait.

L'homme qui manipulait les tiges d'achillée était, hélas, incapable de ce genre de pensées ; le présent, ici et maintenant, était trop tangible, incarné dans les deux Allemands, le mort et le mourant, qui gisaient près de lui.

Le général Tedeki avait raison ; le temps offrirait à M. Tagomi un autre point de vue. Faute de quoi il se retirerait dans la pénombre de la maladie mentale, il détournerait à jamais le regard, perdu dans une perplexité désespérée.

Nous ne sommes pas si différents, songea M. Baynes. *Nous affrontons la même confusion. Voilà pourquoi nous ne pouvons malheureusement lui être d'aucune aide. Il ne nous reste qu'à attendre, dans l'espoir qu'il finisse par se remettre plutôt que de succomber.*

CHAPITRE TREIZE

Il y avait à Denver des boutiques très modernes et très chics. Juliana trouvait le prix des vêtements étourdissant, mais Joe n'avait pas l'air de s'en soucier, ni même d'ailleurs de s'en rendre compte ; il se contentait de payer ce qu'elle prenait, puis ils s'empressaient de passer au magasin suivant.

La jeune femme fit sa principale acquisition – après de multiples essayages, de longues hésitations et de nombreux refus – alors que l'après-midi était déjà bien entamé : une robe bleu pâle de marque italienne, aux courtes manches aériennes et au décolleté très profond. Elle avait vu ce genre de modèle sur un mannequin, dans un magazine féminin européen ; c'était la grande mode, cette année. Il en coûta à Joe près de deux cents dollars.

Juliana choisit pour l'accompagner trois paires de chaussures, des bas nylon, plusieurs chapeaux et un sac à main en cuir noir cousu main. Elle s'aperçut aussi que le décolleté exigeait le port d'un de ces nouveaux soutien-gorge couvrant juste la partie inférieure des seins. Lorsqu'elle s'examina dans le miroir en pied du magasin, elle se sentit trop exposée. L'idée de se pencher en avant l'inquiétait un peu, mais la vendeuse lui assura que les soutien-gorge à demi-bonnets restaient

bien en place, même s'ils n'avaient pas de bretelles.

Jusqu'aux mamelons, oui, songea Juliana en regardant son reflet dans la cabine d'essayage. Pas un milli-
mètre plus haut. Les fameux soutien-gorge coûtaient
cher aussi ; ils étaient importés aussi, expliqua la vendeuse, et faits main. Elle montra également à sa
cliente des vêtements de sport, des shorts, des
maillots de bain et un peignoir court en tissu éponge.

« Je vais être canon, tu ne crois pas ? demanda
Juliana à Joe pendant qu'il entassait sacs et paquets
dans la voiture.

— Si, si, répondit-il distraitement. Surtout avec la
robe bleue. Tu vas la porter pour aller chez Abendsen,
compris ? »

Le ton sec du dernier mot la surprit ; on aurait dit
qu'il lui donnait des ordres.

« Je fais du 38, 40 », annonça-t-elle en entrant dans
la boutique suivante.

La vendeuse, un sourire aimable aux lèvres,
l'accompagna jusqu'aux portants des robes. Juliana
se demanda de quoi elle avait encore besoin. Autant
prendre le maximum de choses tant qu'elle en avait
la possibilité. Un coup d'œil lui permit d'englober
l'ensemble du magasin : corsages, jupes, pulls, pantalons, manteaux. Oui, un manteau.

« Il me faut un manteau, Joe, lança-t-elle. Un long.
Mais pas en tissu. »

Ils finirent par se mettre d'accord sur une fibre synthétique allemande, plus solide et moins chère que
la fourrure naturelle, mais la jeune femme, déçue,
se rabattit sur les accessoires pour se remonter le
moral. Il n'y avait hélas que des bijoux fantaisie de
pacotille qui ne brillaient ni par l'originalité ni par
l'imagination.

« Il *faut* que je trouve quelque chose, expliqua-t-elle à son compagnon. Des boucles d'oreilles, c'est vraiment le minimum. Ou une broche… pour aller avec la robe bleue. »

En ressortant, elle l'entraîna jusqu'à une bijouterie.

« Et toi. » La pensée venait juste de s'imposer à Juliana, qui sentit les remords l'envahir. « Il faut t'habiller aussi. »

Pendant qu'elle passait les bijoux en revue, Joe se rendit chez le coiffeur. Lorsqu'il reparut, une demi-heure plus tard, elle s'aperçut avec stupeur qu'il s'était non seulement fait couper les cheveux le plus court possible, mais avait aussi demandé une teinture. Pour un peu, elle ne l'aurait pas reconnu, en blond. *Seigneur Dieu*, songea-t-elle en ouvrant des yeux ronds. *Pourquoi a-t-il fait une chose pareille ?*

« J'en ai assez d'être un Rital », expliqua-t-il avec un haussement d'épaules.

Point final. Il refusa ensuite d'aborder le sujet, pendant qu'ils gagnaient un magasin de vêtements pour homme et se lançaient dans les achats qui lui étaient destinés.

Ils firent l'emplette d'un complet bien coupé, taillé dans une des nouvelles fibres synthétiques de Du Pont, le Dacron. De chaussettes, de sous-vêtements, d'élégantes chaussures à bout pointu. *Et maintenant ?* se demanda Juliana. Des chemises. Des cravates. Le vendeur l'aida à sélectionner deux chemises blanches à manchettes, plusieurs cravates importées de France et des boutons de manchette en argent. Le tout ne prit que quarante minutes. C'était d'une facilité surprenante par rapport aux choix qui la concernaient, elle.

À son avis, le costume aurait dû être retouché, mais Joe ne tenait plus en place. *Ah oui, je sais*, se dit-elle pendant qu'il payait avec ses billets de banque allemands. *Un nouveau portefeuille.* Toujours assistée du vendeur, elle choisit donc un portefeuille noir en crocodile qui mit le point final à la tenue. Lorsqu'ils quittèrent la boutique pour regagner la voiture, Joe et elle, il était quatre heures et demie. Les achats étaient terminés – du moins en ce qui concernait Joe.

« Tu ne veux pas faire retoucher la taille ? lui demanda Juliana au moment où il engageait la Studebaker dans la circulation du centre ville. Ton costume...

— Non. »

Le ton brusque et impersonnel de la réponse la fit sursauter.

« Qu'est-ce qui se passe ? Tu trouves que j'ai pris trop de choses ? » *Je sais que j'en ai trop pris,* ajouta-t-elle en son for intérieur. *J'ai énormément dépensé.* « Je peux rapporter une ou deux jupes.

— On va dîner, annonça-t-il.

— Seigneur ! Les chemises de nuit ! Voilà ce ce que j'ai oublié. » Il lui jeta un regard féroce. « Tu ne veux pas que je me trouve un joli pyjama ? Comme ça, je serai habillée de neuf des pieds à la tête...

— Non, trancha-t-il. Laisse tomber. Cherche plutôt un restaurant.

— On va d'abord prendre une chambre, répondit-elle d'un ton ferme. Pour se changer. Après, on ira dîner. »

Et ça a intérêt à être un super hôtel, ou c'est fini. Même s'il est tard. On va aussi demander à la réception de nous indiquer le meilleur restaurant de Denver. Plus un bon cabaret, qui propose un spectacle comme on n'en voit qu'une fois dans sa vie, pas avec une célébrité locale, non, avec un des grands noms d'Europe, Eleanor Perez ou Willie Beck, par exemple. Je sais que les stars de l'U.F.A. passent à Denver, j'ai vu les pubs. Pas question que je me laisse convaincre d'accepter moins bien.

Pendant qu'ils cherchaient un hôtel de luxe, elle jetait des coups d'œil en coin à son compagnon. *On dirait un autre homme, en blond, avec les cheveux courts. Et sa super tenue. Je me demande si je le préfère comme ça ? Difficile à dire. Moi... Quand je me serai débrouillée pour passer chez la coiffeuse, on sera complètement différents. Presque. Deux inconnus, créés à partir de rien. Enfin, d'argent. Mais il faut vraiment que je m'occupe de mes cheveux.*

Ils trouvèrent dans le centre-ville un grand hôtel majestueux, dont le portier en uniforme fit garer leur voiture par un employé. Exactement ce qu'elle voulait. Il y avait aussi un groom – un adulte, mais en uniforme rouge –, qui s'empressa de les rejoindre à l'extérieur pour s'emparer de tous leurs paquets et bagages. Il ne leur restait qu'à monter jusque sous la marquise les immenses marches couvertes d'un tapis puis à franchir les portes de verre et d'acajou, avant de pénétrer dans le hall.

Petites boutiques de fleurs, de cadeaux, de sucreries, bureau du télégraphe, agence de voyage, clients allant et venant autour de la réception et des ascenseurs, énormes plantes en pot, épaisse moquette moelleuse... odeur des lieux, de la foule, de l'activité. Enseignes lumineuses indiquant dans quelles directions chercher le restaurant, le bar, la brasserie. Juliana trouva difficile d'intégrer le tout en traversant la vastitude qui la séparait de la réception.

Il y avait même une librairie.

Pendant que Joe signait le registre, elle s'éclipsa pour aller voir s'il s'y trouvait un exemplaire du *Poids de la sauterelle*. Oui, le roman était là, toute une pile éclatante, accompagnée d'une pancarte expliquant qu'il était très à la mode, très important et aussi, bien sûr, *verboten* dans les régions sous domination allemande. Une femme d'âge mûr souriante, d'une patience et d'une douceur de grand-mère, s'occupa de Juliana ; le livre coûtait presque quatre dollars, ce qui lui parut énorme, mais elle le paya avec un billet allemand tiré de son nouveau sac à main, avant de rejoindre Joe.

Le groom ouvrit le chemin, chargé de leurs affaires, les entraîna jusqu'à l'ascenseur puis, au deuxième étage, dans un corridor – chaud, silencieux, moquetté – jusqu'à une chambre superbe, à couper le souffle. Il les y introduisit, posa leurs bagages à l'intérieur, ajusta la fenêtre et les lumières. Joe le gratifia d'un pourboire juste avant qu'il ne reparte, refermant la porte derrière lui.

Tout se passait exactement comme le désirait Juliana.

« Combien de temps on reste à Denver ? » demanda-t-elle à son compagnon, qui avait entrepris d'ouvrir les bagages sur le lit. « Avant d'aller à Cheyenne ? »

Il ne répondit pas, concentré sur le contenu de sa valise.

« Un jour ou deux ? insista-t-elle en ôtant son nouveau manteau. Tu crois qu'on pourrait passer *trois* jours ici ?

— On repart ce soir », lâcha-t-il, se décidant enfin à relever la tête.

D'abord, elle ne comprit pas ; puis, lorsqu'elle comprit, elle n'en crut pas ses oreilles. Elle le regarda ; il lui rendit son regard d'un air dur, presque méprisant, les traits crispés par une tension énorme, plus gigantesque qu'elle n'en avait jamais vu chez aucun être humain. Figé ; littéralement paralysé, les mains pleines des vêtements tirés de sa valise, penché en avant.

« Après manger », ajouta-t-il au bout d'un moment, sans qu'elle trouve rien à répondre. « Alors mets cette robe bleue qui a coûté si cher. Celle qui te plaît ; la plus belle... compris ? » Il commença à déboutonner sa chemise. « Je vais me raser et prendre une bonne douche brûlante. »

Sa voix avait quelque chose de mécanique, à croire qu'il parlait à des kilomètres de là, dans un appareil quelconque. Il pivota puis se dirigea vers la salle de bains d'une démarche raide, saccadée.

« Il est trop tard, aujourd'hui, parvint à dire Juliana, non sans peine.

— Pas du tout. On aura fini de dîner à cinq heures et demie, six heures au pire. On peut aller à Cheyenne en deux heures, deux heures et demie. Ça nous mène à huit heures et demie. Disons neuf heures au plus tard. On n'a qu'à téléphoner d'ici pour dire à Abendsen qu'on arrive ; lui expliquer la situation. Ça impressionne, un appel longue distance. On lui dira que... qu'on va sur la côte Ouest en avion ; qu'on n'est à Denver que ce soir. Qu'on a tellement aimé son livre qu'on va louer une voiture pour faire l'aller-retour jusqu'à Cheyenne dans la nuit, parce que c'est l'occasion de...

— Pourquoi ? » coupa-t-elle.

Les larmes lui montaient aux yeux. Elle s'aperçut alors qu'elle serrait les poings, le pouce en dedans, comme pendant son enfance. Que sa mâchoire tremblotait. Lorsqu'elle reprit la parole, ce fut d'une voix quasi inaudible.

« Je ne veux pas y aller cette nuit. Je n'irai pas. Je ne veux pas y aller demain non plus. Je veux juste voir ce qu'il y a à voir ici. Tu m'avais promis. »

Elle n'avait pas refermé la bouche que l'angoisse la saisit une fois de plus, pesant sur sa poitrine, l'étrange panique aveugle qui l'avait rarement quittée en compagnie du routier, même dans les meilleurs moments. Une peur d'une force telle qu'elle prit les commandes ; que Juliana la sentit frémir sur son visage, éclatante, évidente ; Joe ne pouvait pas la rater.

« On ira se balader après, en revenant, répondit-il. On verra tout ce qu'il y a à voir. »

Si raisonnables que soient ses arguments, il s'exprimait toujours d'un ton morne, dépourvu de vitalité ; on aurait dit qu'il récitait son texte.

« Non, riposta Juliana.

— Mets ta robe bleue. » Il passa les paquets en revue et réussit à mettre la main sur la robe en question, dans le plus grand carton. Après avoir prudemment ôté la ficelle qui la maintenait en place, il la déplia puis l'étendit sur le lit avec précision ; sans se presser. « D'accord ? Tu vas être à tomber. Et tu sais quoi ? On va acheter une bouteille de scotch de luxe et l'emporter. Du Vat 69. »

Frank… au secours, songea-t-elle. *Je me suis embringuée dans quelque chose que je ne comprends pas.*

« C'est nettement plus loin que tu ne le crois, déclara-t-elle tout haut. J'ai regardé la carte. Il sera vraiment très tard quand on arrivera, onze heures ou minuit.

— Mets cette robe, ou je te tue. »

Les yeux clos, elle se mit à glousser. *Mon entraînement. C'était vrai, en fin de compte. Maintenant, on va voir. Est-ce qu'il va me tuer, ou est-ce que je vais lui pincer un nerf du dos et en faire un handicapé à vie ? Mais il s'est battu contre les commandos britanniques… il a déjà vécu ça, il y a des années.*

« Je sais que tu peux me battre, ajouta-t-il. Peut-être.

— Pas te battre, non. T'estropier à vie. Je peux vraiment. J'ai vécu sur la côte Ouest. Les Japs m'ont appris comment faire à Seattle. Tu vas à Cheyenne si tu veux, je reste ici. Ne cherche pas à me forcer. Tu me fais peur, alors j'essaierai. » La voix de Juliana se brisa. « J'essaierai de toutes mes forces de t'avoir, si tu t'en prends à moi.

— Oh, allez... mets cette saleté de robe ! Qu'est-ce que c'est que cette histoire ? Tu es complètement folle de raconter des trucs pareils, de parler de me tuer ou de m'estropier, juste parce que je veux que tu remontes en voiture après dîner pour reprendre la route avec moi et aller voir un type dont le livre t'a tellement... »

On frappa à la porte.

Il alla ouvrir. Un tout jeune homme en uniforme se tenait dans le couloir.

« Service de nettoyage, monsieur. Vous l'avez demandé à la réception.

— Ah oui. » Joe regagna le lit, prit les chemises neuves achetées l'après-midi même et les remit au groom. « Vous pouvez les rapporter d'ici une demi-heure ?

— Il suffit de donner un coup de fer, répondit le garçon en les examinant. Pas de nettoyage. Oui, monsieur, pas de problème.

— Dis donc, tu savais qu'il faut repasser une chemise neuve avant de la porter ? » demanda Juliana, pendant que Joe refermait la porte.

Il haussa les épaules sans répondre.

« Moi, continua-t-elle, j'avais oublié. Alors qu'une femme est censée savoir ce genre de choses... Elles sont toutes froissées quand on les déballe.

— Dans ma jeunesse, je sortais beaucoup, habillé chic.

— Et tu savais qu'il y a un service de nettoyage ici ? Moi, je ne savais pas. Tu t'es vraiment fait couper et teindre les cheveux ? Je te parie qu'ils ont toujours été blonds et que tu portais une perruque. Pas vrai ? »

Nouveau haussement d'épaules.

« Tu appartiens au S.D., continua-t-elle. Tu joues les routiers italiens, mais tu ne t'es jamais battu en Afrique du Nord, je suppose ? Tu es censé tuer Abendsen ; c'est ça, hein ? Je sais que c'est ça. Quelle idiote. »

Elle se sentait desséchée, racornie.

« Si, je me suis battu en Afrique du Nord, répondit Joe au bout d'un moment. Bon, peut-être pas avec l'artillerie de Pardi. Avec les Brandenburgers. Les commandos de la Wehrmacht. On infiltrait les Q.G. des Brits. Je ne vois pas ce que ça change. Il y a eu de l'action. Et j'étais au Caire ; c'est là que j'ai gagné ma médaille et une citation sur le champ de bataille. Caporal.

— Le stylo plume… c'est une arme ? » Pas de réponse. « Une bombe. » Juliana formula l'idée tout haut au moment où elle lui vint à l'esprit. « Une bombe déguisée, réglée pour exploser si quelqu'un la touche.

— Non. Le fameux stylo que tu as vu est un émetteur-récepteur de deux watts. Qui me permet de garder le contact radio. Au cas où il y aurait un changement de programme, à cause de la situation politique, qui évolue en permanence à Berlin.

— Tu vas vérifier juste avant d'agir. Pour être sûr. » Il acquiesça. « Tu n'es pas italien, mais allemand.

— Suisse.

— Mon mari est juif.

— Je me fiche de ton mari. Tout ce qui m'intéresse, c'est que tu mettes cette robe et que tu t'attifes avant le dîner. Débrouille-toi pour tes cheveux ; dommage que tu n'aies pas pu aller chez la coiffeuse. Le salon de beauté de l'hôtel est peut-être encore ouvert. Tu n'as qu'à y faire un tour pendant que j'attends mes chemises et que je me douche.

— Comment tu vas t'y prendre pour le tuer ?

— Juliana, mets ta nouvelle robe, s'il te plaît. Je vais appeler la réception pour demander, en ce qui concerne la coiffeuse. »

Il s'approcha du téléphone.

« Pourquoi tiens-tu tellement à ce que je vienne ?

— On a un dossier sur Abendsen, répondit-il en composant un numéro. Il semblerait qu'il soit attiré par un certain type de femmes. Les brunes libidineuses. Moyen-orientales ou méditerranéennes. »

Pendant qu'il parlait au personnel de l'hôtel, elle s'allongea sur le lit. Les yeux fermés, les bras posés sur le visage.

« Il y a une coiffeuse, annonça Joe en raccrochant. Elle peut s'occuper de toi tout de suite. Il te suffit de descendre au salon de beauté ; sur la mezzanine. » Consciente qu'il lui tendait quelque chose, Juliana rouvrit les yeux : des billets de banque allemands. « Tiens. Pour la payer.

— Laisse-moi me reposer tranquille. S'il te plaît ? »

Il la fixa avec une curiosité et une inquiétude intenses.

« Seattle ressemble à ce qu'aurait été San Francisco s'il n'y avait pas eu le grand incendie, continua-t-elle. De très vieux immeubles en bois, quelques-uns en brique, et des collines, comme à S.F. Il y avait des Japs bien avant la guerre. Ils ont leur propre quartier des affaires, des maisons, des magasins et tout ce qui s'ensuit, et tout ça très très vieux. C'est un port. Le vieillard qui m'a servi de prof… j'étais arrivée là-bas avec un type de la marine marchande ; c'est à ce moment-là que j'ai commencé à prendre des cours…

Minoru Ichoyasu ; toujours en veste et cravate ; aussi rond qu'un yo-yo. Il exerçait au premier, dans un immeuble de bureaux japonais ; avec son nom en lettres dorées sur la porte, tellement vieux jeu, et une salle d'attente qui rappelait un cabinet dentaire. Il y avait le *National Geographic*. »

Joe se pencha sur elle, l'attrapa par le bras, la releva en position assise puis la soutint pour l'empêcher de retomber.

« Qu'est-ce qui t'arrive ? demanda-t-il en scrutant son visage avec attention. On dirait que tu te trouves mal.

— Je meurs.

— C'est juste une crise d'angoisse. Tu en as tout le temps, je parie ? Je vais te chercher un sédatif à la pharmacie de l'hôtel. Du phénobarbital, par exemple, d'accord ? Et puis on n'a rien avalé depuis dix heures du matin. Ça va aller. Une fois chez Abendsen, tu n'auras pas à lever le petit doigt, il suffira que tu m'accompagnes partout. C'est moi qui parlerai. Toi, tu n'auras qu'à sourire et à te montrer charmante ; à lui faire la conversation pour qu'il ne nous plante pas là, qu'il ne parte pas je ne sais où. Quand il nous verra, je suis sûr qu'il nous laissera entrer, surtout avec le décolleté de cette robe italienne. Moi aussi, à sa place, je te laisserais entrer.

— Il faut que j'aille à la salle de bains. Je me sens mal. S'il te plaît. » Elle se débattit pour lui échapper. « Je vais être malade… lâche-moi. »

Il la lâcha en effet. Juliana traversa la chambre, atteignit la salle de bains et s'y enferma.

Je peux le faire. Elle alluma la lumière ; la tête lui tourna, et elle plissa les yeux. *Je vais trouver.* Dans l'armoire à pharmacie, un paquet de lames de rasoir, du savon, du dentifrice, gracieusement fournis par l'hôtel. Elle ouvrit le petit paquet inentamé. Des lames à un seul tranchant, très bien. En déballa une, d'un bleu-noir huileux.

L'eau coulait dans la douche. Juliana se plaça sous le jet… Seigneur ! Elle ne s'était pas déshabillée. Fichue. Sa robe trempée. Ses cheveux ruisselants. Horrifiée, elle trébucha, faillit tomber, sortit de la cabine à tâtons. Les jambes ruisselantes… Elle se mit à pleurer.

Joe la trouva devant le lavabo. Débarrassée de sa tenue mouillée abîmée ; nue, appuyée sur un bras, penchée. Elle se reposait.

« Mon Dieu, dit-elle en prenant conscience de la présence de son compagnon. Je ne sais pas quoi faire. Mon ensemble en jersey est fichu. C'est de la laine. »

Il se tourna dans la direction indiquée ; un tas de vêtements trempés.

« Bon, ce n'est pas ce que tu allais porter ce soir, de toute manière », déclara-t-il avec calme, malgré son évidente stupeur. Il se servit d'une des serviettes blanches mousseuses de l'hôtel pour essuyer la jeune femme puis la ramena dans la chambre bien chaude, à la moquette moelleuse. « Mets tes sous-vêtements… mets quelque chose. Je vais faire monter la coiffeuse ; il faut qu'elle vienne, il n'y a pas d'autre solution. »

Une fois de plus, il décrocha le téléphone et composa un numéro.

« Qu'est-ce que tu m'as trouvé comme cachets ? demanda Juliana quand il raccrocha.

— J'ai oublié. Je vais appeler la pharmacie. Non, attends ; j'ai quelque chose. Du Nembutal ou un truc de ce genre. »

Il s'empressa d'aller fourrager dans sa valise puis, quelques secondes plus tard, tendit deux gélules jaunes à sa compagne.

« Est-ce que ça va me détruire ? s'enquit-elle en les prenant maladroitement.

— Hein ? » répondit-il, tandis que ses traits se crispaient.

Faire pourrir ma moitié inférieure, pensa-t-elle. *Me dessécher.*

« Je veux dire, m'empêcher de me concentrer ? expliqua-t-elle prudemment, à voix haute.

— Non… c'est un médicament d'A.G. Chemie qu'on nous donne chez nous. Je m'en sers quand je n'arrive pas à dormir. Je vais te chercher un verre d'eau. »

Il s'éloigna.

La lame, songea-t-elle. *Je l'ai avalée. Elle me déchire les entrailles à jamais. Le châtiment. Mariée à un Juif et couchant avec un assassin de la Gestapo.* Les larmes lui remontèrent aux yeux, brûlantes. *Pour tout ce que j'ai commis. Détruit.*

« J'y vais, dit-elle en se remettant sur ses pieds. La coiffeuse.

— Tu ne t'es pas rhabillée ! » Joe la rassit puis essaya de lui mettre une culotte, en vain. « Il faut s'occuper de tes cheveux, continua-t-il, visiblement désespéré. Où est cette *Schwein* ? Cette truie ?

— Les cheveux créent un chien dément qui ôte des points noirs de nudité », déclara-t-elle non sans difficulté, d'une voix lente. « Se cacher, sans cachette, accrochée au crochet. Le crochet divin. Cheveux, chuintement, *Schwein.* »

Les cachets. Sans doute de la térébenthine acide. Ils ont fait connaissance et décidé de me ronger éternellement, entre dangereux solvants corrosifs.

Joe blêmit. *Il doit lire en moi. Lire dans mon esprit avec sa machine, même si je n'arrive pas à la trouver.*

« Ces médicaments, dit-elle. Égarent et désorientent.

— Tu ne les as pas pris, » riposta-t-il en lui montrant du doigt son poing fermé ; elle s'aperçut alors qu'elle tenait toujours les gélules, en effet. « Tu es mentalement malade. » Il était devenu lent, lourd, une véritable masse inerte. « Très malade. On ne peut pas y aller.

— Pas de médecin. Ça ira. »

Elle essaya de sourire, les yeux fixés sur lui pour voir si elle y arrivait. *Un reflet dans le cerveau de monsieur, pêchant mes pensées empêchées.*

« Je ne peux pas t'emmener chez Abendsen, reprit-il. Pas maintenant, en tout cas. Demain. Tu te sentiras peut-être mieux. On essaiera demain. Bien obligés.

— Je peux retourner à la salle de bains ? »

Il acquiesça, les traits agités, à peine conscient de ce qu'elle racontait. Elle regagna donc la salle de bains, dont elle referma la porte. Tira de l'armoire à pharmacie une autre lame, qu'elle prit de la main droite. Ressortit.

« Au revoir », lança-t-elle.

Lorsqu'elle ouvrit la porte du corridor, il laissa échapper une exclamation de surprise et se jeta sur elle.

Geste rapide.

« Quelle horreur. Des violeurs. Je devrais le savoir. » *Prête à défendre mon sac à main ; à affronter les rôdeurs de la nuit. Je suis sûre que je suis parfaitement capable de me débrouiller. Où est-il passé, celui-là ? À se tenir le cou en dansant sur place.* « Laisse-moi passer. Ne te mets pas en travers de mon chemin, à moins d'avoir envie d'une bonne leçon. Quoique faible femme. »

La lame brandie, elle ouvrit la porte en grand. Joe s'assit par terre, les mains pressées contre le cou. Dans l'attitude de quelqu'un qui a pris un coup de soleil.

« Au revoir », répéta-t-elle, avant de refermer la porte dans son dos.

Le corridor bien chaud, à la moquette moelleuse.

Une femme en blouse blanche y poussait un petit chariot en fredonnant – en chantonnant, peut-être –, la tête basse. Attentive aux numéros des portes. Arrivée devant Juliana, elle releva la tête. Ses yeux s'écarquillèrent, tandis que sa bouche s'ouvrait de stupeur.

« Toi, ma belle, tu es complètement paf ; il te faut bien autre chose qu'une coiffeuse… Dépêche-toi de rentrer dans ta chambre et de t'habiller, avant de te faire jeter dehors. Seigneur. » Elle rouvrit la porte. « Ton mec a intérêt à te dessaouler. Je vais demander au service de chambre de vous monter du café. Allez, rentre, s'il te plaît. »

Poussant Juliana en arrière, elle claqua la porte. Le bruit du chariot s'éloigna.

La coiffeuse, évidemment. Juliana baissa les yeux : elle n'avait pas un fil sur le corps, l'inconnue avait raison.

« Tu vois, Joe, ils ne veulent pas me laisser faire. »

Trouver le lit, trouver la valise, l'ouvrir, en déverser les vêtements. Dessous, corsage, jupe… chaussures plates.

« Ils m'ont obligée à revenir. » Peigne. Juliana se le passa rapidement dans les cheveux puis les rejeta en arrière. « Quelle expérience. Elle arrivait à notre porte, elle allait frapper. » La jeune femme se releva pour se lancer à la recherche du miroir. « C'est mieux comme ça ? » Côté intérieur de la porte du placard. Elle pivota sans quitter son reflet des yeux, se contorsionna, se haussa sur la pointe des pieds. « Je me sens horriblement embarrassée. » Voyons, où était passé Joe ? « Je ne sais plus ce que je fais. Tu m'as donné quelque chose, hein. Je n'ai pas la moindre idée de ce que c'était, mais ça ne m'a pas aidée, ça m'a rendue malade, point final. »

Il se trouvait toujours assis par terre, les mains crispées sur son cou.

« Nom de Dieu… Tu es très douée. Tu m'as coupé l'aorte. L'artère du cou. »

Elle se posa en riant la main sur la bouche.

« Seigneur… quel idiot. Je veux dire, tu mélanges tout. L'aorte, c'est dans le torse. Toi, tu parles de la carotide.

— Si je retire les mains, je me vide de mon sang en deux minutes. Tu le sais pertinemment. Alors va chercher des secours, un médecin ou une ambulance. Tu comprends ? Tu l'as fait exprès ? Évidemment. Bon… tu vas appeler ou ramener quelqu'un ?

— J'y allais », répondit-elle, à la réflexion.

« Ah. Fais-le pour moi, d'accord ? Pour me sauver la vie.

— Vas-y toi-même.

— Je n'arrive pas à fermer complètement la plaie. » Le sang suintait entre les doigts de Joe ; un filet sombre lui coulait le long du poignet, elle s'en aperçut enfin. Une petite flaque s'agrandissait par terre. « Je n'ose pas bouger. Il faut que je reste où je suis. »

Juliana enfila son manteau neuf, ferma son sac neuf en cuir, cousu main, ramassa sa valise puis autant de paquets qu'elle pouvait en porter, parmi les siens ; en veillant au passage à prendre le carton où attendait la robe bleue italienne, rangée avec soin. Au moment de ressortir dans le corridor, elle jeta un coup d'œil en arrière.

« Je peux peut-être prévenir la réception. Au rez-de-chaussée.

— Oui.

— Bon. Je m'en occupe. Pas la peine de me chercher à l'appartement de Cañon City, parce que je n'ai pas l'intention d'y retourner. Et je garde la plupart de tes billets allemands, donc je suis plutôt bien lotie, malgré tout. Au revoir. Désolée. »

Elle referma la porte puis s'éloigna le plus vite possible dans le couloir, chargée de sa valise et de ses paquets.

Devant l'ascenseur, un homme d'affaires et sa femme, des gens âgés, bien habillés, lui proposèrent leur aide ; ils se chargèrent des paquets puis, une fois au rez-de-chaussée, les confièrent à un groom.

« Merci », leur dit Juliana.

Lorsque le groom eut porté ses achats à l'extérieur, sur le trottoir, elle trouva un employé de l'hôtel qui lui expliqua comment récupérer sa voiture. Quelques instants plus tard, elle attendait dans le garage de béton frais, derrière le bâtiment principal, que le gardien lui amène la Studebaker. Son sac à main contenait pas mal de monnaie ; après avoir gratifié le type d'un pourboire, elle se retrouva au volant, sur une rampe baignée d'une lumière jaune qui la mena jusqu'à la rue et à ses lampadaires, sa circulation, ses enseignes lumineuses.

Le portier en uniforme rangea lui-même dans le coffre valise et paquets, un sourire si cordial, si encourageant aux lèvres qu'elle lui donna avant de repartir un énorme pourboire. À la grande surprise de Juliana, nul ne chercha à l'arrêter ; nul ne fit ne serait-ce qu'arquer le sourcil. *Ils se doutent qu'il paiera*, se dit-elle. *À moins qu'il ne l'aie fait en signant le registre.*

Une fois la voiture intégrée au flot de la circulation, immobilisée à un feu, la jeune femme se souvint qu'elle avait oublié de signaler à la réception que Joe avait besoin d'aide, assis par terre dans la chambre. Il était toujours assis là-bas à attendre, jusqu'à la fin du monde ou jusqu'à ce que la femme de ménage arrive le lendemain, à un moment ou à un autre. *Je ferais mieux d'y retourner ou de téléphoner. De m'arrêter à une cabine.*

C'est complètement idiot. Elle continuait sa route, à la recherche d'un endroit où se garer pour appeler l'hôtel. *Qui l'eût cru, il y a une heure ? Quand on s'est inscrits, qu'on s'est arrêtés... On a failli continuer, s'habiller, sortir dîner ; on aurait même pu aller au cabaret.* Elle s'aperçut qu'elle s'était remise à pleurer ; les larmes lui tombaient du nez sur le corsage pendant qu'elle négociait la circulation. *Dommage que je n'aie pas consulté l'oracle ; il aurait su, il m'aurait prévenue. Pourquoi ne lui ai-je pas demandé ? J'aurais pu n'importe quand, n'importe où, pendant le trajet ou avant de partir.* Elle se mit à gémir malgré elle ; un bruit tel qu'elle ne s'en était jamais entendue produire, qui l'horrifia, mais qu'il lui fut impossible d'éliminer, même en serrant les dents. Une psalmodie, une lamentation, un chant monstrueux, qui lui sortait par le nez.

Une fois garée, elle resta assise au volant sans couper le contact, tremblante, les mains dans les poches. *Mon Dieu*, se dit-elle tristement. *Enfin, je suppose que ce sont des choses qui arrivent.* Elle descendit de voiture, tira sa valise du coffre, s'installa à l'arrière pour l'ouvrir puis farfouilla un moment parmi ses vêtements et ses chaussures, à la recherche des deux volumes noirs de l'oracle. Là, dans la Studebaker dont le moteur tournait toujours, les trois *dimes* des R.M.S. lui permirent de composer un hexagramme, aux lumières aveuglantes d'une vitrine de grand magasin. *Que faire ?* demanda-t-elle au livre. *Dis-moi que faire ; s'il te plaît.*

Le quarante-deux, l'Augmentation, avec des traits mutants en deuxième, troisième, quatrième et dernière positions ; ce qui le transformait en quarante-trois, la Percée. Juliana parcourut avidement le texte associé, en retenant les étapes successives grâce auxquelles se dégageait la signification de l'ensemble pour les combiner et les comprendre ; *Doux Jésus, la description exacte de la situation – un miracle de plus.* Tout ce qui s'était passé résumé là, sous ses yeux, en un motif schématique :

Il est avantageux d'entreprendre quelque chose.
Il est avantageux de traverser les grandes eaux.

Voyager, partir, faire quelque chose d'important, au lieu de rester où elle se trouvait. Ses lèvres remuaient, elle était en quête…

Dix couples de tortues ne peuvent pas s'opposer à lui.
Une persévérance durable apporte la fortune.
Le roi le présente devant Dieu. Fortune.

Venait ensuite le six en troisième position. À cette lecture, elle sentit la tête lui tourner.

On se trouve enrichi par des expériences malheureuses.
Pas de blâme si tu es sincère, que tu marches au milieu et fasses au prince un rapport muni d'un sceau.

Le prince… c'est-à-dire Abendsen. Le sceau, le nouvel exemplaire de son livre. Les expériences malheureuses… L'oracle savait ce qui était arrivé à Juliana, les terribles événements vécus avec Joe – quelle que soit sa véritable identité. Le six à la quatrième place :

Si tu marches au milieu et que tu fais un rapport au prince, il suivra.

Je dois y aller, même si Joe se lance à ma poursuite. Enfin, elle dévora le commentaire concernant le dernier trait mutant, le neuf au sommet :

Il ne procure d'augmentation à personne.
Quelqu'un assurément le frappe.
Il ne conserve pas son cœur constamment ferme.
Infortune.

Mon Dieu ; c'est une référence au tueur et à la Gestapo dans son ensemble... ça veut dire que Joe ou l'équivalent, un autre agent, ira là-bas tuer Abendsen. Elle s'empressa de se tourner vers l'hexagramme quarante-trois. Le jugement :

On doit résolument faire savoir la chose à la cour du prince.
Elle doit être annoncée conformément à la vérité.
Danger. On doit informer sa propre ville.
Il n'est pas avantageux de recourir aux armes.
Il est avantageux d'entreprendre quelque chose.

Pas la peine de retourner à l'hôtel faire le nécessaire en ce qui concerne Joe ; ça ne servirait à rien, parce qu'il en viendra d'autres. L'oracle le redit, en insistant encore plus. Il faut que j'aille à Cheyenne prévenir Abendsen, tant pis si c'est dangereux pour moi. Il faut que je lui apporte la vérité.

Juliana referma le livre.

Elle repassa à l'avant et réintégra le flot de la circulation. Bientôt, quittant le centre-ville de Denver, la Studebaker s'engagea sur l'Autobahn principale du Nord puis se mit à rouler à sa vitesse maximum. Le moteur produisait un étrange grondement palpitant qui secouait siège et volant, tandis que s'entre-choquait le contenu de la boîte à gants.

Grâces soient rendues au docteur Todt et à ses Autobahnen, se dit la jeune femme en filant dans l'obscurité, que seules rompaient la lumière de ses phares et les lignes peintes pour délimiter les files.

À dix heures du soir, retardée par un problème de pneu, elle n'était pas encore arrivée à Cheyenne. Il ne lui restait qu'à quitter la voie rapide pour trouver un endroit où passer la nuit.

Un panneau de sortie se dessina devant elle : GREELEY 8 KM. *Je repartirai demain matin*, se dit-elle quelques minutes plus tard, en parcourant lentement la rue principale de Greeley. Plusieurs motels arbo-raient des enseignes lumineuses signalant des chambres libres, ce qui signifiait qu'elle n'aurait pas de problème. *Il faut que j'appelle Abendsen tout de suite pour lui dire que j'arrive.*

Une fois garée, elle descendit de voiture avec las-situde, heureuse de s'étirer les jambes. Elle avait passé presque toute la journée sur la route, depuis huit heures du matin. Un drugstore ouvert de nuit se devinait un peu plus loin ; les mains dans les poches de son manteau, Juliana partit dans cette direction. Quelques instants plus tard, seule dans un petit box, elle demandait à l'opératrice le renseignement désiré.

Le numéro qui l'intéressait n'était pas sur liste rouge – heureusement. Il lui suffit de glisser les pièces dans l'appareil pour que l'opératrice appelle à l'adresse correspondante.

« Allô... »

Une femme à la voix vigoureuse, jeune, agréable ; sans doute sa correspondante avait-elle à peu près le même âge que Juliana.

« Mme Abendsen ? demanda-t-elle. Pourrais-je parler à M. Abendsen ?

— Qui est à l'appareil, s'il vous plaît ?

— J'ai lu son livre et j'ai passé la journée sur la route pour venir de Cañon City, au Colorado. Là, maintenant, je suis à Greeley. Je pensais arriver chez vous ce soir, mais ce n'est pas possible, alors je voudrais savoir si je peux le voir demain, à un moment ou à un autre. »

Un silence, puis Mme Abendsen reprit, d'une voix toujours aussi agréable :

« Oui, il est trop tard pour aujourd'hui ; nous sommes plutôt couche-tôt. Avez-vous… une raison particulière de venir voir mon mari ? Il travaille très dur, en ce moment.

— Je voulais lui parler. »

Juliana trouvait sa propre voix inexpressive, monotone.

Les yeux fixés sur le mur du box, elle s'aperçut qu'elle avait l'esprit vide. Impossible d'ajouter quoi que ce soit. Tout son corps lui faisait mal ; sa bouche sèche était pleine d'un goût composite répugnant. Un peu plus loin, le gérant du drugstore s'activait au comptoir des boissons, où il servait des milk-shakes à quatre adolescents. Que n'aurait-elle pas donné pour s'y trouver, elle aussi ; ce fut tout juste si elle entendit la réponse de sa correspondante. Elle mourait d'envie de boire quelque chose de bien frais, en l'accompagnant de… disons, d'un sandwich poulet-crudités.

« Hawthorne travaille de manière erratique, expliquait Mme Abendsen de sa voix rapide, pleine d'allant. Je ne peux rien vous promettre si vous venez demain, parce qu'il risque d'y passer la journée. Mais si vous êtes au courant avant d'entamer le trajet…

— Oui, coupa Juliana.

— Je suis sûre qu'il sera ravi de vous consacrer quelques minutes, dans la mesure du possible, continua son interlocutrice. Mais je vous en prie, ne soyez pas déçue si par hasard il ne peut pas s'arrêter le temps de discuter avec vous ou même de passer vous voir.

— On a lu son livre et on l'a beaucoup aimé. Je l'ai apporté.

— Je vois. »

Réponse pleine de bonne humeur.

« On s'est arrêtés faire des courses à Denver, c'est ça qui nous a retardés », continua Juliana. *Non*, ajouta-t-elle pour elle-même. *Tout a changé ; tout est différent.* « Écoutez, l'oracle m'a dit de venir à Cheyenne.

— Seigneur. »

À l'entendre, Mme Abendsen connaissait l'oracle, mais ne le prenait pas très au sérieux.

« Je vais vous lire le commentaire. » Juliana, qui avait apporté le *Yi King* dans le box, posa les deux volumes sur l'étagère dominée par l'appareil puis en tourna laborieusement les pages. « Une seconde, s'il vous plaît. » Arrivée à l'endroit désiré, elle lut à sa correspondante le jugement, puis les commentaires. Lorsqu'elle en arriva au neuf en position supérieure… une exclamation lui parvint. « Pardon ? » demanda-t-elle, interrompant sa lecture.

« Continuez », répondit son interlocutrice, d'un ton auquel elle trouva plus de vivacité, de tension.

Après le jugement de l'hexagramme quarante-trois, où figurait le mot « danger », le silence s'installa. Ni Mme Abendsen ni Juliana ne disaient mot.

« Et vous vous appelez ? demanda enfin la première.

— Juliana Frink. Merci beaucoup, madame. »

L'opératrice s'étant immiscée dans la conversation pour prévenir avec vigueur la jeune femme qu'elle avait épuisé le temps imparti, elle raccrocha, rassembla son sac à main et les deux volumes de l'oracle, quitta le box téléphonique puis gagna le comptoir des boissons.

Elle avait commandé un sandwich et un Coca, elle s'était assise et fumait une cigarette, quand elle se rendit compte avec un sursaut d'horreur incrédule qu'elle n'avait pas évoqué avec Mme Abendsen l'envoyé de la Gestapo, du S.D. ou autre, le soi-disant Joe Cinnadella, abandonné à Denver dans une chambre d'hôtel. C'était tout simplement incroyable. *J'ai oublié ! Ça m'est totalement sorti de l'esprit. Comment est-ce possible ? Je dois être cinglée ; complètement malade, idiote et cinglée.*

Elle passa un moment à tripoter son sac, dans l'espoir d'y trouver assez de monnaie pour rappeler, mais non, décida-t-elle au moment de quitter son tabouret. *Ce n'est pas possible, pas ce soir ; tant pis… il est vraiment trop tard. Je suis vannée, et ils doivent dormir, à cette heure-ci.*

Elle mangea son sandwich poulet-crudités, but son Coca, remonta en voiture et gagna le motel le plus proche, où elle prit une chambre puis se glissa au lit, tremblante.

CHAPITRE QUATORZE

Il n'existe pas de réponse, se disait M. Nobusuke Tagomi. *Pas de compréhension. Pas même dans l'oracle. Mais je dois malgré tout me débrouiller pour continuer à vivre, jour après jour.*

Je vais partir à la recherche de la modestie. Rester invisible, en tout cas. Jusqu'à ce que, plus tard...

Quoi qu'il en soit, il salua sa femme puis quitta sa demeure mais, ce jour-là, ne se rendit pas comme d'habitude au Nippon Times Building. *Et si je me détendais un peu ? Le parc du Golden Gate, avec son zoo et ses poissons... Visiter un endroit où des êtres sans pensée vivent néanmoins heureux.*

Le temps. C'est un long trajet, en cyclo-pousse. D'où le temps de percevoir. Si l'on peut dire.

Mais ni arbres ni zoos n'ont rien de personnel. Je dois me cramponner à l'existence humaine. Transformé en enfant – peut-être pour le mieux. Peut-être puis-je en faire le mieux.

Le conducteur du cyclo-pousse parcourait Kearny Street en direction du centre-ville. *Le funiculaire*, se dit brusquement M. Tagomi. *Le bonheur que recèle le déplacement le plus net, tellement qu'on en pleurerait presque ; une chose qui aurait dû disparaître en 1900 mais qui, bizarrement, est toujours là.*

Il renvoya le cyclo-pousse pour se diriger, à pied, vers les câbles de funiculaire les plus proches.

Peut-être n'arriverai-je jamais à retourner au Nippon Times Building, avec sa puanteur de mort. Point final à ma carrière. Tant mieux. Le Comité des Activités des Missions Commerciales me trouvera un remplaçant. Pourtant, Tagomi tient toujours debout ; il vit ; il se rappelle le moindre détail. Rien n'a été accompli.

De toute manière, la guerre ; l'opération Pissenlit nous balaiera tous. Quoi que nous fassions à ce moment-là. L'ennemi auquel nous nous sommes alliés pendant la dernière guerre. Quel bien cela nous a-t-il fait ? Peut-être est-ce lui que nous aurions dû combattre. Ou peut-être aurions-nous dû le laisser perdre en favorisant ses propres ennemis, les États-Unis, la Grande-Bretagne, la Russie.

Où que se tourne le regard, l'espoir n'est plus.

L'oracle se montre énigmatique. Chagriné, peut-être, retiré du monde des hommes. Les sages s'en sont allés.

Voici venu un Moment de solitude. L'aide d'autrefois nous fait défaut. Peut-être pour le mieux, là aussi. Peut-être pouvons-nous en faire le mieux. Il faut continuer à chercher la Voie.

M. Tagomi monta dans le funiculaire de California Street, qu'il se refusa à quitter avant le terminus de la ligne. Encore n'en descendit-il alors que pour s'associer aux employés qui faisaient pivoter le véhicule sur sa plaque tournante en bois. De toutes les expériences vécues à San Francisco, c'était celle qui présentait en général à ses yeux le plus de sens. Ce jour-là, cependant, les effets s'en faisaient attendre ; au contraire, la corruption de ce lieu entre tous exacerbait sa conscience du néant.

Il refit le trajet en sens inverse, évidemment. Mais... ce n'était qu'une simple formalité, il le comprit en regardant défiler à rebours les rues, les immeubles, la circulation.

À l'approche de Stockton, il se leva. Lorsqu'il descendit, à l'arrêt, le conducteur le rappela :

« Votre serviette, monsieur.

— Merci. »

M. Tagomi avait laissé sa mallette dans le véhicule. Il tendit les bras pour la récupérer puis s'inclina tandis que le funiculaire se remettait bruyamment en mouvement. *Mes précieuses affaires. Un Colt 44 de collection sans prix. À portée de main en permanence, maintenant, au cas où les brutes vengeresses du S.D. essaieraient de me rendre la monnaie de ma pièce en tant qu'individu. On ne sait jamais.* Pourtant… malgré ce qui s'était passé, M. Tagomi trouvait cette nouvelle procédure névrotique. *Je ne devrais pas céder*, se dit-il pour la énième fois en arpentant le trottoir, sa mallette à la main. Compulsion, obsession, phobie. Il ne pouvait hélas s'en empêcher.

Je le tiens, il me tient.

Ai-je donc perdu la disposition d'esprit dont je jouissais ? Tous *mes instincts sont-ils pervertis par le souvenir de ce que j'ai fait ? Tout mon être a-t-il été endommagé – et pas seulement l'attitude que me dicte cet unique sujet ? Le point d'ancrage de ma vie… sur lequel je pouvais me reposer avec un tel soulagement.*

Il héla un conducteur de cyclo-pousse, à qui il donna l'adresse du magasin de Robert Childan – Montgomery Street. *Nous allons voir. Un dernier fil me relie au volontaire. Peut-être puis-je gérer mes penchants anxieux par la ruse : échanger ce revolver contre quelque chose de plus consacré encore par l'historicité. En ce qui me concerne, ce Colt a une histoire subjective trop importante… une mauvaise histoire. Mais je suis seul impliqué ; il ne peut la communiquer à nul autre que moi. Elle n'est inscrite dans nulle autre psyché.*

Je vais me libérer, décida-t-il, tout excité. *Cette arme disparue, tout disparaît, le passé et ses nuages. Non, il ne repose pas dans ma seule psyché ; il imprègne aussi l'objet lui-même – la théorie de l'historicité l'a toujours affirmé. L'équation nous concerne tous les deux !*

Le magasin. *J'y suis venu si souvent*, se dit-il en payant le conducteur. Dans des buts professionnels et personnels. Il s'empressa d'entrer, sa mallette à la main.

M. Childan se tenait à la caisse. Frottant un artefact quelconque avec un morceau de tissu.

« M. Tagomi… »

Il s'inclina.

« M. Childan… »

M. Tagomi s'inclina également.

« Quelle surprise ! Je suis enchanté. »

Le maître des lieux posa objet et tissu puis contourna l'extrémité du comptoir. Le rituel habituel, salutations, etc. M. Tagomi trouvait pourtant ce jour-là à son interlocuteur quelque chose de changé. Il lui semblait un peu moins… sonore. Tant mieux. M. Childan avait toujours été légèrement bruyant, dans le genre strident. Agité. Mais peut-être cette transformation était-elle de mauvais augure.

« M. Childan, commença M. Tagomi en posant sa mallette sur le comptoir et en l'ouvrant, j'aimerais échanger un objet dont j'ai fait l'acquisition il y a quelques années. Vous avez ce genre de pratiques, me semble-t-il.

— Oui. En fonction de l'état de l'objet, par exemple. »

Le regard de M. Childan était attentif.

« Revolver Colt 44 », annonça M. Tagomi.

Les deux hommes contemplèrent en silence l'arme couchée dans sa boîte en teck, accompagnée de son petit carton de munitions entamé.

M. Childan était un peu plus froid. *Ah*, constata M. Tagomi. *Très bien.*

« Vous n'êtes pas intéressé, dit-il tout haut.

— Non, monsieur, répondit le marchand d'art d'une voix contrainte.

— Je n'insiste pas. »

M. Tagomi se sentait sans force. *Je plie. Le yin, l'adaptatif, le réceptif s'est emparé de moi, j'en ai peur...*

« Je vous présente mes excuses, M. Tagomi. »

Il s'inclina en rangeant dans sa serviette le Colt, ses munitions et sa boîte. La destinée. *Je suis condamné à garder cette chose.*

« Vous avez l'air... déçu, reprit M. Childan.

— Vous l'avez remarqué. »

Le visiteur se sentit perturbé. Avait-il laissé paraître à la vue de tous son univers intérieur ? Il haussa les épaules. Sans doute.

« Aviez-vous une raison particulière de vouloir échanger cet objet ?

— Non. »

Retour à la dissimulation de son monde personnel, ainsi qu'il convenait.

M. Childan hésita puis reprit : « Je... me demande s'il venait de ma boutique. Je n'ai pas cet article en magasin.

— J'en suis sûr. Mais peu importe. J'accepte votre décision ; je n'en prends pas offense.

— Laissez-moi vous montrer ce qui vient d'arriver. Si vous avez un moment... ? »

M. Tagomi éprouva un tiraillement de la passion d'autrefois.

« Vous avez quelque chose de particulièrement intéressant ?

— Venez. »

Le maître des lieux s'enfonça dans la boutique ; le visiteur lui emboîta le pas.

Une vitrine fermée. Des plateaux couverts de velours noir, sur lesquels reposaient de petits tourbillons de métal, des formes suggérées plus que fixées. Elles firent à M. Tagomi une impression bizarre, quand il se figea pour les examiner.

« Je les montre impitoyablement à tous mes clients, déclara M. Childan. Savez-vous de quoi il s'agit, monsieur ?

— Des bijoux, me semble-t-il, répondit M. Tagomi, constatant la présence d'une broche.

— Fabriqués en Amérique. Oui, bien sûr. Mais ce ne sont pas des antiquités, voyez-vous. »

Il releva les yeux.

« Vous contemplez la nouveauté, monsieur. » La passion tordait les traits blêmes et mornes de M. Childan. « La nouvelle vie de mon pays. Le commencement, sous forme de minuscules graines impérissables. Des graines de beauté. »

M. Tagomi prit le temps d'examiner avec l'intérêt requis les pièces qu'il tenait de ses mains. *Oui*, décida-t-il, *ces choses sont animées par quelque chose de neuf. La loi du Tao s'y exprime ; lorsque le yin a tout envahi, les premières traces de lumière naissent soudain dans les profondeurs les plus obscures... Nous le savons ; nous l'avons déjà vu, comme je le vois maintenant. Il ne s'agit pourtant à mes yeux que de déchets. Je ne puis m'y absorber à la manière de M. R. Childan, ici présent. Malheureusement pour nous deux. Il en est ainsi.*

« Très joli, murmura-t-il en reposant les bijoux.

— Il faut un moment, monsieur, déclara son inter-locuteur avec une certaine force.

— Pardon ?

— Avant que l'âme ne partage la nouvelle vision.

— Vous êtes converti. J'aimerais l'être. Je ne le suis pas. »

M. Tagomi s'inclina.

« Une autre fois », dit M. Childan en le raccompa-gnant à la porte ; sans faire mine de lui montrer autre chose, le visiteur en prit bonne note.

« Votre certitude est d'un goût douteux, dit-il. Elle me paraît malencontreusement insistante.

— Pardonnez-moi, répondit l'Américain sans bron-cher, mais je suis dans le vrai. Le germe concentré de l'avenir se trouve là, je le sens indéniablement.

— Soit. Il n'empêche que votre fanatisme anglo-saxon ne me plaît pas. » M. Tagomi sentait pourtant renaître l'espoir. Son espoir, en lui. « Je vous souhaite une bonne journée. » Il s'inclina. « Je repasserai un de ces jours. Peut-être verrons-nous ce qu'il en est de votre prophétie. »

M. Childan s'inclina sans mot dire.

M. Tagomi repartit, avec la mallette contenant le Colt 44. *Je m'en vais comme je suis venu. Toujours en quête. Toujours privé de ce dont j'ai besoin pour regagner le monde.*

Et si j'avais acheté un de ces curieux objets indé-terminés ? Si je l'avais gardé, réexaminé, contemplé... aurais-je trouvé à travers cette chose le chemin du retour ? J'en doute.

Ils lui sont destinés. Pas à moi.

Il suffit cependant qu'une seule personne trouve sa voie... car cela signifie qu'il existe une Voie. Même si elle me reste invisible.

J'envie M. R. Childan.

M. Tagomi fit demi-tour, prêt à regagner le magasin. M. Childan le regardait, posté sur le seuil. Il n'était pas rentré.

« Je vais vous acheter un de ces objets, celui de votre choix, déclara M. Tagomi. Je n'ai pas la foi, mais je me cramponne à l'heure qu'il est au moindre fétu. »

Une fois de plus, il suivit son hôte dans la boutique, jusqu'à la vitrine des bijoux.

« Je ne crois pas, continua-t-il, mais je vais le garder sur moi pour le regarder à intervalles. Disons, une fois par jour. Si au bout de deux mois, je ne vois pas…

— Je vous le reprendrai au même prix.

— Merci. »

M. Tagomi se sentait mieux. Il est des moments où il faut tout essayer. Cela n'a rien de déshonorant. Au contraire, la conscience de la situation est signe de sagesse.

« Voilà qui vous apaisera. »

M. Childan sélectionna un petit triangle argenté, orné de gouttes creuses. Noir en dessous, brillant, empli de lumière au-dessus.

« Merci », répéta M. Tagomi.

Il se rendit en cyclo-pousse à Portsmouth Square, un jardin public dépourvu de barrières dominant Kearny Street et le commissariat, où il s'assit au soleil sur un banc. Des pigeons parcouraient les sentiers dallés, à la recherche de nourriture. Des hommes négligés lisaient le journal ou somnolaient sur d'autres bancs. Certains dormaient presque, allongés çà et là dans l'herbe.

Tirant de sa poche le sachet en papier au nom du magasin de M. Childan, M. Tagomi le tint un instant à deux mains pour s'échauffer. Après quoi il l'ouvrit et en sortit sa nouvelle possession afin de l'examiner en solitaire, là, dans ce petit carré de gazon quadrillé d'allées pour vieillards.

Un gribouillis d'argent. Sur lequel le soleil de la mi-journée se reflétait comme sur la babiole accrochée au couvercle d'une boîte de céréales, le miroir grossissant de Jack Armstrong, le jeune aventurier américain (envoyé à la demande). Ou encore… M. Tagomi se concentrait. *Om*, si l'on en croit les brahmanes. La tête d'épingle qui renferme le tout. Les deux, du moins en germes. Taille, forme. Il observait avec application.

Cela viendra-t-il, ainsi que l'a prédit M. R. Childan ? Cinq minutes. Dix. *Je reste ici le plus longtemps possible. Le temps nous pousse hélas à la sous-estimation. Quelle est cette chose que je regarde, tant que j'en ai encore le temps ?*

Pardonne-moi, dit-il en son for intérieur au gribouillis d'argent. *Le monde nous pousse toujours à nous lever et à agir*. À regret, il entreprit de ranger l'objet dans son sachet. Un dernier coup d'œil plein d'espoir – avec toute l'attention scrutatrice dont il était capable. *Fais l'enfant. Imite l'innocence et la foi. Sur la plage, pressant contre ton front le coquillage trouvé par hasard. Percevant dans son babillage la sagesse de la mer.*

Cela même, l'œil remplaçant l'oreille. Entre en moi ; dis-moi ce qui s'est produit, quelles en sont la signification et la raison. La compréhension comprimée en un gribouillis fini.

Trop demander, donc ne rien obtenir.

« Écoute, dit-il *sotto voce* au triangle tarabiscoté. La garantie était très prometteuse. »

Si je le secoue violemment, comme une vieille montre récalcitrante. Il secoua donc avec vigueur. *Ou comme les dés dans une partie essentielle. Pour en réveiller le dieu intérieur. Peut-être dort-il ; à moins qu'il ne soit en voyage.* L'ironie pesante du prophète Elie. À moins encore qu'il ne persévère. M. Tagomi secoua énergiquement le gribouillis d'argent dans son poing serré, une fois de plus. Appelle-le plus fort. Il reprit son examen.

Tu es vide, petite chose.

Insulte-la. Fais-lui peur.

« Ma patience est à bout », reprit-il tout bas.

Et alors ? Vais-je te jeter dans le caniveau ? Souffler, secouer, souffler, secouer. Gagner.

Il se mit à rire. Comportement délirant, là, au soleil. Au vu des passants. Coup d'œil circulaire gêné. Pas de témoins. Vieillards ronflants. Soulagement – un peu.

J'ai tout essayé. Supplier, contempler, menacer, philosopher – longuement. Que tenter d'autre ?

Rester ici, peut-être. La compréhension m'est refusée. Mais il est possible que l'occasion se représente. Sauf que, comme le dit W.S. Gilbert, de Gilbert et Sullivan, une telle occasion ne se représente pas. Est-ce bien vrai ? Il semble en aller ainsi, en effet.

Enfant, je pensais en enfant. Mais j'ai écarté les choses de l'enfance. Il faut explorer d'autres domaines. S'occuper de cette chose d'une autre manière.

Se montrer scientifique. Épuiser toutes les possibilités par l'analyse logique. Systématiquement, à la manière aristotélicienne classique, comme en laboratoire.

Il s'enfonça le doigt dans l'oreille droite pour se débarrasser du vacarme de la circulation et autres bruits parasites. Puis il porta le triangle d'argent à son oreille gauche à la manière d'un coquillage – d'une main crispée.

Pas un son. Nul rugissement d'océan simulé, grondement de sang intérieur bien réel – même pas.

Par quel sens appréhender le mystère, puisque l'ouïe n'est manifestement d'aucun secours ? Les yeux clos, M. Tagomi promena le bout des doigts sur l'objet tout entier. Le toucher non plus ; sa peau ne lui transmettait rien. L'odorat. Il porta le bijou à son nez, inspira. Un faible parfum de métal, dépourvu de sens. Le goût. Ouvrant la bouche, il y glissa le triangle, l'y déposa à la manière d'un petit gâteau, mais se retint évidemment de mâcher. Aucune signification, juste une petite chose froide, dure, cruelle.

Il la reprit dans sa main.

Retour à la vue. Le sens occupant le sommet du classement : l'échelle grecque des priorités. Il tourna et retourna le gribouillis d'argent en tous sens pour le voir de tous les points de vue *extra rem*.

Que vois-je, grâce à une longue étude, patiente et appliquée ? Quel indice de la vérité dois-je affronter à travers cet objet ?

Soumets-toi, ordonna-t-il au triangle. *Révèle-moi ton secret d'arcane.*

Tel le crapaud extirpé des profondeurs ; serré dans le poing ; auquel on ordonne de dévoiler ce qui gît dans les abysses aqueuses. Mais le crapaud n'ironise même pas ; il s'étrangle en silence, il devient pierre, argile, minéral. Inerte. Il retrouve la rigidité habituelle dans son monde de mort.

Le métal appartient à la terre, songea M. Tagomi en examinant son acquisition. *À l'univers souterrain. Au royaume le plus bas, le plus dense. Le domaine des trolls et des cavernes, humide, plongé en permanence dans la nuit. Le monde du yin dans son aspect le plus mélancolique. Celui des cadavres, du pourrissement et de l'effondrement. Des déjections. Des choses mortes, qui s'évanouissent et se désintègrent couche par couche. Le monde démoniaque de l'immuable ; de ce qui a été.*

Le triangle d'argent étincelait pourtant au soleil, dont il reflétait le brasier. *Le feu*, songea encore M. Tagomi. *Ce n'est pas un objet d'humidité et de nuit. Il n'est pas pesant, usé, mais palpitant de vie. Le royaume le plus élevé, aspect du yang : l'empyrée, l'éthéré. Ainsi qu'il convient à une œuvre d'art. Oui, c'est un travail d'artiste : arracher le minéral à la terre obscure, silencieuse, le transformer en une forme céleste éclatante, qui réfléchit la lumière.*

Amener la mort à la vie. Le cadavre devenant exhibition de feu ; le passé cédant à l'avenir.

Lequel des deux matérialises-tu ? demanda M. Tagomi au triangle d'argent. *Le yin, mort et nuit, ou le yang, vie et lumière ?* Le petit objet posé dans sa paume frétillait, l'éblouissait ; il plissa les yeux, car il ne voyait plus à présent que la danse du feu.

Corps de yin, âme de yang. Métal et feu unis. Extérieur et intérieur ; le microcosme dans ma main.

De quel espace cette chose parle-t-elle ? Elle s'élève. Vers le ciel. Et le temps ? Vers le monde de lumière du changeant. Oui, cette chose a recraché son esprit : la lumière. Mon attention figée, il m'est impossible de détourner les yeux. Ensorcelé par une surface scintillante fascinante que je ne maîtrise plus. Que je ne peux plus écarter.

Parle-moi. Maintenant que tu m'as piégé. Je veux entendre ta voix sortir de cette lumière blanche aveuglante telle qu'on pense ne jamais en voir, sauf dans l'après-vie du Bardo Thödol. Mais je n'ai pas à attendre la mort pour que mon animus se décompose, errant à la recherche d'une autre matrice. Toutes les divinités, terribles et bienfaisantes ; nous les dépasserons, de même que les pâles lueurs. Les couples en plein coït. Tout, sauf ce brasier de lumière. Je suis prêt à l'affronter sans peur. Vois, je ne bronche pas.

Les vents brûlants du karma m'emportent. Il n'empêche que je reste où je suis. Bon entraînement : il ne faut pas reculer devant l'éclatante lumière blanche, faute de quoi je rentrerai une fois de plus dans le cycle de la naissance et de la mort, sans jamais connaître la liberté ni obtenir la délivrance. Le voile de l'illusion retombera, si je...

La lumière disparut.

Il ne tenait plus qu'un terne triangle d'argent. Une ombre s'était interposée devant le soleil ; M. Tagomi leva les yeux.

Un grand policier en bleu se tenait près de son banc, souriant.

« Hein ? » fit M. Tagomi, saisi.

« Je vous regardais juste vous escrimer sur votre casse-tête, expliqua l'agent en reprenant sa marche.

— Mon casse-tête, répéta son interlocuteur. Il ne s'agit pas d'un casse-tête.

— Ce n'est pas un de ces jeux qu'on sépare en je ne sais combien de pièces ? Mon fils en a un tas. Il y en a de vraiment difficiles. »

Le policier s'éloigna.

Gâchées. Mes chances d'accéder au nirvana. Disparues. À cause de ce barbare blanc, ce yank néanderthalien. Ce sous-humain persuadé que je cherchais à venir à bout d'un puéril jouet.

M. Tagomi quitta le banc et fit quelques pas mal assurés. *Je dois me calmer. Terribles invectives populaires, chauvines et racistes, indignes de moi.*

Incroyables passions, impossibles à racheter, s'entrechoquant dans mon cœur. Il traversa le jardin public. *Allez, continue. La catharsis dans le mouvement.*

À la limite du square, le trottoir, Kearny Street. Le vacarme de la circulation. Il s'arrêta.

Pas de cyclo-pousse. Reprit sa route parmi la foule. *Ils ne sont jamais là quand on en a besoin.*

Seigneur, qu'est-ce que c'est que ça ? M. Tagomi se figea, bouche bée, les yeux fixés sur la monstruosité distordue qui se découpait contre le ciel. Une sorte de grand huit cauchemardesque, bloquant la vue. Une énorme construction de ciment et de métal, dressée au loin.

Il se tourna vers un passant, un homme mince au costume froissé.

« Qu'est-ce que c'est ? demanda-t-il, le doigt tendu vers la chose.

— Horrible, hein ? répondit l'inconnu, souriant. C'est l'autoroute de l'Embarcadero. Des tas de gens trouvent qu'elle gâche complètement le paysage.

— Je ne l'avais jamais vue.

— Vous avez bien de la chance. »

Il s'éloigna.

Un rêve de fou, songea M. Tagomi. *Il faut que je me réveille. Où sont les cyclo-pousse, aujourd'hui ?* Il pressa le pas. *Tout ce qui m'entoure a quelque chose de morne, de brumeux, comme le monde de la mort. Ça sent le brûlé. Sinistres et gris. Les immeubles, le trottoir, les gens, au rythme curieusement dur. Et toujours pas de cyclo-pousse.*

« Taxi ! » appela-t-il en continuant son chemin.

Inutile. Des voitures et des bus, rien d'autre. Les voitures, gros broyeurs brutaux aux formes étrangères, il évitait de les regarder ; les yeux fixés droit devant lui. *Distorsion particulièrement inquiétante de mes perceptions optiques. Perturbation affectant mon sens de l'espace. Horizon gauchi. Astigmatisme meurtrier, frappant sans prévenir.*

Il faut... Un instant de repos. Une buvette défraîchie. Occupée par des blancs ; exclusivement. Sirotant leurs consommations. M. Tagomi poussa les battants de bois. Odeur de café. Juke-box grotesque, braillard. L'arrivant fit la grimace en s'approchant du comptoir. Tous les tabourets occupés par des blancs. Il poussa une exclamation. Plusieurs clients levèrent les yeux. Mais aucun ne quitta sa place. Aucun ne la lui céda. Ils se remirent juste à boire.

« J'insiste ! », lança M. Tagomi d'une voix forte au premier à lui tomber sous la main.

À vrai dire, il cria littéralement à l'oreille de l'inconnu.

« Fais gaffe, Tojo », répondit le blanc en posant sa tasse.

M. Tagomi considéra les autres. Ils le fixaient d'un regard hostile. Sans bouger.

L'après-vie du Bardo Thödol, songea-t-il. *Les vents brûlants m'emportent je ne sais où. C'est une vision... mais de quoi ? Mon animus le supportera-t-il ? Oui, le Livre des morts nous prépare : après nous être éteints, nous croyons voir d'autres gens, qui nous semblent hostiles. Nous sommes isolés. Sans possibilité de recours, où que nous nous tournions. Le terrible voyage... et toujours le royaume de la souffrance, de la renaissance, prêt à recevoir l'esprit en fuite démoralisé. Les illusions.*

Il s'empressa de quitter la buvette. Les portes battirent dans son dos. Retour sur le trottoir. *Où suis-je ? Hors de mon monde, de mon espace, de mon temps.*

Désorienté par le triangle en argent. Amarres larguées. Plus rien à quoi me raccrocher. Autant pour ma tentative. On cherche à contredire ses perceptions... et pourquoi ? Pour errer, complètement perdu, sans guide ni indications.

*Condition hypnagogique. Facultés d'attention dimi-
nuées, état crépusculaire ; monde réduit à son aspect
archétypal symbolique, d'où totale confusion avec le
matériau inconscient. Typique du somnambulisme
induit par l'hypnose. Mettre un terme à cet horrible
glissement parmi les ombres, rebâtir la concentration,
restaurer ainsi le centre de l'ego.*

Il chercha dans sa poche le bijou en argent. Disparu. Oublié sur le banc, avec la mallette. Catastrophe.

Plié en deux, M. Tagomi se mit à courir en direction du jardin public.

Les clochards somnolents le regardèrent, surpris,
se précipiter sur le sentier. Là, le banc. Et, toujours
appuyé à son pied, la mallette. Mais pas trace du
petit triangle de métal. Chercher. Oui. Dans l'herbe ;
à demi dissimulé. Là où M. Tagomi l'avait jeté d'un
geste rageur.

Il se rassit, haletant.

Concentre-toi sur ce gribouillis de métal, s'ordonna-
t-il après avoir repris haleine. *Examine-le de toutes
tes forces et compte. À dix, dis quelque chose de saisissant.* Erwache, *par exemple.*

*Rêverie idiote, fugue mentale. Imitation des aspects
les plus nuisibles de l'adolescence, au lieu de l'innocence primitive et des pensées limpides de l'enfance
authentique. Tout ce que je mérite, d'ailleurs.*

*C'est ma faute. Pas celle de M. R. Childan ou des
artisans. Mon avidité seule est coupable. La compréhension ne se laisse pas contraindre.*

Il se mit à compter lentement, à voix haute, puis
bondit sur ses pieds.

« Complètement stupide », dit-il d'un ton sec.

Les brumes s'étaient-elles dissipées ?

*Il regarda autour de lui. Dispersion atténuée, sans
le moindre doute. C'est le moment de méditer les*

paroles incisives de saint Paul... nous voyons au moyen d'un miroir, d'une manière obscure ; il ne s'agit pas d'une métaphore, mais d'une référence pénétrante à une distorsion optique. Nous voyons bel et bien en astigmates, au sens le plus fondamental ; notre espace et notre temps sont des créations de notre psyché. Lorsqu'elles vacillent un instant... on dirait une perturbation aiguë de l'oreille moyenne.

Il nous arrive parfois d'enregistrer le monde de manière excentrique, après avoir perdu le sens de l'équilibre.

Il se rassit, rangea le gribouillis argenté dans la poche de son manteau puis resta immobile, la mallette sur les genoux. *Maintenant, il faut que j'aille voir si cette construction maléfique... comment ce type l'a-t-il appelée ? L'autoroute de l'Embarcadero. Si elle est toujours matérielle.*

Il avait peur d'aller voir.

Je ne peux pourtant pas rester assis là. J'ai ma croix à porter, comme disaient les Américains d'autrefois. Mes responsabilités.

Dilemme.

Deux petits Chinois arrivaient sur le sentier en gambadant bruyamment. Un vol de pigeons décolla ; les garçonnets s'arrêtèrent.

« Dites, les enfants », appela M. Tagomi, avant de fouiller dans sa poche. « Venez voir. »

Ils s'approchèrent, hésitants.

« Tenez, voilà dix *cents*. » Il leur jeta la pièce, qu'ils s'empressèrent de ramasser en se bousculant. « Allez voir dans Kearny Street s'il y a des cyclo-pousse, puis revenez me dire.

— Vous nous donnerez une autre pièce ? demanda un des gamins. Quand on reviendra ?

— Oui, mais dites-moi la vérité. »

Ils se mirent à courir sur le sentier.

S'il n'y en a pas, se dit M. Tagomi, je serais bien inspiré de me retirer en un lieu reculé et de me tuer. Il se cramponna à sa serviette. J'ai toujours le revolver ; aucun problème.

Les petits Chinois revinrent au galop.

« Six ! cria l'un. J'en ai vu six !

— Moi, cinq, haleta l'autre.

— Vous êtes sûrs qu'il s'agissait de cyclo-pousses ? interrogea M. Tagomi. Vous avez distinctement vu pédaler les conducteurs ?

— Oui, monsieur », répondirent-ils avec ensemble.

Il donna une pièce à chacun d'eux. Ils le remercièrent puis s'éloignèrent à toute allure.

Allez. Au bureau ; au travail. M. Tagomi se leva, la main crispée sur la poignée de la mallette. *Le devoir m'appelle. Un jour comme les autres, à nouveau.*

Une fois de plus, il parcourut le sentier jusqu'au trottoir.

« Taxi ! »

Un cyclo-pousse apparut dans la circulation ; le conducteur s'arrêta devant lui. Le maigre visage sombre du cycliste luisait ; sa poitrine se soulevait et s'abaissait.

« Oui, monsieur.

— Emmenez-moi au Nippon Times Building », ordonna M. Tagomi.

Il grimpa sur la petite remorque et s'installa confortablement dans le fauteuil.

Le Chinois se mit à pédaler furieusement pour réintégrer le flot de la circulation.

M. Tagomi arriva au Nippon Times Building peu avant midi. Il demanda à un opérateur du hall principal, au rez-de-chaussée, de le mettre en contact avec M. Ramsey.

« Ici Tagomi, lança-t-il, une fois la connexion établie.

— Bonjour, monsieur. Quel soulagement. Ne vous voyant pas arriver, j'ai téléphoné chez vous à dix heures, car j'étais inquiet, mais votre femme m'a dit que vous étiez parti elle ne savait où.

— Les bureaux ont-ils été nettoyés ?

— Il ne reste aucune trace de l'incident.

— Incontestablement ?

— Je vous en donne ma parole, monsieur. »

Satisfait, il raccrocha et se dirigea vers l'ascenseur.

Un fois à son étage, il se permit en pénétrant dans son bureau un coup d'œil évaluateur. L'ensemble de son champ de vision. Pas trace de l'incident, comme promis. Le soulagement l'envahit. Nul ne saurait sans avoir vu. L'historicité liée au dallage synthétique…

M. Ramsey arriva.

« Votre courage offre au *Nippon Times* l'occasion d'un panégyrique, commença-t-il. Un article décrivant… »

L'expression de son supérieur réduisit le secrétaire au silence.

« Répondez aux questions cruciales, ordonna M. Tagomi. Le général Tedeki ? Anciennement M. Yatabe.

— Sur un vol très obscur pour Tokyo. Diversions semées çà et là. »

M. Ramsey croisa les doigts pour symboliser leurs espoirs.

« Compte rendu concernant M. Baynes, je vous prie.

— Je ne sais pas. Il s'est montré en votre absence, brièvement, presque furtivement, mais n'a pas dit mot. » Le jeune homme hésita. « Peut-être est-il rentré en Allemagne.

« — Il ferait nettement mieux de gagner l'archipel »,
déclara M. Tagomi, presque pour lui-même.

De toute manière, c'était le général qui suscitait
ses inquiétudes, importantes par nature. *Mais il ne
fait pas partie de ma sphère d'influence. Moi, mon
bureau ; ils se sont servis de moi, ici, ce qui était évidemment très bien, tout à fait adéquat. C'était leur...
comment dit-on ? Leur couverture.*

Je suis un masque dissimulant le réel. Derrière
moi, le présent se déroule, caché, à l'abri des regards
indiscrets.

Curieux. Il est parfois vital de n'être qu'une façade
de carton-pâte. Quelque chose du satori, là, si je par-
venais à le saisir. Un but dans cette composition
d'illusions, à condition que nous parvenions à la son-
der. La loi de l'économie : rien ne se perd. Pas même
l'irréel. Quelle sublimité dans le processus.

Mademoiselle Ephreikian apparut, visiblement agi-
tée.

« M. Tagomi. C'est le standard qui m'envoie.

— Calmez-vous, mademoiselle », répondit son
supérieur.

Le courant du temps nous emporte à vive allure.

« Le consul d'Allemagne est là, monsieur. Il veut
vous voir. » Le regard de la jeune femme oscillait
entre les deux hommes. Elle était d'une pâleur peu
naturelle. « Il paraît qu'il est déjà passé ce matin,
mais ils savaient que vous... »

M. Tagomi lui fit signe de se taire.

« M. Ramsey, rappelez-moi le nom du consul, je
vous prie.

— Freiherr Hugo Reiss, monsieur.

— Oui, je m'en souviens, maintenant. »

*Eh bien, M. Childan m'a de toute évidence fait une
faveur, après tout. En refusant de reprendre le revolver.*

Sa mallette à la main, M. Tagomi repassa dans le corridor.

Un blanc élancé, bien habillé. Cheveux roux coupés en brosse, chaussures Oxford européennes, noires et luisantes, dos très droit. Porte-cigarettes efféminé en ivoire. Sans doute le visiteur.

« Herr H. Reiss ? » demanda M. Tagomi. L'Allemand s'inclina. « Le fait est que, par le passé, vous et moi avons communiqué grâce au courrier, au téléphone, etc., mais ne nous sommes jamais vus en personne.

— C'est un honneur, déclara le consul en s'approchant. Malgré les circonstances, d'une exaspérante pénibilité.

— Je m'étonne. »

Il arqua un sourcil.

« Pardonnez-moi, continua M. Tagomi. Ma cognition est embrumée par les susdites circonstances. La fragilité de l'argile humaine, pourrait-on dire.

— Terrible. » Herr Reiss secoua la tête. « Lorsque j'ai…

— Avant d'entamer votre litanie, laissez-moi parler.

— Mais certainement.

— J'ai abattu en personne vos deux hommes du S.D.

— La police de San Francisco m'a convoqué. » Le visiteur souffla un nuage de fumée nauséabonde qui enveloppa également son interlocuteur. « J'ai passé des heures au commissariat de Kearny Street et à la morgue, puis j'ai lu le compte rendu qu'ont fait vos employés aux inspecteurs chargés de l'enquête. Terrible, absolument terrible, du début à la fin. »

M. Tagomi resta muet.

« Toutefois, continua l'Allemand, rien n'est venu confirmer l'hypothèse selon laquelle ces bandits entretiendraient avec le Reich un lien quelconque.

En ce qui me concerne, je trouve toute cette histoire complètement démente. Je ne doute pas que vous ayez agi au mieux, M. Tagori.

— Tagomi.

— Tenez. » Le consul tendit la main. « Serrons-nous la main pour oublier ces problèmes. Ils sont indignes, surtout en cette période critique, où une rumeur idiote risque d'enflammer la populace, au détriment des intérêts de nos deux nations.

— Il n'empêche que mon âme est coupable. Le sang ne s'efface pas aussi facilement que l'encre, Herr Reiss. » L'Allemand resta interloqué. « J'ai besoin du pardon, poursuivit M. Tagomi, mais vous ne pouvez me le donner. Peut-être personne ne le peut-il. Je compte lire le célèbre journal du théologien du Massachusetts d'antan, le révérend C. Mather. Il traite, m'a-t-on dit, du sentiment de culpabilité, des feux de l'enfer et ainsi de suite. »

Le consul tirait sur sa cigarette à toute allure, un regard attentif rivé à M. Tagomi.

« Permettez-moi de vous signaler que votre nation se prépare à sombrer dans une bassesse plus abyssale que jamais, poursuivit ce dernier. Connaissez-vous l'hexagramme de l'Insondable ? En tant que personne privée, pas en tant que représentant officiel du Japon, je vous le dis : l'horreur m'emplit le cœur. Le bain de sang à venir sera au-delà de toute comparaison. Pourtant, en cet instant même, vous poursuivez un but ou un gain égotistes. Vous cherchez à surpasser une faction rivale – le S.D., hmm ? En plaçant Herr B. Kreuz vom Meere sur des charbons brûlants… »

M. Tagomi ne put continuer. Un étau lui comprimait la poitrine. *Comme quand j'étais enfant*, se dit-il. *En colère contre la vieille dame. L'asthme.*

« Je souffre », reprit-il – Herr Reiss avait éteint sa cigarette, à présent. « Une maladie qui s'est imposée au fil de ces longues années, mais qui a pris une forme virulente le jour où j'ai entendu décrire, impuissant, les frasques de vos chefs. Quoi qu'il en soit, les possibilités thérapeutiques sont réduites à néant. De même que pour vous, monsieur. Comme l'aurait dit le révérend C. Matter, si mes souvenirs sont bons : repentez-vous !

— Vos souvenirs sont bons », acquiesça le consul d'une voix rauque, en allumant une nouvelle cigarette, les doigts tremblants.

M. Ramsey apparut sur le seuil du bureau, une liasse de papiers entre les mains.

« Puisqu'il est là », dit-il à son supérieur qui, muet, essayait de respirer malgré l'étau. « Questions de routine concernant ses fonctions. »

M. Tagomi lui prit les documents par réflexe puis y jeta un coup d'œil. Formulaire 20-50. Demande du Reich soumise par l'intermédiaire de son représentant aux P.S.A., le consul Freiherr Hugo Reiss : renvoi d'un criminel gardé à vue par la police de San Francisco ; juif, Frank Frink, citoyen allemand, d'après les lois du Reich, rétroactivement, juin 1960. Pour : placement en détention par mesure de protection, d'après les lois du Reich, etc. M. Tagomi parcourut le reste du papier.

« Stylo, monsieur, reprit M. Ramsey. Met à ce jour le point final aux relations avec le gouvernement allemand. »

Il présentait un stylo à son employeur en fixant le consul d'un air dégoûté.

« Non. »

M. Tagomi rendit au secrétaire le formulaire 20-50. Avant de le lui reprendre et de griffonner en bas de page : *À relâcher. Estimable Mission Commerciale, autorités de San Francisco. À savoir, protocole militaire de 1947. Tagomi.* Il tendit une des copies carbone au visiteur, l'autre à M. Ramsey, avec l'original.

« Au revoir, Herr Reiss », dit-il en s'inclinant.

L'Allemand l'imita après avoir jeté au papier un coup d'œil négligent.

« Je vous prie de communiquer à l'avenir par l'intermédiaire des machines, courrier, téléphone ou télégramme, continua M. Tagomi. Pas en personne.

— Vous me tenez pour responsable de conditions générales qui dépassent ma juridiction.

— De la fiente, voilà ce que je dis de votre déclaration.

— On ne se conduit pas de cette manière entre personnes civilisées. Cette agressivité, cette rancœur… alors qu'il n'est question que de formalités, qui ne devraient rien impliquer de personnel. »

Le consul jeta sa cigarette par terre puis s'éloigna à grands pas.

« Emportez cette chose puante », lança M. Tagomi d'une voix faible – mais l'Allemand avait déjà disparu au coin du corridor. « Conduite puérile. » La remarque s'adressait cette fois à M. Ramsey. « Vous venez d'assister à une repoussante réaction infantile. »

M. Tagomi regagna son bureau, vacillant. Le souffle complètement coupé. Un torrent de douleur lui descendit le bras gauche, tandis qu'une grande main ouverte lui aplatissait, lui écrasait les côtes. Plus de tapis devant lui, juste une pluie d'étincelles rouges montantes.

Au secours, M. Ramsey, lança-t-il. Sans un murmure. *Je vous en prie.* Il tendit les bras. Trébucha. Rien à quoi se raccrocher.

En tombant, il serra dans la poche de son manteau le petit triangle d'argent que M. Childan l'avait convaincu d'acheter. *Il ne m'a pas sauvé. Pas aidé. Tous ces efforts.*

Son corps s'abattit sur le sol. Presque à quatre pattes, haletant, le nez sur le tapis. M. Ramsey se précipitant, braillant. Préserver l'équilibre, songea M. Tagomi.

« Petite crise cardiaque », réussit-il à dire tout haut.

Plusieurs personnes l'entouraient, à présent, l'emportant vers le canapé.

« Du calme, monsieur, disait quelqu'un.

— Prévenez ma femme, je vous prie », ajouta-t-il.

Des bruits d'ambulance lui parvenaient. Des gémissements, dans la rue. De l'agitation. Des allées et venues. On l'enveloppa d'une couverture qui lui montait jusqu'aux aisselles. On lui ôta sa cravate. On lui desserra son col.

« Ça va mieux. »

Confortablement allongé, il ne chercha pas à bouger. *Carrière terminée, quoi qu'il arrive. Le consul va sans doute exprimer son mécontentement en haut lieu. Se plaindre d'impolitesse. Peut-être en a t-il le droit. De toute manière, le travail est fait. Ce que je peux. Ma partie. Après... à ceux de Tokyo et aux factions allemandes de jouer. La lutte me dépasse.*

Moi qui croyais qu'il s'agissait juste de plastiques. D'un grand commercial vendant des moules. L'oracle a deviné, il m'a donné des indices, mais...

« Enlevez-lui sa chemise », dit une voix.

Sans doute le médecin de l'immeuble. Un ton très autoritaire ; M. Tagomi sourit. *C'est le ton qui fait tout.*

Était-ce la réponse ? Le mystère de l'organisme, le corps détenant son propre savoir. *Il est temps de partir ; au moins d'une certaine manière. Un but que je dois accepter.*

Qu'avait donc dit l'oracle, la dernière fois ? Interrogé au bureau sur les deux morts ou mourants.

Soixante et un. La Vérité Intérieure. Le porc et le poisson, les animaux les moins spirituels et, par conséquence, les plus difficiles à influencer. *C'est moi. C'est de moi que parle le livre. Je ne comprendrai jamais vraiment ; telle est la nature des créatures de ce genre. Ou la Vérité Intérieure s'impose-t-elle maintenant, dans ce qui m'arrive ?*

Je vais attendre. Je vais voir. Lequel des deux.

Les deux, peut-être.

*
*   *

Ce soir-là, juste après l'heure du dîner, un policier ouvrit la porte de la cellule où croupissait Frank Frink et lui dit d'aller chercher ses affaires au guichet.

Il ne tarda pas à se retrouver dehors, sur le trottoir, devant le commissariat de Kearny Street, parmi les passants pressés, les bus, les voitures klaxonnantes et les conducteurs de cyclo-pousse hurlants. Il faisait froid. Des ombres démesurées s'étiraient devant les immeubles. Frank Frink resta un moment immobile puis se joignit par automatisme à un groupe de gens qui traversaient la rue au passage pour piétons.

Arrêté sans véritable raison, se dit-il. *Sans but. Relâché de même.*

Personne ne lui avait rien dit, les flics lui avaient juste rendu ses vêtements, son portefeuille, sa montre, ses lunettes et autres objets personnels, avant de passer à la tâche suivante : s'occuper d'un vieil ivrogne ramassé dans la rue.

Un miracle. Qu'il m'aient libéré. Un coup de bol. En bonne logique, je devrais être à bord d'un avion pour l'Allemagne, en route vers l'extermination.

Il n'arrivait pas à y croire. À rien. L'arrestation, et maintenant, ça. Irréel. Il errait le long des magasins fermés, piétinant les débris poussés par le vent.

Une nouvelle vie. Une sorte de renaissance. Une sorte de... merde. Une vraie renaissance.

À qui dire merci ? Je devrais peut-être prier ?

Mais qui ?

J'aimerais comprendre. Il marchait sur le trottoir encombré du soir, près des enseignes lumineuses et des bars bruyants de Grant Avenue. *Je veux comprendre. Il le faut.*

Mais il ne comprendrait jamais, il le savait.

Contente-toi de ton bonheur. Et ne t'arrête pas.

Retourne voir Ed, ajouta une partie de son esprit. *Va à l'atelier, dans cette cave. Reprends là où tu t'étais interrompu, fabrique des bijoux, travaille de tes mains. Travaille, oui, ne pense pas, ne lève pas les yeux, n'essaie pas de comprendre. Occupe-toi. Continue à produire des babioles.*

Il se hâtait dans la ville de plus en plus sombre, de carrefour en carrefour. S'efforçant de regagner au plus vite l'endroit qu'il connaissait, immuable, compréhensible.

À son arrivée, Ed McCarthy mangeait, assis à l'établi. Deux sandwiches, une thermos de thé, une banane, quelques gâteaux secs. Frank Frink resta planté sur le seuil, haletant.

Son associé finit par l'entendre et par se retourner.

« Je te croyais mort », dit-il.

Il mâcha, avala en rythme, mordit une nouvelle bouchée de son sandwich.

Le petit radiateur électrique était allumé, près de l'établi. Frink s'en approcha puis s'accroupit devant pour se réchauffer les mains.

« Je suis content que tu sois de retour », ajouta McCarthy.

Il lui tapa deux fois dans le dos avant de se remettre à manger, sans un mot de plus. Le silence n'était troublé que par le bruit de sa mastication et le ventilateur du radiateur.

Frink posa son manteau sur une chaise, rassembla une poignée de bijoux en argent inachevés et les porta à l'arbre. Il installa une meule à polir, démarra le moteur, habilla le disque d'un composé de pré-polissage, mit le masque pour se protéger les yeux puis, assis sur un tabouret, entreprit de débarrasser les babioles de leurs barbures, une à une.

CHAPITRE QUINZE

Le capitaine Rudolf Wegener voyageait pour l'heure sous l'identité de Conrad Goltz, vendeur en gros de fournitures médicales. Il regarda par le hublot de la fusée Me9-E de la Lufthansa. L'Europe apparaissait. Si vite. Atterrissage à Tempelhofer Feld dans sept minutes environ.

Je me demande si j'ai accompli quelque chose. Il regardait grossir la masse de terre. *C'est au général Tedeki de jouer, maintenant. Quelle que soit son influence dans l'archipel. Au moins, l'information leur parviendra. On a fait ce qu'on a pu.*

Mais l'optimisme n'est pas de mise. Les Japonais sont sans doute incapables d'infléchir le cours de la politique intérieure allemande. Le gouvernement Goebbels est au pouvoir ; il tiendra probablement. Sa position consolidée, il reviendra à l'idée de l'opération Pissenlit. Une grande partie de la planète sera détruite, une fois de plus, avec sa population, au nom d'un idéal de fanatiques dérangés.

Admettons qu'ils... que les nazis... finissent par la détruire entièrement. Ils peuvent ; ils ont la bombe à hydrogène. Et je suis prêt à parier qu'ils le feront ; leur mode de pensée les pousse au Götterdämmerung. Peut-être en ont-ils besoin, peut-être le poursuivent-ils activement ; l'holocauste ultime, fauchant l'humanité entière.

Que restera-t-il après cette folie, cette Troisième Guerre mondiale ? Mettra-t-elle un terme à toute vie, de toute sorte, partout ? Quand notre monde sera devenu de notre fait un monde mort...

Il n'arrivait pas à y croire. *Même si la vie est éradiquée sur notre planète, il doit en exister d'autres formes, ailleurs, dont nous ne savons rien. Ce n'est pas possible, notre monde n'est pas le seul ; il y en a forcément d'autres, invisibles à nos yeux, dans une région, une dimension que nous ne percevons tout simplement pas.*

Je ne peux pas le prouver, ce n'est pas logique... mais j'y crois.

« *Meine Damen und Herren. Achtung, bitte* », lança un haut-parleur.

L'atterrissage est pour bientôt. Je suis pratiquement sûr d'être accueilli par le Sicherheitsdienst. La question est donc : à quelle faction de la police aurai-je affaire ? Aux fidèles de Goebbels ou d'Heydrich ? En admettant que le bon général S.S., j'ai nommé Heydrich, soit toujours sain et sauf. Peut-être a-t-il été arrêté et fusillé pendant que je me trouvais à bord. Les événements s'enchaînent si vite en période de transition, dans une société totalitaire. L'Allemagne nazie a déjà offert à la méditation de certains des listes de noms en charpie...

Quelques minutes plus tard, la fusée posée, Wegener se retrouva debout, en train de s'avancer vers la sortie, son pardessus sur le bras. Derrière et devant lui, des passagers nerveux. Pas de jeune artiste nazi, cette fois. *Pas de Lotze pour me casser les pieds au dernier moment avec son point de vue imbécile.*

Un employé de la compagnie aérienne en uniforme – habillé comme un général du Reich en personne – les aida à descendre la rampe un à un. Un petit groupe de chemises brunes se tenait au bord du tarmac. *Pour moi ?* Wegener s'éloigna d'un pas lent de la fusée immobilisée. Plus loin, des hommes, des femmes, quelques enfants, même, attendaient, agitaient la main, appelaient…

Une des chemises brunes, un blond au faciès plat et aux yeux fixes, arborant l'insigne des Waffen-S.S., s'approcha de lui d'un pas vif puis salua en claquant des talons de ses bottes cavalières.

« *Ich bitte mich zu entschuldigen. Sind Sie nicht Kapitän Rudolf Wegener, von der Abwehr ?*

— Désolé, répondit Wegener, mais je suis Conrad Goltz, représentant en fournitures médicales d'A.G. Chemikalien. »

Il continua son chemin.

Deux autres chemises brunes, également membres des Waffen-S.S., s'approchèrent. Les trois militaires se mirent à marcher du même pas que lui, tant et si bien qu'il se retrouva brusquement sous bonne garde, alors qu'il se déplaçait toujours à son rythme, dans la direction de son choix. Deux de ses nouveaux compagnons dissimulaient des mitraillettes sous leurs longs manteaux.

« Vous êtes Wegener », dit l'un des S.S. en pénétrant dans le terminal.

Il ne répondit pas.

« Nous avons une voiture, continua le type. Nos ordres sont d'attendre l'atterrissage de votre fusée, de prendre contact avec vous et de vous conduire immédiatement au général Heydrich, qui se trouve avec Sepp Dietrich à l'O.K.W. de la division Leibstandarte. Il nous est notamment interdit de laisser les membres de la Wehrmacht ou du Partei vous approcher. »

On ne va donc pas me fusiller. Heydrich est sain et sauf ; en lieu sûr ; cherchant à consolider sa position face au gouvernement Goebbels.

Qui va peut-être tomber, après tout. Son escorte entraîna Wegener jusqu'à la Daimler qui les attendait. Un détachement de Waffen-S.S. brusquement déplacé de nuit ; les gardes du Reichskanzlei relevés, remplacés. Les commissariats de Berlin crachant soudain des S.D. armés dans toutes les directions… les émissions radio et l'électricité coupées, Tempelhof fermé. Le grondement des gros calibres dans les grands-rues obscures.

Mais quelle importance ? Même si Herr Doktor Goebbels est déposé et l'opération Pissenlit annulée… Ils existeront toujours… les chemises brunes, le Partei, les complots ; si ce n'est en Orient, alors ailleurs. Sur Mars ou Vénus.

Pas étonnant que M. Tagomi ait été incapable de continuer. Le dilemme terrible de notre vie. Quoi qu'il arrive, le mal est là, un mal incomparable. Alors pourquoi lutter ? Pourquoi choisir ? Si toutes les alternatives se valent…

Nous continuons pourtant, comme nous l'avons toujours fait. Jour après jour. À l'heure actuelle, en travaillant contre l'opération Pissenlit. Plus tard, je ne sais quand, nous essaierons de venir à bout du S.D. On ne peut pas tout faire en même temps ; c'est un enchaînement. Un processus en cours. On ne peut contrôler le produit final qu'en opérant un choix à chaque étape.

Il ne nous reste qu'à espérer. Et persévérer.

Dans un autre univers, les choses sont peut-être différentes. Mieux. Avec des alternatives évidentes, le bien et le mal. Pas ces obscurs mélanges, ces mixtures aux composants indissociables, faute d'outil approprié.

Nous ne vivons pas dans le monde idéal où nous aimerions vivre, où la morale serait à portée de main du fait que la cognition le serait aussi. Où l'action adéquate ne demanderait aucun effort, parce que l'évidence nous apparaîtrait.

La Daimler démarra, le capitaine Wegener installé à l'arrière, encadré de deux chemises brunes, la mitraillette sur les genoux. Un troisième Waffen-S.S. au volant.

Et si c'était un mensonge, même maintenant ? La conduite intérieure filait à toute allure à travers la circulation berlinoise. *Ils ne m'emmènent pas voir le général Heydrich à la division O.K.W. du Leibstandarte, ils vont me jeter dans une prison du Partei où on me mutilera avant de me tuer. J'ai fait mon choix : rentrer en Allemagne ; risquer la capture, si je ne me mettais pas assez vite sous la protection de l'Abwehr.*

La mort, n'importe quand ; une avenue qui nous reste ouverte en permanence. Qu'on finit par emprunter malgré soi. À moins de renoncer, de s'y engager volontairement. Il regardait défiler les maisons. Mon propre Volk. *Toi et moi, ensemble, à nouveau.*

« Où en est la situation ? demanda-t-il aux trois S.S. Ça a évolué, ces derniers temps ? Je suis absent depuis des semaines. J'étais parti avant la mort de Bormann.

— Le petit Doktor a obtenu le soutien des masses hystériques, naturellement, répondit l'homme installé à sa droite. Ce sont elles qui l'ont porté au pouvoir. Mais quand les éléments plus sobres reprendront les rênes, il est peu probable qu'ils soutiennent un infirme démagogue, dépendant des foules qu'il enflammé de ses mensonges et de son charme.

— Je vois », acquiesça Wegener.

Ça continue. La haine fratricide, meurtrière. Peut-être faut-il y voir les germes. Ils finiront par s'entredévorer et par laisser le reste d'entre nous sains et saufs, çà et là, de par le monde. Assez nombreux pour recommencer une fois de plus à construire, à espérer, à faire quelques projets tout simples.

*
* *

Une heure de l'après-midi. Juliana Frink arriva à Cheyenne, Wyoming, où elle s'arrêta dans le quartier commerçant du centre, en face d'une vieille gare gigantesque. Elle acheta dans un bureau de tabac deux journaux, qu'elle parcourut garée le long du trottoir, à la recherche d'une nouvelle sur laquelle elle finit par tomber.

VACANCES MORTELLES
M. Joe Cinnadella, de Cañon City, a été retrouvé égorgé dans sa luxueuse suite de l'hôtel President Garner, à Denver. La police recherche sa femme pour interrogatoire.

D'après les employés de l'établissement, Mme Cinnadella est repartie juste après ce qui a dû être la tragique apogée d'une querelle maritale. Ironie du sort, il semblerait que cette jeune femme d'une trentaine d'années – très brune, séduisante, élégante et mince, s'il faut en croire les témoins – se soit servi des lames de rasoir gracieusement fournies par l'hôtel à ses clients pour égorger la victime. Le corps a été découvert par M. Theodore Ferris, le groom qui était passé une demi-heure plus tôt chercher les chemises de M. Cinnadella et les lui rapportait, comme prévu. Une scène d'horreur l'attendait. D'après la police, les lieux présentaient des signes de lutte, ce qui tend à prouver que...

Il est mort. Juliana replia le journal. *Et ils n'ont pas mon nom. Ils ne savent pas qui je suis. Ils ne savent rien de moi.*

Nettement moins anxieuse, à présent, elle se lança à la recherche d'un motel correct, prit une chambre dans l'établissement sur lequel elle arrêta son choix puis y porta ses affaires. *Plus besoin de me presser. Je peux même attendre ce soir pour aller chez les Abendsen ; comme ça, je mettrai ma nouvelle robe. Je ne vais pas leur rendre visite en journée dans cette tenue... On ne porte pas ce genre de vêtements en plein après-midi.*

Je vais aussi terminer le livre.

Elle s'installa confortablement dans sa chambre, alluma la radio, alla se chercher du café à la brasserie du motel puis s'assit sur le lit bien fait avec l'exemplaire flambant neuf du *Poids de la sauterelle* acheté à la librairie de l'hôtel, à Denver.

Lorsque sonnèrent six heures et quart du soir, elle l'avait terminé. *Je me demande si Joe est arrivé à la fin... On y trouve tellement plus de choses qu'il ne l'avait compris. Que voulait donc dire Abendsen ? Rien sur le monde qu'il a inventé. Suis-je la seule à savoir ? Je le parierais ; personne d'autre que moi ne comprend vraiment ce roman... les autres croient le comprendre, c'est tout.*

Encore un peu secouée, elle rangea le livre dans sa valise, enfila son manteau et quitta sa chambre pour se lancer à la recherche d'un restaurant. Il flottait une odeur agréable ; les enseignes et les lumières de Cheyenne paraissaient particulièrement excitantes. Une dispute devant un bar, deux jolies prostituées indiennes aux yeux noirs... Juliana ralentit pour les regarder. Beaucoup de voitures luisantes, allant et venant dans les rues. Une auréole d'attente rayonnante entourait tout ce qu'elle voyait, l'impression d'aller de l'avant vers un grand événement heureux, au lieu de regarder en arrière – vers le morne et le rassis, l'usé, le rejeté.

Un restaurant français de luxe – où un type en manteau blanc garait les voitures des clients, où chaque table s'ornait d'une bougie plantée dans un énorme gobelet à vin et où on ne servait pas le beurre en petits carrés, mais fouetté, tourné en galets pâles. Après un dîner très agréable, elle regagna son motel sans se presser, car elle avait encore tout son temps. Il ne lui restait presque plus d'argent du Reich, mais elle s'en fichait ; ça n'avait pas d'importance. *Il nous parle de notre monde à nous*, songeat-elle en tournant sa clé dans la serrure de sa porte. *De ça. Ce qui nous entoure en ce moment même. Aussitôt dans sa chambre, elle ralluma la radio. Il veut qu'on voie les choses telles qu'elles sont. C'est exactement ce que je fais, de plus en plus, au fil des secondes.*

Tirant la robe bleue italienne de sa boîte, Juliana la disposa sur le lit avec le plus grand soin. Pas le moindre dégât. Un bon coup de brosse pour éliminer les peluches, au pire. Malheureusement, elle s'aperçut en ouvrant les autres paquets qu'elle n'avait emporté aucun des soutien-gorge neufs à demi-bonnets achetés à Denver.

« Nom de Dieu », s'exclama-t-elle en se laissant tomber sur une chaise.

Elle alluma une cigarette et resta un moment assise à fumer.

Peut-être avec un soutien-gorge classique... Ôtant corsage et jupe, elle enfila la robe. On voyait non seulement les bretelles, mais aussi la partie supérieure des bonnets. Ce n'était donc pas possible. *Peut-être sans soutien-gorge...* Elle n'avait pas tenté le coup depuis des années. Ça lui rappelait l'époque du lycée, quand elle avait de tout petits seins... ce qui d'ailleurs l'inquiétait. Mais la maturité et le judo l'avaient depuis dotée d'un 95C. Elle n'en essaya pas moins, debout sur une chaise dans la salle de bains pour se regarder dans la glace de l'armoire à pharmacie.

La robe était étourdissante, mais, Seigneur, ce serait beaucoup trop risqué. Il suffirait que Juliana se penche pour éteindre sa cigarette ou prendre son verre... et le désastre se produirait.

Une broche ! Elle pouvait se dispenser de soutiengorge, à condition de resserrer le décolleté. La jeune femme versa le contenu de sa boîte à bijoux sur le lit puis étala toutes ses broches ; des reliques qu'elle possédait depuis des années, cadeaux de Frank ou d'autres hommes, avant son mariage, plus la petite dernière que Joe lui avait achetée à Denver. Oui, celle-ci, en forme de cheval. Un minuscule coursier en argent de Mexico... Parfait. Il suffisait de trouver l'endroit précis où le piquer. Elle pouvait porter sa robe, en fin de compte.

Je suis contente d'arriver à quelque chose. N'importe quoi. Tout s'était tellement mal passé ; ses merveilleux projets avaient été réduits à néant ou presque.

Elle se brossa les cheveux assez longtemps pour les rendre brillants, crépitants. Il ne lui restait qu'à choisir chaussures et boucles d'oreilles. Son manteau, son nouveau sac à main en cuir ; elle ressortit.

Comme elle ne voulait pas prendre sa vieille Studebaker, elle demanda au propriétaire du motel de lui trouver un taxi. Puis, pendant qu'elle attendait son chauffeur dans le bureau, l'idée lui vint brusquement d'appeler Frank. Elle aurait été bien en peine de dire pourquoi elle envisageait une chose pareille, mais le fait était qu'elle l'envisageait. *Et pourquoi pas, après tout ?* Elle n'avait qu'à appeler en PCV ; il serait fou de joie d'avoir de ses nouvelles et ravi de payer.

Postée derrière la table de travail, elle porta le combiné à sa joue, l'oreille tendue avec délices aux voix des opérateurs longue distance qui essayaient d'établir la connexion à son bénéfice. Celui de San Francisco, très loin, demanda les renseignements nécessaires pour obtenir le numéro ; il y eut ensuite des pétillements, des crachotements puis, enfin, la sonnerie proprement dite. Juliana écoutait en guettant le taxi : *Il ne devrait pas tarder à arriver... mais ça ne le dérangera pas d'attendre un peu ; ils ont l'habitude.*

« Votre correspondant ne répond pas, annonça enfin l'opérateur de Cheyenne. Nous réessaierons plus tard et...

— Non. » Elle secouait la tête. De toute manière, ce n'était qu'une idée en l'air. « Je ne serai pas là. Merci beaucoup. »

Elle raccrocha – le propriétaire du motel était toujours là, pour vérifier qu'on ne lui facturait rien par erreur –, s'empressa de quitter le bureau et sortit dans la nuit fraîche attendre sur le trottoir.

Une voiture neuve étincelante quitta le flot de la circulation, s'approcha au ralenti puis s'arrêta ; la portière s'ouvrit, le chauffeur mit pied à terre et contourna le véhicule d'un pas vif.

Un instant plus tard, un luxueux taxi emportait Juliana à travers Cheyenne, prêt à la déposer chez les Abendsen.

La maison brillait de toutes ses lumières ; des voix et de la musique en sortaient. C'était une demeure de plain-pied en stuc, entourée d'innombrables arbustes et d'un grand jardin, composé pour l'essentiel de rosiers grimpants. *Je ne rêve pas, j'y suis vraiment ?* se demanda Juliana en s'avançant sur les dalles du chemin. *C'est ça, le Haut Château ? Et les rumeurs, les histoires ?* Il s'agissait d'une maison très ordinaire, bien entretenue, et le terrain environnant aussi. Il y avait même un petit tricycle dans la longue allée carrossable en ciment.

Se pouvait-il qu'elle ne soit pas chez le bon Abendsen ? Elle avait trouvé l'adresse dans l'annuaire de Cheyenne, et le numéro correspondait à celui qu'elle avait appelé la veille depuis Greeley.

Juliana monta sur la véranda à la balustrade de fer forgé puis sonna. Derrière la porte entrouverte se devinait une salle de séjour, plusieurs personnes, des stores vénitiens, un piano, une cheminée, des bibliothèques… Pas mal. Une petite fête, peut-être ? Personne n'était en tenue de soirée, pourtant.

Un gamin ébouriffé de douze ou treize ans, en jean et T-shirt, ouvrit brusquement la porte en grand.

« Oui ?

— Euh… M. Abendsen est là ? demanda-t-elle. Il est occupé ?

— Maman, appela l'adolescent, tourné vers l'intérieur de la maison. Elle veut voir papa. »

Une femme apparut près de lui, trente-cinq ans environ, les cheveux brun-roux, le regard ferme et décidé, le sourire si parfaitement compétent et impitoyable que la visiteuse n'eut pas une seconde de doute : elle avait affaire à Caroline Abendsen.

« J'ai appelé hier soir…

— Mais oui, bien sûr. » Le sourire s'élargit, dévoilant des dents parfaites, blanches et régulières. *Une Irlandaise*, décida Juliana. Il fallait du sang irlandais pour conférer à une mâchoire pareille une telle féminité. « Donnez-moi donc votre sac et votre manteau. Vous tombez au moment idéal ; nous recevons quelques amis. Quelle robe ravissante… elle vient de la maison Cherubini, non ? »

L'arrivante se laissa entraîner à travers la salle de séjour jusqu'à une chambre, où son hôtesse posa ses affaires sur le lit, en compagnie de celles des invités.

« Mon mari est quelque part par là. Un grand type à lunettes qui boit un old-fashioned. »

Les yeux de Caroline Abendsen déversaient sur Juliana leur éclat intelligent ; ses lèvres frémissaient… *On se comprend parfaitement toutes les deux. Étonnant*, se dit la visiteuse.

« Je viens de loin, déclara-t-elle tout haut.

— Oui, je sais. Ah, je le vois. »

Caroline Abendsen l'entraîna de nouveau dans la salle de séjour, en direction d'un groupe d'hommes.

« Chéri, viens par ici. Je te présente une de tes lectrices qui a très envie d'échanger quelques mots avec toi. »

Un des membres du groupe s'en écarta puis s'approcha d'elles, son verre à la main. Un type immense aux boucles noires, à la peau sombre, aux yeux marrons ou pourprés, d'une nuance douce derrière ses verres. Son costume sur mesure, taillé dans une fibre naturelle coûteuse, peut-être de la laine britannique, mettait en valeur de larges épaules robustes qui ne devaient rien à une quelconque doublure. Juliana n'avait jamais vu un costume pareil de sa vie ; elle en resta fascinée.

« Mme Frink a fait tout le trajet depuis Cañon City, au Colorado, dans le seul but de te parler du *Poids de la sauterelle*.

— Je croyais que vous viviez dans une forteresse, » s'étonna-t-elle.

Hawthorne Abendsen se pencha pour la regarder, un sourire méditatif aux lèvres.

« Autrefois, oui. On ne pouvait malheureusement y accéder que par ascenseur, et je suis devenu phobique. J'étais complètement saoul quand ça s'est produit, mais autant que je me rappelle, et d'après ce qu'on m'a raconté, j'ai refusé de me lever pour entrer dans la cabine, sous prétexte que c'était le Christ qui tirait sur le câble et qu'on allait monter, monter, monter. J'étais fermement décidé à ne pas bouger de là où j'étais. »

Elle ne comprenait pas.

« Depuis que je connais Hawthorne, il dit et il répète que le jour où il finira par voir le Christ, il s'assiéra, expliqua Caroline ; pas question qu'il reste debout. »

Ce fut alors que Juliana se souvint du cantique.

« Alors vous avez laissé tomber le Haut Château pour revenir vous installer en ville.

— Je vais vous servir un verre, dit Hawthorne.

— Si vous voulez, acquiesça-t-elle, mais pas un old-fashioned. » Elle avait eu un aperçu du buffet, occupé par plusieurs bouteilles de whisky, des hors-d'œuvres, des verres, un shaker, des cerises et des rondelles d'orange. Elle s'en approcha, accompagnée de son hôte. « Juste un I.W. Harper avec des glaçons. J'ai toujours aimé ça. Vous connaissez l'oracle ?

— Non, répondit Hawthorne en la servant.

— Le *Livre des mutations* ? insista-t-elle, surprise.

— Eh bien, non », répéta-t-il.

Il lui tendit son verre.

« Arrête de la taquiner, intervint Caroline.

— J'ai lu votre roman, reprit Juliana. En fait, je l'ai terminé ce soir. Comment saviez-vous tout ça… sur l'autre monde que vous décrivez ? »

Sans répondre, il frotta une de ses phalanges contre sa lèvre supérieure, le regard perdu au loin, les sourcils froncés.

« Vous avez utilisé l'oracle ? » reprit-elle. Il lui jeta un coup d'œil. « Je ne veux pas d'un jeu de mot ou d'une plaisanterie. Répondez-moi sans chercher à être spirituel. »

Il se mordilla la lèvre, les yeux baissés ; s'entoura de ses bras et se mit à se balancer sur ses talons. Les invités les plus proches s'étaient tus ; leur attitude avait changé. Ce que venait de dire Juliana ne leur avait manifestement pas plu, mais elle ne chercha ni à le retirer ni à le travestir. Pas question de feinter ; c'était trop important. Et elle venait de trop loin, elle en avait trop fait pour ne pas exiger la vérité.

« Il est… difficile de répondre à votre question, dit enfin Hawthorne.

— Non », trancha-t-elle.

Tout le monde s'était tu, à présent. Tout le monde la regardait, postée près des Abendsen.

« Je suis désolé, mais je ne peux pas répondre comme ça, s'obstina-t-il. Il va falloir que vous l'acceptiez.

— Alors pourquoi avez-vous écrit ce livre ? demanda-t-elle.

— Que fait cette broche sur votre robe ? interrogea-t-il en montrant le bijou avec son verre. Elle écarte les dangereux esprits du monde immuable, ou elle préserve l'intégrité de votre tenue ?

— Pourquoi changez-vous de sujet ? Vous éludez ma question en faisant une remarque qui ne rime à rien. C'est puéril.

— Tout le monde a… des secrets techniques. Vous avez les vôtres ; j'ai les miens. Vous devriez lire mon livre et l'accepter tel qu'il est, de même que j'accepte ce que je vois… » Il tendit à nouveau son verre vers elle. « … sans chercher à savoir si ce tissu dissimule quelque chose d'authentique ou un assemblage de fil de fer, de baleines, de rembourrage en caoutchouc mousse. Après tout, il faut se fier à la nature humaine et à ce qu'on observe, en général. »

Il avait à présent l'air irritable, agacé ; ce n'était plus un hôte empli de politesse. D'ailleurs, Caroline paraissait tendue, exaspérée, Juliana s'en aperçut du coin de l'œil ; lèvres serrées, sourire envolé.

« Dans votre livre, vous montrez qu'on peut s'en sortir. Ce n'est pas ce que vous vouliez dire ?

— S'en *sortir*, répéta-t-il, ironique.

— Vous m'avez beaucoup aidée ; maintenant, je suis consciente que je n'ai rien à craindre, rien à vouloir, à haïr, à éviter ou à fuir. Ni à chercher. »

Il lui fit face pour l'examiner en agitant son verre.

« À mon avis, il y a en ce monde bien des choses qui en valent la peine.

— Je sais ce qui se passe dans votre tête. » Il arborait l'expression familière qu'elle avait tant vue aux hommes, mais qui ne la dérangeait pas, sur son visage à lui. Elle ne se sentait plus comme autrefois. « D'après le dossier de la Gestapo, vous êtes attiré par les femmes dans mon genre.

— Il n'y a plus de Gestapo depuis 1947 », répondit-il, presque sans changer d'expression.

« Le S.D. alors, ou je ne sais quoi.

— Pourriez-vous vous expliquer ? intervint Caroline d'un ton brusque.

— Bien sûr, répondit Juliana. Je suis allée jusqu'à Denver avec un de ces hommes. Ils finiront par venir ici. Vous devriez aller quelque part où ils ne vous trouveront pas, au lieu de tenir maison ouverte et de laisser entrer n'importe qui. Le prochain... il n'y aura personne comme moi pour l'arrêter.

— Vous dites *le prochain*, déclara Hawthorne après un silence. Qu'est devenu celui avec qui vous êtes allée à Denver ? Pourquoi ne viendra-t-il pas, lui ?

— Je lui ai tranché la gorge.

— Ce n'est pas rien. Entendre une femme vous dire une chose pareille, une femme qu'on n'a encore jamais vue de sa vie.

— Vous ne me croyez pas ?

— Si. » Il hocha la tête puis sourit, timidement, gentiment, tristement. De toute évidence, l'idée de ne pas la croire ne lui était même pas venue. « Merci.

— Je vous en prie, cachez-vous.

— Ma foi, on a essayé, vous savez bien. Vous l'avez lu sur la couverture du livre… les armes, les barbelés électrifiés. On l'a fait imprimer, comme si on prenait toujours autant de précautions. »

Sa voix avait quelque chose de las, de sec.

« Tu pourrais au moins t'acheter un pistolet, lança Caroline. Je suis sûre qu'un jour, tu inviteras quelqu'un à entrer, tu engageras la discussion, et il te tuera ; un quelconque nazi vengeur ; pendant que toi, tu seras là, à philosopher, comme maintenant. Je t'y vois.

— Ils peuvent faire abattre n'importe qui, si vraiment ils y tiennent. Barbelés électrifiés et Haut Château ou pas. »

Quel fatalisme, songea Juliana. *Quelle résignation à sa propre destruction. Es-tu aussi sûr de ça que du monde de ton livre ?*

« C'est l'oracle qui a écrit le roman, hein ? demanda-t-elle tout haut.

— Vous voulez la vérité ? répondit son hôte.

— Je la veux et j'y ai droit, compte tenu de ce que j'ai fait. Oui. Vous le savez pertinemment.

— L'oracle dormait à poings fermés pendant toute la rédaction de mon livre. Dans un coin de mon bureau. »

Nulle lueur d'amusement ne brillait dans les yeux d'Hawthorne. Son visage semblait au contraire plus long et plus sombre que jamais.

« Dis-lui, intervint sa femme. Elle a raison ; elle a le droit de savoir, vu ce qu'elle a fait pour toi. » Caroline continua, à l'adresse de Juliana, cette fois : « Je vais vous dire, moi, Mme Frink. Hawthorne a opéré ses choix un à un. Des milliers. Grâce aux tirages. Période historique. Sujet. Personnages. Intrigue. Ça lui a pris des années. Il a même demandé à l'oracle quel genre de réussite ce serait. Le *Yi King* lui a répondu que ça donnerait un immense succès, le premier de sa carrière. Vous aviez raison, vous voyez. Vous devez souvent consulter le livre, vous aussi, pour avoir deviné.

— Je me demande pourquoi il écrirait un roman, déclara Juliana. Vous ne lui avez jamais posé la question ? Et pourquoi sur la défaite des Allemands et des Japonais. Pourquoi cette histoire-là plutôt qu'une autre. Il doit y avoir quelque chose qu'il ne peut pas nous dire de but en blanc, comme il l'a toujours fait. Quelque chose de différent, vous ne croyez pas ? »

Ni Hawthorne ni Caroline ne répondirent.

« Lui et moi sommes parvenus depuis longtemps à un accord en ce qui concerne les droits, dit enfin le premier. Si je lui demande pourquoi il a écrit *Le Poids de la sauterelle*, je me retrouverai à lui donner ma part. La question laisse entendre que je me suis contenté de taper le texte à la machine, ce qui est faux et inconvenant.

— Je lui demanderai, si tu ne le fais pas, affirma Caroline.

— Ce n'est pas à toi de le faire. Laisse-la s'en charger. » Il ajouta, pour Juliana : « Vous avez une tournure d'esprit… *a*normale, vous en êtes consciente ?

— Où est votre exemplaire ? demanda-t-elle sans répondre. Le mien est resté dans ma voiture, au motel. Je vais aller le chercher, si vous ne voulez pas que je me serve du vôtre. »

Il lui tourna le dos et s'éloigna. Caroline et elle le suivirent à travers la pièce surpeuplée jusqu'à une porte fermée, devant laquelle il les laissa. Quand il reparut, les deux volumes à couverture noire étaient bien visibles entre ses mains.

« Je ne me sers pas des tiges d'achillée, je n'arrive pas à m'y habituer, dit-il à Juliana. Je passe mon temps à les faire tomber. »

Elle s'assit à une table basse, dans un coin.

« Il me faut du papier et un stylo. »

Un des invités lui apporta ce qu'elle demandait. Le cercle se forma, attentif, autour d'elle et des Abendsen.

« Vous pouvez poser la question à voix haute, déclara Hawthorne. Nous n'avons pas de secrets, ici.

— Oracle, pourquoi as-tu écrit *Le Poids de la sauterelle* ? interrogea-t-elle. Que sommes-nous censés apprendre ?

— Quelle manière superstitieuse de formuler la chose, commenta son hôte. C'est déconcertant. » Toutefois, il s'accroupit pour assister aux tirages. « Allez-y », ajouta-t-il en tendant à Juliana trois pièces de cuivre chinoises, percées d'un trou central. « Ce sont celles dont je me sers le plus souvent. »

Elle se mit à l'œuvre ; très calme, très maîtresse d'elle-même. Il coucha au fur et à mesure les traits sur le papier.

« Souen en haut. Touei en bas. Le centre libre », annonça-t-il, les yeux baissés, lorsqu'elle eut lancé les pièces six fois de suite.

« Vous savez de quel hexagramme il s'agit ? demanda-t-elle. Sans la table ?

— Oui.

— Tchung Fu. La Vérité Intérieure. Je n'ai pas besoin de la table non plus. Et je sais ce qu'il signifie. »

Hawthorne releva la tête pour la regarder. Il arborait à présent une expression presque sauvage.

« Ça signifie que mon livre est vrai, hein ?

— Oui, acquiesça-t-elle.

— L'Allemagne et le Japon ont perdu la guerre ? insista-t-il d'un ton coléreux.

— Oui. »

Il referma les deux volumes et se releva sans mot dire.

« Même vous, vous refusez d'affronter la situation », reprit-elle.

Il l'examina un moment, les yeux vides. Tournés vers l'intérieur, comprit-elle. Il se concentrait sur son être propre… jusqu'à l'instant où son regard s'anima, une fois de plus. Il tressaillit en lâchant une sorte de grognement.

« Je ne suis sûr de rien.

— Il faut croire », répondit-elle. Il secoua la tête. « Vous n'y arrivez pas, vous êtes sûr ?

— Vous voulez que je vous signe un exemplaire du *Poids de la sauterelle ?* »

Juliana se releva, elle aussi.

« Je pense que je vais y aller. Merci beaucoup. Je suis désolée, si je vous ai gâché la soirée. C'était gentil à vous de m'accueillir. »

Elle dépassa Caroline puis traversa le cercle des spectateurs pour gagner la pièce où se trouvaient ses affaires.

Hawthorne apparut derrière elle alors qu'elle enfilait son manteau.

« Vous savez ce que vous êtes ? » Il se tourna vers sa femme, postée près de lui. « Cette jeune personne est un démon. Un petit esprit chtonien qui… » Comme il se frottait les sourcils, sa main délogea à moitié ses lunettes. « … qui parcourt inlassablement la surface du globe. » Rajustement des lunettes. « Elle obéit à ses pulsions, ses instincts ; exprime son être, tout simplement. Elle n'avait pas la moindre intention de venir nous voir ni de nuire à qui que ce soit ; c'est arrivé, ni plus ni moins, comme arrive le mauvais temps. Je suis content qu'elle soit passée. Ça ne me dérange pas d'avoir compris, d'avoir partagé la révélation qu'elle a eue à travers le livre. Elle ne savait pas ce qu'elle allait faire ici ; ce qu'elle allait trouver. On a une sacrée chance, tous autant qu'on est. Alors ne nous énervons pas, d'accord ?

— Elle est tellement, tellement perturbante, dit Caroline.

— La réalité aussi. » Hawthorne tendit la main à Juliana. « Je vous remercie de ce que vous avez fait à Denver. »

Ils échangèrent une poignée de main.

« Au revoir, dit-elle. Écoutez votre femme. Armez-vous, au moins.

— Non. Ma décision est prise depuis longtemps. Pas question que je laisse ce genre de choses me ronger. Je m'appuie de temps en temps sur l'oracle, quand je me sens nerveux, surtout tard la nuit. Ce n'est pas si mal, dans une situation pareille. » Il eut un léger sourire. « Franchement, la seule chose qui m'ennuie, maintenant, c'est la pensée que tous les fainéants ici présents, qui ouvrent grands les yeux et les oreilles, sont en train de boire jusqu'à la dernière goutte d'alcool de cette maison pendant qu'on papote. »

Il pivota et s'éloigna en direction du buffet, pour remettre des glaçons dans son verre.

« Où comptez-vous aller, maintenant que vous en avez terminé ici ? s'enquit Caroline.

— Je ne sais pas. » La question ne tourmentait nullement Juliana. *Je dois être un peu comme lui ; il y a des problèmes par lesquels je ne me laisse pas tou-*

cher, si importants soient-ils. « Je vais peut-être retourner chez mon mari, Frank. J'ai essayé de l'appeler, ce soir ; il se peut que je réessaie. Je verrai plus tard comment je me sens.

— Malgré ce que vous avez fait pour nous, enfin ce que vous dites avoir fait...

— Vous regrettez que je sois venue, compléta-t-elle.

— C'est affreux de ma part, si vous avez sauvé la vie d'Hawthorne, mais je suis bouleversée ; je ne peux pas accepter ça... ce que vous avez dit, lui et vous.

— C'est bizarre. Je n'aurais jamais cru que la vérité vous mettrait en colère. » La vérité... aussi terrible que la mort, mais bien plus difficile à trouver. *J'ai de la chance.* « Je pensais que vous seriez enchantés, surexcités... comme moi. Un malentendu, voilà ce que c'est. » Elle souriait. Il y eut un court silence, puis Caroline réussit à lui rendre son sourire. « Bon, au revoir et bonne soirée. »

Un instant plus tard, Juliana parcourait l'allée dallée dans l'autre sens, traversait les carrés de lumière jetés par les fenêtres de la salle de séjour puis plongeait dans l'ombre, passé la pelouse, pour gagner le trottoir obscur.

Elle continua son chemin sans un regard en arrière vers la maison des Abendsen, parcourant les rues à la recherche d'une voiture qui la ramènerait à son motel, mouvante, éclatante, vivante.

REMERCIEMENTS

La version du *Yi King, Le Livre des mutations*, utilisée et citée dans ce roman, est la traduction anglaise de Carry F. Baynes (elle-même traduite de la version allemande de Richard Wilhelm), publiée par Pantheon Books dans les Bollingen Series XIX de la Bollingen Foundation Inc., New York, en 1950.

Le haïku de la page 57, écrit par Yosa Buron, a été traduit par Harold G. Henderson dans le premier tome de l'*Anthology of Japanese Literature*, publié par Donald Keene chez Grove Press, New York, en 1955.

Le waka de la page 166, écrit par Chiyo-ni, a été traduit par Daisetz T. Suzuki dans *Zen and Japanese Culture*, de Daisetz T. Suzuki, publié par Pantheon Books dans les Bollingen Series LXIV de la Bollingen Foundation Inc., New York, en 1959.

Je me suis beaucoup servi du *Troisième Reich – Des origines à la chute*, de William L. Shirer (Stock, 1990) ; de *Hitler ou les mécanismes de la tyrannie*, d'Alan Bullock (Marabout, 1963) ; du *Journal* de Goebbels (Tallandier, 2005-2006) ; du *Livre des morts tibétain* (Buchet-Chastel, 2009) ; d'*Afrika Korps*, de Paul Carell (J'ai lu, 1963).

Je dois aussi des remerciements personnels à l'éminent écrivain de westerns Will Cook, pour l'aide qu'il m'a apportée sur les artefacts historiques datant de la conquête de l'Ouest.

Note de la traductrice :

La traduction française du *Yi King* utilisée (également traduite à partir de la version de Richard Wilhelm) est disponible sur le site :
http://wengu.tartarie.com/wg/ wengu.php?l=Yijing &lang=fr&no=0

Les traductions françaises du haïku et du waka ont été réalisées à partir des versions citées par Philip K. Dick.

VERS LE HAUT CHÂTEAU
POSTFACE

En 1961, lorsqu'il entreprend la rédaction du *Maître du Haut Château*, Philip K. Dick n'a pas encore publié d'œuvre véritablement marquante. Sa grosse production de nouvelles montre un talent indéniable dans la fabrique d'univers truqués, de paradoxes temporels et de questionnements métaphysiques, tandis que ses huit romans parus jusqu'alors ne sont que d'aimables divertissements explorant déjà certaines de ses obsessions, à la construction éprouvée et provoquant un certain vertige. Si *L'œil dans le ciel* ou *Le temps désarticulé* marquent des étapes importantes dans la maturation de ses thématiques, c'est toutefois avec ce texte que Dick change véritablement de stature. La réception du livre à sa sortie en 1962 et l'obtention du prix Hugo[1] l'année suivante confortent l'auteur dans l'idée qu'il est possible de mettre en adéquation son ambition et le genre dans lequel il se distingue et dont il ne parvient pas à s'extraire[2].

---

1. Remis tous les ans à la Convention mondiale de science-fiction, le prix Hugo est le résultat d'un vote du public.
2. À ce stade de sa carrière, aucun de ses romans hors genre n'a encore été publié. Ils le seront tous bien plus tard, après sa mort pour la plupart.

À bien des égards, *Le maître du Haut Château* représente un tournant dans la carrière de Philip K. Dick. En premier lieu, parce que ce texte inaugure chez lui une nouvelle manière de travailler sur la matière de ses obsessions, une rupture avec la façon dont il construisait ses œuvres auparavant. Par ailleurs, le succès du livre lui octroie un surplus de confiance et valide un mode opératoire novateur. Ce sera le point de départ d'une série de romans qui le fera véritablement entrer dans le cercle des plus grands auteurs américains du xxe siècle[1].

« Je crois que je ne vais même pas l'envoyer. Je crains qu'il ne soit pas bon[2]. »

Au début des années 1960, Philip K. Dick emménage chez sa nouvelle épouse, Anne, à Point Reyes Station, dans le nord de la Californie. Après avoir reçu un colis de New York contenant six de ses romans de littérature générale que son agent lui explique ne pas parvenir à placer, il s'investit de plus en plus dans l'entreprise naissante de création de bijoux de sa femme. Il lui tient compagnie dans son atelier et s'amuse même à fabriquer de petits objets, dont un en particulier, qu'il décrit précisément dans *Le maître du Haut Château* et qu'il met dans les mains de Tagomi dans une scène pivot. Mais, se sentant menacé dans son statut d'écrivain par le succès grandissant

---

1. La publication, en 2007, de quatre de ces textes dans un volume intitulé *Four novels of the sixties* sous le label de la prestigieuse collection Library of America, l'équivalent de notre Pléiade, dénote son importance. Deux autres recueils de romans ont paru depuis dans la même collection.
2. Cité par Anne Dick dans *Search for Philip K. Dick, 1928-1982*, Point Reyes Cypress Press, 2009, à propos du manuscrit achevé du *Maître du Haut Château*.

des affaires de son épouse, il décide de s'isoler dans une vieille masure, à l'écart de la maison familiale, où, selon ses termes, il fait « comme si [il était] en train de rédiger un bouquin ». « Et c'est ainsi que je me suis mis à écrire directement, sans la moindre note, rien que pour me sortir de cette histoire de bijoux. C'est d'ailleurs pour ça que la création de bijoux occupe une telle place dans le roman. Et n'ayant pas pris de notes préalables, je ne savais pas du tout quelle direction prendrait le récit ; alors je me suis servi du *Yi King* pour construire l'intrigue[1]. »

Fasciné par le procès d'Eichmann qui se déroule à Jérusalem, Dick envisage d'écrire un roman sur Martin Borman, mais ne dépasse pas le stade du synopsis. Puis il fait quelques recherches sur la fermeture du port de Marseille au Moyen Âge avant d'abandonner l'idée.

Deux piliers

Deux livres vont être, chacun à sa manière, les vrais déclencheurs de la rédaction du *Maître du Haut Château*.

Le premier est un roman de science-fiction de Ward Moore, *Autant en emporte le temps*, publié en 1953 et prenant pour décor un monde dans lequel les États du Sud ont gagné la guerre de Sécession. Cette histoire alternative, ou uchronie, postule qu'à partir d'un point de divergence précis – ici la bataille de Gettysburg –, l'univers fictionnel s'est mis à s'éloigner du nôtre. Le livre n'est pas l'initiateur du genre, mais Dick l'a fait lire à sa femme peu avant d'entamer l'écriture du *Maître du Haut Château*. L'idée

---

1. Cité par Lawrence Sutin dans *Invasions divines*, Denoël, 1995.

d'une uchronie était pour lui dans l'air. On peut voir dans le mélange d'influences formé par l'histoire alternative d'*Autant en emporte le temps* et l'intérêt de l'auteur pour les criminels nazis une sorte de bouillon de culture à l'origine du roman. L'intrigue du *Maître du Haut Château* prend pour cadre un monde où les Allemands ont gagné la guerre. Utilisant comme point de divergence la tentative d'assassinat de Roosevelt par Giuseppe Zangara en 1933, ici couronnée de succès, Dick déroule une série d'événements qui aboutissent à la victoire des forces de l'Axe en 1948. Cette toile de fond n'est cependant pas le cœur du livre. Elle n'en est que le décor. L'intrigue est contemporaine de la rédaction du roman et nous plonge dans une Amérique partagée en trois États distincts : une côte ouest occupée par les Japonais, une zone centrale neutre, et l'est sous le joug allemand. C'est dans la partie sous influence japonaise, mais également dans ce qu'il reste des États-Unis libres, que l'essentiel du roman va se dérouler. Une uchronie, donc, un univers cauchemardesque pour un Américain de l'époque de Dick, un cadre original pour son temps, qui permet à l'auteur de poser d'une manière différente les questions qui le hanteront tout au long de sa carrière.

Le deuxième ouvrage sur lequel Dick s'appuie est le *Yi King*, ou « Livre des transformations », un traité chinois datant d'un millénaire avant Jésus-Christ et censé décrire les états du monde et leurs évolutions. On peut le consulter pour obtenir des réponses à des interrogations ou même l'utiliser comme méthode divinatoire. Dick le découvre par l'intermédiaire de Jung, auteur de la préface de la meilleure version occidentale (traduite par Richard Wilhelm) et il se met à questionner « l'oracle », ainsi que ses pratiquants surnomment le livre. Il y aura recours plusieurs fois par jour pendant des années. L'ouvrage va devenir la pierre angulaire de son roman, sa colonne vertébrale. Comme l'explique lui-même l'auteur, il s'en sert pour construire son intrigue. Au sein même du monde du texte, les personnages utilisent le *Yi King* pour obtenir des réponses ou orienter leurs actions futures. L'influence d'un tel livre dans l'univers du *Maître du Haut Château* est justifiée par la présence des occupants japonais, fervents adeptes de l'oracle. Il prendra une importance encore plus grande à la fin du roman.

Changement de style

Si *Le maître du Haut Château* marque un changement de cap, une progression, dans la carrière de Dick, ce n'est pas simplement dans le choix d'un contexte uchronique, mais également parce qu'on peut y observer des différences structurelles. Dans ses romans antérieurs, l'auteur alterne les points de vue de divers personnages répondant tous à des archétypes : un monsieur Tout-le-Monde, au nom monosyllabique, introduit dans le premier chapitre, puis un deuxième, qui travaille pour une firme ou une institution dans le suivant, avant un troisième, dans celui d'après, un protagoniste que Dick lui-même qualifie de surhumain et capable d'influer sur le destin des deux précédents. Ces personnages sont amenés à se croiser au cours d'une intrigue qui se résume souvent à montrer les efforts des protagonistes au bas de l'échelle pour renverser un ordre établi, un monde truqué qui ne leur convient pas. Dans *Le maître du Haut Château*, en revanche, les personnages sont moins marqués par leur statut social et aucun ne prend plus d'importance qu'un autre en matière de narration. Les liens entre eux sont ténus et la plupart ne se rencontreront pas durant le livre. Chacun influera d'une certaine manière sur le destin d'un autre sans que ces relations de cause à effet soient connues des personnages eux-mêmes. Tagomi fait un voyage dans un monde parallèle grâce au bijou fabriqué par Frank Frink, par exemple, tandis que ce dernier est sauvé par le refus du Japonais de signer sa déportation. Ils ne se croiseront jamais, contrevenant en cela à un lieu commun des narrations à points de vue multiples où les différents protagonistes finissent par tous se retrouver. Dick a toujours affirmé s'être inspiré, pour cette construction, des écrivains japonais qui avaient étudié le roman réaliste français à l'université, mais sans jamais citer de noms. L'idée première étant de donner au livre la forme qu'il aurait eue s'il avait été rédigé sous le joug de l'occupation japonaise. Mais trouver un auteur japonais correspondant à la description faite par Dick ayant été traduit en anglais avant l'écriture du *Maître du Haut Château* et utilisant les points de vue multiples n'a rien d'évident. Le meilleur candidat reste Hiroshi Noma, dont le roman, *Zone of emptiness*, emploie ce procédé d'une façon sensiblement différente de celle de Dick.

Sur le plan stylistique, le changement est notable. Toujours dans l'optique d'intégrer son roman dans l'uchronie qu'il dépeint, d'en faire un texte semblant véritablement issu des États-Unis occupés, l'auteur travaille la forme. Phrases plus courtes, tendues, recherche de la concision semblable à celle des haïkus. Dick se met dans la peau d'un écrivain influencé par les Japonais qui dominent son pays.

« À tous les coups, il allait à la salle de bains. Se doucher. Fini. Bon. Elle soupira. »

Ou encore :

« Des têtes se tournaient. On le voyait. L'humiliation. Malade à une réunion importante. Licencié. »

Une des qualités de la nouvelle traduction de Michelle Charrier est sans doute de souligner un peu plus ces particularités de l'écriture de Dick. L'occasion, peut-être, pour des critiques français qui ne voyaient en l'auteur qu'un piètre styliste après avoir lu certaines traductions médiocres, et même parfois tronquées, de changer d'avis. Dick adapte tous ses outils d'écrivain au monde qu'il décrit et dont il veut faire passer son livre pour un artefact.

Un autre aspect remarquable du *Maître du Haut Château* est l'absence de toute quincaillerie science-fictive, de tropes habituels du genre (robots, mutants, vaisseaux spatiaux, etc.), qui rapproche le roman des textes de littérature générale de l'auteur. Même si l'on reste dans la SF, l'écriture débarrassée du côté gadget autorise une synthèse entre réalisme et littérature de genre qui se retrouve dans les meilleurs romans dickiens, stylistiquement parlant (citons *Substance Mort* ou *Coulez mes larmes, dit le policier*).

L'humour, qui découle souvent de la coloration surréaliste que Dick aime donner à sa science-fiction (la porte procédurière d'*Ubik* en est un bon exemple), fait complètement défaut au *Maître du Haut Château*. Comme si le monde présenté ne permettait plus le décalage propice au rire ou que le style choisi par l'auteur l'interdisait.

Pour autant, même s'il modifie sa façon de faire en fonction de ce projet particulier, Dick creuse le même sillon et continue son travail sur des thématiques qui hanteront toute sa carrière.

Faussaires, doubles, équilibre

Le maître du Haut Château joue, par exemple, sur la notion de faux. On retrouve ainsi un travailleur manuel, Frank Frink, une catégorie de personnage qui revient souvent dans ses livres comme prototype d'homme vrai, avec ses qualités et ses défauts. Ici, le créateur de bijou façonne un petit triangle dont la forme semble en harmonie avec le monde et qui projettera, sans que l'on sache bien comment, Tagomi dans notre univers. La question des objets et de leur authenticité est centrale. Robert Childan, l'Américain collaborateur et docile, vend à de riches clients des pistolets de la guerre de Sécession et autres collectors revêtant une importance historique. L'historicité, la véritable valeur des artefacts fonctionnent dans le livre comme une sorte de synecdoque, une thématique à échelle réduite reflétant le problème de la réalité de toutes choses et ici, au premier chef, celle de l'univers du livre. La présence de ces objets et l'enjeu qu'ils représentent au sein de l'intrigue interrogent l'histoire et le degré de confiance que l'on peut accorder à ceux qui l'écrivent. Le faux est partout. Dans la vitrine du magasin de Childan, avec l'ersatz de pistolet que Frink a fabriqué. Dans l'identité adoptée par l'espion allemand Wegener pour venir conférer avec les autorités d'occupation. Et même dans le rapport, pour le moins biaisé, qu'entretiennent les Japonais vis-à-vis de la culture américaine. Jusqu'à l'ouvrage que vous tenez entre les mains : la création d'un Dick jouant lui-même au faussaire.

Le thème du double imprègne lui aussi toute son œuvre. Dans *Le maître du Haut Château*, il s'incarne notamment dans un effet miroir englobant deux univers (le nôtre, dans lequel se rend Tagomi) et celui du livre, ainsi que deux romans et leurs deux auteurs (Dick *vs* Hawthorne Abendsen). L'équilibre entre deux forces opposées comme le Yin et le Yang, ou deux qualificatifs dénotant une gradation comme le Wu et le Wabi, participe à ces jeux de miroirs. La broche triangulaire qui propulse Tagomi ailleurs possède une telle harmonie, un tel équilibre qu'elle permet, pour un temps, de voir au-delà des apparences. Elle ouvre un *tao*, une voie, un chemin vers un autre univers propre à contrebalancer le monde cauchemardesque dans lequel les personnages se débattent. Les bijoux décrits dans le livre sont parfaits. Construits avec beaucoup de Wu, ils sont devenus Wabi. Authentiques. Harmonieux. Contrairement aux romans précédents de Dick, pas totalement réussis, qui atteint enfin avec *Le maître du Haut Château* une sorte d'équilibre en pratiquant une fusion entre la science-fiction débridée, alimentaire, et ses ambitions littéraires.

Le réel et l'humain

Les deux grandes thématiques dickiennes se retrouvent également dans l'œuvre. Les questions que pose l'auteur, « Qu'est-ce que l'humain ? » et « Qu'est-ce que la réalité ? », y sont, comme souvent, fondamentales.

Deux types d'occupation s'opposent dans le roman, deux façons de gouverner. Les Japonais exercent une autorité plus douce que les Allemands et font preuve d'une spiritualité et d'une retenue bien plus développée. Le régime nazi est totalement inhumain, dénué de la moindre empathie. Baynes, l'espion allemand, décrit le mode de fonctionnement de ceux qui le dirigent au début du livre. Ces hommes se prennent pour des dieux et négligent leurs semblables. Ils s'apparentent à ce que Dick qualifie, dans d'autres romans et essais, d'androïdes, des êtres qui ne se soucient pas de leur prochain et que l'absence de *caritas*, d'amour au sens chrétien du terme, de compassion, rend inhumains[1]. *A contrario*, les occupants japonais font preuve d'une curiosité bienveillante envers la culture américaine et se posent en protecteurs d'une région qu'ils ont colonisée. Tout au long du livre, le comportement de Tagomi, leur représentant le plus présent, est bien plus digne, mesuré et « humain » que celui d'un Américain comme Robert Childan, par exemple. La façon dont les Japonais dirigent l'ouest des États-Unis a fait écrire à Kim Stanley Robinson[2] que l'utopie contenue dans *Le maître du Haut Château* n'est pas *Le poids de la sauterelle*, mais bel et bien l'univers dans lequel vivent Tagomi, Childan, Frink et les autres. Selon lui, la politique d'occupation du Japon, qui s'est adoucie depuis la fin du conflit sans que Dick l'explique, offre un monde plus humain, plus supportable que le nôtre, celui où les Alliés ont gagné la guerre. Pour Robinson, la véritable leçon à tirer du roman est que l'Axe l'a emporté dans notre univers et que le fascisme et l'impérialisme sont toujours de mise aux États-Unis. L'univers du *Maître du Haut Château* serait ainsi, paradoxalement, une utopie qui présenterait un San Francisco bien plus agréable à

---

1. L'interrogatoire du réplicant Léon qui passe le test Voight-Kampff au début du film *Blade Runner* illustre à merveille ce concept.
2. Dans son essai intitulé *Les Romans de Philip K. Dick*, Les Moutons électriques, 2005.

vivre. Cette thèse fonctionne du point de vue de Tagomi qui, en passant de l'autre côté du miroir, dans notre monde, fait un tour en enfer. Ce qu'il ressent durant sa brève visite chez nous s'apparente à un cauchemar. Sans remettre totalement en question la théorie de Robinson, il semblerait que le rapport à la réalité soit plus complexe dans le roman.

Un livre écrit un « livre dans le livre »

Tout est replacé en perspective par l'existence du « livre dans le livre », *Le poids de la sauterelle*, de Hawthorne Abendsen, que la plupart des protagonistes ont lu. Il joue un rôle de moteur de l'intrigue à deux degrés, tant par les actions qu'il entraîne (Juliana rendant visite à son auteur) que par l'intermédiaire de ce qu'il représente : un autre monde, utopique, dont le niveau de réalité fait débat. Si dans le « livre dans le livre » les Alliés ont bien gagné la guerre, le monde qu'il décrit n'est pas le nôtre pour autant. Dans *Le poids de la sauterelle*, c'est l'Angleterre qui dirige le monde. Hawthorne Abendsen, son auteur, avoue à la fin que le *Yi King* a écrit le livre. Il s'est servi de l'oracle à chaque choix qui s'offrait à lui au moment de la rédaction (ce que, d'une manière plus légère, Dick a fait aussi) et c'est, en quelque sorte, l'ouvrage millénaire qui lui a dicté l'univers du *Poids de la sauterelle*. Lorsque Juliana Frink demande au *Yi King* pourquoi il a écrit le roman, la réponse obtenue implique que ce que raconte le livre signé par Abendsen est vrai. Dans son essai, Kim Stanley Robinson estime que le final du *Maître du Haut Château* est faible, car la révélation que l'univers du roman est artificiel avait été insinuée tout au long du texte. L'auteur de la trilogie martienne semble négliger un fait. La réponse de l'oracle n'est pas simplement que les Alliés ont gagné la guerre, mais que l'univers du *Poids de la sauterelle* est réel. Cela implique que le monde dans lequel vivent Frink et Abendsen est factice, mais cela suppose surtout que notre monde, celui dans lequel Dick a rédigé *Le maître du Haut Château* et où Tagomi se rend (prouvant ainsi son existence dans l'univers du roman), l'est tout autant. Le vertige métaphysique s'emparant des personnages qui refusent d'ailleurs d'admettre la situation (précisément comme Robinson, notons-le) contamine le lecteur qui se retrouve exactement dans la même position qu'eux : on leur révèle que leur monde n'est pas le monde réel et que l'univers véritable est celui du « livre dans le livre », écrit par un livre.

Comme souvent, le tour de force de Philip K. Dick est de parvenir à retourner complètement le point de vue des lecteurs sans employer les effets pyrotechniques archétypaux de la science-fiction. Un simple coup d'œil derrière le voile de la réalité les place dans une situation ambiguë qui peut parfois refléter celle de certains personnages et qui, passé le sentiment de malaise initial, offre des questions et des perspectives hors du commun.

Le point de départ du *Maître du Haut Château* autorisait un tel jeu sur les univers parallèles et la nature de la réalité, mais la manière dont l'écrivain californien entremêle ses problématiques pour conclure sur une révélation finale aussi puissante qu'inattendue confine à la prouesse narrative et thématique. Plus qu'une simple variation sur l'Histoire, Dick livre avec ce roman son premier véritable chef-d'œuvre. D'autres suivront...

Laurent Queyssi

APRÈS LE HAUT CHÂTEAU

En 1964, Philip K. Dick entame l'écriture d'une suite au *Maître du Haut Château*. Il rédige deux chapitres qui resteront sans développement, présentés ici pour la première fois en français. Dix ans plus tard, en 1974, un bras dans le plâtre, il tente à nouveau de prolonger son uchronie et enregistre des idées sur un dictaphone sans aller plus loin[1].

Dans les deux cas, l'auteur se heurte à l'horreur de ce qu'il met en scène et renonce, effrayé à l'idée de devoir encore passer du temps à travailler sur le régime nazi. Ces deux chapitres permettent tout de même d'entrevoir la tonalité qu'aurait prise la suite du parcours d'Hawthorne Abendsen.

---

1. Le fichier audio de cet enregistrement est disponible sur le site officiel de la succession http://www.philipkdick.com/media_audio.html

CHAPITRE PREMIER

Le matin du 5 août 1956, le Reichsmarschall Hermann Göring décolla de la grande base de la Luftwaffe de Miami, Floride, puis piqua vers le nord. Il ne s'était pas levé du bon pied ; un souvenir tout frais lui écrasait l'esprit de son poids – la nomination du petit *Doktor* au poste de chancelier de l'Allemagne et de tous les territoires sous domination germanique. *Alors que, quand on y pense, ce sont mes bombardiers qui ont vaincu l'Angleterre et gagné la guerre*, se dit Göring. *Le ministère de la Propagande a juste secoué et excité les gens jusqu'à provoquer un enthousiasme de bon ton, mais inutile.*

Le *Gau* de Virginie défilait en contrebas. La fusée Messerschmitt R-15 volait assez bas pour que son occupant entrevoie de petites taches noires : les esclaves qui travaillaient aux champs, comme autrefois et à jamais, ainsi que Dieu l'avait voulu. Une situation où le bon sens et la raison puisaient une égale satisfaction, mais rien ne trouvait grâce aux yeux de Göring, ce jour-là.

Il n'avait pas anticipé correctement la mort de Bormann, l'ancien chancelier. D'autres si ; Goebbels en personne, par exemple – sans parler des crânes d'œuf avides qui peuplaient les hautes sphères de la SS. Le Reichsführer SS Reinhard Heydrich n'avait cependant tiré aucun bénéfice de sa vigilance politique : il ironisait, rageait, écrivait des flots de mémos dans son QG permanent de Prinz-Albrecht-Strasse, à Berlin. *Je me demande ce qu'il en attend ?* pensa Göring. On disait que des troupes et des blindés des Waffen SS – la division « Leibstandarte », plus spécifiquement –, placés sous les ordres du vieux Sepp Dietrich, toujours aussi digne de confiance, s'étaient rassemblés pour protéger Heydrich. Le petit *Doktor* Goebbels avait certainement envisagé de l'écarter, depuis le temps. Les forces SS étaient également là pour menacer le Parti s'il cherchait à obtenir des généraux un serment d'allégeance au nouveau chancelier – Bormann n'y était jamais parvenu. Plongé dans ses réflexions, le Reichsmarschall se demanda une fois de plus s'il avait bien fait de quitter la base de Miami, son abri fortifié au cœur de la crise. Après tout, Baldur von Schirach, le chef des Jeunesses hitlériennes, avait été appréhendé sur ordre de Goebbels. Il est vrai que ce dernier le jalousait depuis le succès du projet Labours : l'assèchement de la Méditerranée. C'était la seule réussite de von Schirach, mais elle avait séduit les foules auxquelles s'adressait Goebbels, d'où un conflit d'intérêts… résolu quelques jours plus tôt par l'arrestation de von Schirach.

La Wehrmacht disposait bien sûr d'un avantage en cas de confrontation : elle avait l'entière exclusivité de la bombe à hydrogène. La SS envoyait depuis des années des agents traîner autour des installations militaires, dans l'espoir d'en apprendre assez pour construire son propre réacteur nucléaire, mais ils n'arrivaient visiblement à rien. De toute manière, n'importe quel gouvernement, qu'il représente le Parti, la SS ou une troisième force, voire une coalition, aurait besoin des généraux, notamment du soutien de Rommel, commandant en chef des armées pendant la guerre. Il avait beau s'être retiré de la vie publique, il restait en pleine possession de ses moyens. Et il détestait toujours autant le Parti et la SS, qui l'avaient démis de son poste de gouverneur militaire de l'Amérique occupée quelques années après la Capitulation – qu'il croyait, dans son ignorance arrogante, avoir amenée en personne par sa victoire au Caire. Alors que c'était la destruction du réseau radar anglais par la Luftwaffe qui avait permis le triomphe allemand, le moindre écolier le savait bien.

Le bip-bip du pilote automatique de la R-15 signala à Göring qu'il arrivait à destination à Albany, État de New York.

J'espère que Fritz Sacher a obtenu des preuves de ce qu'il avance. Auquel cas je l'en récompenserai. La gratification attendait dans le compartiment arrière de la fusée, soigneusement enveloppée de tissu : une grande bouteille renfermant un fœtus aux déformations uniques – le produit d'expériences médicales menées par le docteur Seyss-Inquart. Père slave, mère négresse. L'équipe de Seyss-Inquart avait travaillé sur la chose pendant son développement dans la matrice ; elle avait un pied à la place de la tête et des yeux à la pointe des pieds. Le Reichsmarschall avait ajouté ce spécimen irremplaçable à sa collection de curiosités génétiques, qui en comptait plus d'une centaine. Il s'agissait même du fleuron de sa collection, mais la fierté qu'il en retirait passait après la satisfaction de Fritz Sacher, en admettant du moins qu'on puisse se fier aux affirmations du scientifique.

Une patrouille en armes, assistée de chiens, avait beau monter la garde à la limite de la propriété, les recherches de Sacher se protégeaient d'elles-mêmes par le secret dont elles s'entouraient. C'était la

Luftwaffe qui les finançait ; voilà pourquoi Göring en était informé. Comme l'Abwehr, le contre-espionnage naval, fournissait les hommes, l'amiral Canaris l'était également. Lorsque Göring mit pied à terre, il ne fut donc pas surpris d'être accueilli par Sacher et Canaris.

— Je vous ai apporté un *Wunderkind*, Herr Sacher », lança l'arrivant, tout essoufflé d'avoir descendu l'échelle de la fusée. Avant d'ajouter, en toisant l'amiral Canaris, qui lui était antipathique : « Je n'ai rien pour vous.

— *Der Dicke1* imite les Japonais », déclara Canaris, sans s'adresser à personne en particulier. « Cadeaux. Cérémonies. » Un coup d'œil à sa montre. « J'aimerais commencer. »

Il quitta l'aire d'atterrissage pour gagner ce qui, avant guerre, à l'époque où l'Amérique s'administrait elle-même, avait été le manoir du gouverneur.

« Essayez donc de deviner de quelle difformité est affecté ce spécimen », reprit Göring, les bras tendus pour attraper la grosse bouteille emballée dans le tissu.

« Qui est au courant de votre présence ici, Reichsmarschall ? s'enquit Sacher. Quelqu'un de la SS ? C'est surtout la SS qui nous inquiète.

— Seulement mes fidèles. » Göring présenta son cadeau au jeune scientifique. « C'en est un neuf ; il va vous plaire.

— Mille mercis, Reichsmarschall. » Sacher s'empara du flacon. « Votre collection d'énormités est bien connue. Je me rappelle que ma classe a visité votre villa près de Brenner, quand j'étais enfant, et que j'y ai vu… » Il acheva de retirer le tissu. « Un cephalopedalis. Mmh. C'est très aimable à vous », enchaîna-t-il, sans quitter du regard le fœtus qui descendait lentement se poser au fond de la bouteille. « Il doit valoir au moins mille reichsmark en Allemagne ; et plus ici. Je n'ai pas encore de collection digne de ce nom ; juste quelques…

— Et si nous commencions ? » lança l'amiral Canaris d'un ton sec.

Les trois hommes pénétrèrent dans le bâtiment. Göring et Canaris emboîtèrent le pas au chercheur dans un vestibule qui les mena à une grande pièce – sans doute une ancienne salle à manger, se dit le Reichsmarschall. Deux inconnus attendaient, assis à une table, devant des papiers et autres objets. Pas particulièrement distingués et visiblement mal à l'aise. À l'entrée de Göring, ils se levèrent maladroitement en signe de respect.

« Voici les survivants du *Kommando* de douze membres qui a traversé notre nexus, à l'origine, annonça Sacher. Il y a maintenant dix-huit mois que nous avons conscience de l'existence de l'univers parallèle auquel nous avons donné le nom de *Nebenwelt*, parce qu'il est frontalier du nôtre en permanence et se révèle disponible, grâce à des points faibles tels que celui découvert ici. Nous disposons donc de ces informations depuis dix-huit mois. Mais nous pouvons aujourd'hui vous présenter les caractéristiques exactes du *Nebenwelt*. Voilà pourquoi je vous ai demandé de venir me voir, à l'amiral Canaris et à vous-même, Reichsmarschall. Je vous présente Herr Kohler et Herr Seligsohn ; ils vont vous parler brièvement de leur lutte.

— C'est moi, Kohler », déclara le plus petit des inconnus. Son compagnon se rassit, visiblement embarrassé, tandis qu'il poursuivait d'une voix aiguë, inexercée : « Avec les autres membres du *Kommando* qui ont résisté au passage vers ce monde, mais pas au retour, on a mené une vie normale dans le *Nebenwelt* pendant presque un an et demi, en parlant anglais sans problème, puisque c'est la langue utilisée dans la zone géographique correspondante de cet univers. Le milieu était raisonnablement satisfaisant, quoique plein de Juifs. On a essayé de découvrir pourquoi, à la bibliothèque publique et grâce à des contacts fortuits, et aussi pourquoi l'anglais était la langue dominante, à l'oral et à l'écrit, au lieu de l'allemand. Comme prévu avant la traversée – comme théorisé par Herr Sacher –, le *Nebenwelt* constitue une terre alternative sur laquelle l'axe Rome-Berlin-Tokyo a mal mené la guerre et a laissé l'alliance du communisme et de la ploutocratie remporter une victoire par défaut. L'Amérique reste donc l'État juif numéro un, et les bolcheviques contrôlent la moitié du monde – l'autre moitié ; ils se sont partagé le monde, le *Doktor* Goebbels avait bien prédit que ça arriverait si l'Axe était vaincu. »

Le silence s'installa. Nul ne troubla les réflexions du Reichsmarschall et de l'amiral.

« Avez-vous découvert précisément pourquoi leur guerre a mal tourné ? demanda enfin Canaris.

— Qu'importe ! intervint Göring, agacé. Les détails techniques… c'est bon pour les universitaires. » Il se tourna vers Sacher. « Votre *Nebenwelt* est une hallucination, un phantasme. Il n'est pas réel, pas comme ça. »

Ses phalanges tambourinèrent bruyamment sur une vitrine pleine de textes scientifiques.

« Nous avons rapporté de la documentation matérielle, dit Kohler.

— Des faux, riposta Göring d'un ton mordant.

— C'est à moi de le déterminer », signala Canaris. Il s'approcha de la table, sur laquelle il se pencha pour examiner l'ensemble des papiers et autres objets. « Pourquoi rejetez-vous cette idée *ad hoc*, Reichsmarschall ? » Coup d'œil interrogateur à

Göring. « Vous n'arrivez pas à concevoir une chose pareille ? Comme l'a dit Herr Kohler, nous savons ce qu'il en est, du moins en théorie, depuis un an et demi. Vous avez eu le temps de digérer le concept, et nous disposons à présent du matériau rapporté par des hommes qui ont vécu là-bas. Je trouve ça intrigant. » Il s'empara d'un gros livre, qu'il feuilleta avec intérêt. « Quoique dérangeant, bien sûr. » L'amiral considéra Kohler, obstinément planté devant lui, décidé à ne pas céder. « Nous avons ici un ouvrage intitulé *Le Troisième Reich – Des origines à la chute*, de William Shirer. » Nouveau coup d'œil à Kohler. « J'en déduis qu'il répondra aux questions concernant les *détails techniques*. »

Le ton était tranchant.

« Jusqu'en 1945, acquiesça Kohler. Je l'ai lu plusieurs fois ; il est très complet. C'est vraiment ce que j'ai réussi à trouver de mieux là-bas. J'ai demandé dans plusieurs librairies new-yorkaises, où on m'a dit que ce livre couvrait parfaitement toute la période ; je ne l'ai certainement pas pris au hasard. » Il s'exprimait avec une grande conviction. « Et ce n'est manifestement pas un faux.

— Avant votre arrivée, Messieurs, j'ai examiné cet ouvrage en personne, intervint Sacher en prenant le volume à l'amiral et en l'ouvrant à un endroit signalé par un marque-page. Permettez-moi de vous en lire un extrait.

— Contentez-vous de le résumer, dit Canaris.

— Leur histoire a apparemment divergé de la nôtre au début des années 1930, expliqua Sacher. Le président Roosevelt n'a *pas* été assassiné, si bien qu'il était toujours en poste en 1941, lorsque l'Amérique est entrée en guerre contre l'Axe.

— Bricker n'est pas devenu président ? demanda aussitôt Canaris.

— Non, amiral. »

Sacher secouait la tête.

« Pendant la guerre, le maréchal Rommel n'a pas réussi à prendre Le Caire, intervint Kohler. Il n'a donc jamais opéré sa jonction avec l'armée allemande de Russie. Laquelle n'a pas non plus percé les lignes russes ; les hordes communistes ont contre-attaqué près d'une ville du nom de Stalingrad, sur la Volga, et détruit la Sixième armée tout entière.

— Et la Luftwaffe s'est concentrée sur le bombardement des populations civiles en Grande-Bretagne, murmura Seligsohn près de lui, sans regarder Göring en face. Elle n'a pas détruit le réseau radar. En conséquence de quoi il n'y a pas eu d'invasion des îles Britanniques.

— Vers la fin de la guerre, continua Kohler, les puissances anglo-saxonnes ont mis au point la bombe atomique. Einstein, un Juif, a avancé cette idée dans une lettre à Roosevelt, alors qu'il était d'origine allemande ; il a trahi sa mère patrie.

— L'Allemagne n'est la mère patrie d'aucun Juif, riposta Göring.

— Herr Einstein partageait manifestement votre avis, déclara Canaris d'un ton sec.

— Ils ont rapporté des documents sur la condition allemande actuelle, reprit Sacher. Le pays a été divisé entre les puissances anglo-saxonnes et la Russie communiste. Coupé en deux. Ce n'est plus une nation. Le Japon est à présent un satellite des États-Unis, tandis que le communisme s'est répandu à travers tout l'Orient ; en Chine, plus précisément. » Il énonçait les faits sans la moindre émotion, d'une voix inexpressive, impersonnelle. « De toute évidence, l'assassinat de Roosevelt a joué un rôle vital dans la constitution de notre monde. S'il y a bien un événement unique dont on peut dire qu'il a...

— Je serais curieux de savoir ce qu'il est advenu dans ce soi-disant *Nebenwelt* de notre grand maréchal Rommel, qui nous a menés à la victoire en 47, interrompit Göring. Je ne l'imagine pas vaincu.

— Après la perte de l'Afrique du Nord, le maréchal a été transféré en France, où il a pris le commandement des forces qui attendaient l'invasion anglaise, déclara Kohler. Sa voiture a été repérée sur une route par un Spitfire britannique, qui l'a mitraillée, à la suite de quoi il a été hospitalisé. Il lui a été impossible de diriger l'invasion de la Festung Europa depuis le front de l'Ouest. » Une pause. « Ce n'est pas tout.

— Oui ? demanda Göring.

— Le maréchal Rommel s'est joint à un groupe de traîtres qui conspiraient contre la vie d'Adolf Hitler.

— Jamais il n'aurait fait une chose pareille, trancha Göring.

— Une minute, intervint Canaris avec un geste nerveux. Laissez-le terminer.

— Le complot a échoué, poursuivit Kohler. Les conspirateurs ont été étranglés puis pendus à des crochets de boucher, comme il se doit. En sa qualité de soldat et ancien patriote, Erwin Rommel a été autorisé à se donner la mort, ce qu'il a fait. »

Nouveau silence, long et tendu.

« À mon avis, déclara enfin Göring, ces soi-disant documents matériels ne sont que des faux fabriqués par l'Abwehr. » Il examina Canaris, dans l'espoir de percer le masque de vague ironie qui s'était mis en place à ses mots. « Les raisons de cette supercherie ne sont pas claires. Elle vise évidemment en partie à calomnier le maréchal, mais le reste m'échappe. »

Malgré sa voix dure, péremptoire, le doute et la confusion s'étaient emparés de lui. Il avait besoin de temps pour digérer ce qu'il venait d'entendre. Ces

« révélations » mensongères étaient sans doute liées à la crise politique qui secouait le Reich – ça, au moins, c'était clair. Son intuition lui soufflait aussi que Canaris et son contre-espionnage avaient mis cette histoire au point ; après tout, Kohler et Seligsohn étaient des agents de l'Abwehr, de même que les autres membres du *Kommando*.

Pourtant… il semblait bel et bien exister un univers alternatif, comme Sacher le soutenait depuis un an et demi. Göring n'en disconvenait pas. Si seulement il avait pu y envoyer certains de ses hommes de la Luftwaffe, qui lui étaient tout dévoués…

« Je m'empresse d'ajouter que la décision de bombarder les villes anglaises plutôt que le réseau radar ne vous revenait pas, Herr Reichsmarschall. C'est le Führer qui l'avait prise », déclara Kohler, un regard plein d'espoir posé sur Göring.

« Une pensée bizarre me tourne dans la tête depuis quelques minutes », dit l'amiral presque pour lui-même en faisant les cent pas, les bras croisés. « Dans les régions sous domination japonaise, je veux parler des Rocheuses et des P.S.A., circule un livre interdit ici, mais que mes subordonnés ont examiné par habitude. Il paraît qu'il remporte un franc succès parmi les Japonais, pour des raisons qui m'échappent. Il s'agit d'une œuvre de fiction, de pure fiction, du moins en étions-nous persuadés jusqu'à maintenant.

— *Le poids de la sauterelle.* » Göring avait lu le roman d'Hawthorne Abendsen. L'interdiction ne s'appliquait évidemment pas à lui. « La description du monde tel qu'il serait aujourd'hui, si les Alliés avaient gagné la guerre.

— Mais aussi une analyse de la manière dont ils auraient pu la gagner, enchaîna Canaris. D'après cet Abendsen, ils y seraient parvenus si les Soviétiques avaient arrêté le général von Paulus à Stalingrad. Le monde fictif d'Abendsen repose spécifiquement là-dessus. » Il se tourna vers Sacher. « Une condition historique dont ces deux *Kommandos* nous rendent compte. Elle s'est produite dans le *Nebenwelt*. Il me semble donc que le livre d'Abendsen décrive le *Nebenwelt*.

— Pas vraiment, répondit Kohler. Seligsohn et moi, on connaît bien le roman. Il existe une vague ressemblance entre le monde dont il parle et l'environnement qu'on a étudié au cours des dix-huit derniers mois, mais aussi une foule de distinctions. Le lien n'a rien de précis. Dans le livre, par exemple, Rexford Tugwell est président au moment où l'Amérique entre en guerre ; dans le *Nebenwelt*, c'est toujours Roosevelt...

— Mais Abendsen avait apparemment au moins une conscience approximative du *Nebenwelt*, s'obstina Canaris. Les détails diffèrent, certes ; la similitude n'en est pas moins là. Il serait politiquement mal avisé de ne pas y attacher d'importance.

— Pourquoi ça ? demanda Göring.

— Parce qu'elle signifie que Sacher n'a pas le monopole de l'accès au *Nebenwelt*, répondit l'amiral avec un grand geste. Si cet homme, Hawthorne Abendsen, est conscient de son existence, d'autres le sont peut-être aussi... voire l'ont été par le passé. Nous n'avons pas sur le passage le contrôle absolu dont nous avons besoin.

— Besoin pour quoi ? demanda encore Göring.

Il n'avait jamais réussi à pénétrer le mode de pensée convoluté de son interlocuteur, caractéristique comme il l'était du raisonnement intelligent.

Une expression indéchiffrable s'inscrivit sur les traits de Canaris.

« La moindre opération militaire prévue par l'armée serait maintenant abandonnée, forcément... à cause de ça.

— Mais pourquoi ? » Göring ne suivait toujours pas. « Il y a une opération militaire de prévu ? »

Le programme spatial lui vint instantanément à l'esprit – la colonisation de Vénus et de Mars. Jusqu'ici, la Wehrmacht ne s'y était pas intéressée – la SS avait géré seule l'émigration –, mais peut-être l'armée comptait-elle enfin y participer. Elle serait certainement d'une aide précieuse, puisque la SS n'avait pas encore réussi, et de loin, à rassembler assez de spécimens humains génétiquement adéquats.

Toutefois, Canaris passa à une autre facette du sujet ; adroit et fuyant, capable d'éluder jusqu'à une question directe.

« Il faudrait développer une comparaison point par point entre le monde alternatif imaginaire d'Abendsen et le *Nebenwelt*. J'aimerais savoir en quoi exactement ils se ressemblent et ils diffèrent. » Geste de la main. « Peut-être s'agit-il de ce que les Japonais appellent une synchronicité, une simple coïncidence. Ou, plutôt, de ce que Wolfgang Pauli, notre physicien, appelle une synchronicité ; j'oublie que le concept de relation sans lien de causalité est d'origine allemande. » Ses sourcils se froncèrent. « C'est le *Yi King* qui m'embrouille, cette cochonnerie d'oracle dont ils se servent pour prendre la moindre décision. Heureusement, le Parti a rejeté ce genre de mysticisme oriental dégénéré.

— Le *Yi King* existe dans le *Nebenwelt*, intervint Kohler. On est tombés dessus plusieurs fois, bien qu'il soit peu utilisé... on s'en est aperçus. Il n'apparaît nulle part dans le livre d'Abendsen – le monde qu'il décrit.

« — Encore une différence », lâcha Canaris, pensif. Il passa un moment à méditer sur ce point, avant de reprendre enfin : « Si nous avions foi en l'oracle, nous le supposerions au fait de l'existence du *Nebenwelt*, dans la mesure où on l'y rencontre. Il paraît qu'Abendsen en fait usage ; j'ai même cru comprendre qu'il avait construit son roman en se fondant sur les hexagrammes. Un procédé qui explique peut-être la ressemblance de son monde fictif avec le *Nebenwelt*. Mais rendez-vous compte du danger… du danger pour l'Allemagne. L'oracle essaie d'informer ceux qui se reposent sur lui que… » L'amiral s'interrompit une fois de plus, les sourcils froncés. « J'en parle comme s'il était vivant.

— Nous avons bien fait de l'interdire en territoire sous domination allemande, affirma Göring. Je me rappelle à quel point Goebbels insistait ; il écumait littéralement quand ce compositeur… comment s'appelait-il, déjà ?… a déclaré dans un journal qu'il s'en servait pour développer ses suites d'accords.

— Le petit *Doktor* écume littéralement dès que quelque chose échappe à sa compréhension, observa Canaris.

— L'oracle échappe à toute compréhension, riposta Göring. Y compris celle de ses fidèles. Il n'existe aucune hypothèse quant à son mode de fonctionnement, à part la théorie de la synchronicité de Pauli. Ou l'antique croyance chinoise selon laquelle des esprits invisibles déterminent l'apparition des hexagrammes. » Le tour que prenait la conversation l'ennuyait, aussi en revint-il aux raisons de sa présence à Albany. Ce fut d'un ton plus animé qu'il poursuivit : « Herr Sacher, il est essentiel pour la sécurité intérieure et extérieure de l'Allemagne que les informations relatives au *Nebenwelt* restent confidentielles. Nous ne pouvons étouffer les spéculations dans l'œuf, puisque le roman d'Abendsen a soulevé le problème publiquement ; même en Allemagne, la plupart des intellectuels savent en gros ce qu'il raconte, sans l'avoir lu, évidemment. Il n'est hélas pas nécessaire de l'avoir lu ; il suffit d'être au courant de son existence. Vous voyez ce que je veux dire. »

Que les masses pensent à un autre mode de vie, une existence sans l'hégémonie allemande... voilà qui brisait l'identification inconditionnelle avec le *Gemeinschaft*, la communauté du peuple créée en 32 par le Parti et qui occupait à présent la moitié de la planète. L'écrivain Hawthorne Abendsen avait fait beaucoup de mal, avec son livre ; toute la machinerie du service de sûreté, le Sicherheitsdienst, avait été impuissante à empêcher des exemplaires de contrebande d'apparaître dans des *Gaus* aussi centraux que celui de Berlin même. À Hambourg, plus particulièrement, certains connaissaient le roman – et en possédaient une copie –, défiant l'appareil sécuritaire de l'État, malgré sa vigilance persistante.

On devrait faire enlever Abendsen, se dit Göring. *Par un Einsatzgruppe du SD qui nous l'amènerait pour interrogatoire d'experts. Je vais appeler Heydrich à ce sujet en sortant d'ici. Ça m'étonne qu'il n'ait encore rien fait, d'ailleurs.*

« Voulez-vous que je continue la description du *Nebenwelt* et des documents matériels ? demanda Kohler en montrant le tas de papiers et d'objets posé sur la table, devant Seligsohn et lui.

— Faites », répondit Göring, avant de tendre l'oreille au rapport circonstanciel élaboré concernant un autre monde, un univers déroutant dans lequel l'Axe avait – incroyable ! – perdu la Seconde Guerre mondiale.

CHAPITRE DEUX

Les SS qui avaient accueilli le capitaine Rudolf Wegener à l'aéroport de Tempelhof bavardaient aimablement pendant que leur berline Daimler, phaéton d'un éclat de miroir, progressait vers le QG SS de Prinz-Albrecht-Strasse. La division d'élite des chemises brunes, la Leibstandarte de Sepp Dietrich, y avait installé son campement, décidée à attendre sur place la sortie réussie de la grande crise qui secouait les affaires intérieures allemandes. Wegener distinguait à présent les énormes Tigres, les chars déployés stratégiquement çà et là, couvrant de leurs canons de 88 mm les moindres carrefours et bâtiments.

L'exhibition de cette puissance militaire ne l'impressionnait pas. Une seule bombe à hydrogène tactique, tirée par un mortier de la Wehrmacht, réduirait à néant la division et Heydrich en personne. Toutefois, le Bourreau devait se sentir psychologiquement en sécurité : la mentalité SS florissait grâce aux spectacles ostentatoires ou aux manœuvres exécutées avec soin, comme à la parade, telles qu'en pratiquaient ces rangées de blindés étincelants.

Conduit sous escorte au bureau d'Heydrich, Wegener y trouva le Reichsführer SS au téléphone.

« Quelqu'un en avait été chargé, dit-il de sa voix dure, monocorde, en regardant d'un air absent à travers le visiteur. L'agent a été retrouvé assassiné dans une chambre d'hôtel, à Denver. La gorge. Oui, tranchée. Oui, il allait arriver à portée de cet Abendsen. » Une pause. « Non, il n'allait pas nous l'amener ici ; pour quoi faire ? Que pourrait bien nous dire ce Juif qu'il n'a pas écrit dans son livre ? » Une autre pause, plus longue, cette fois, puis : « Si vous voulez qu'on nous l'amène ici, il va falloir me dire pourquoi. Nous ne sommes pas au service de la Luftwaffe. Très bien, envoyez donc un de vos hommes. Bombardez-le. Au revoir. »

Il raccrocha, griffonna quelques mots sur un bloc-notes puis inclina la tête en direction du fauteuil en cuir disposé devant son bureau.

« Le Reichsmarschall, expliqua-t-il à Wegener. Ses quatre cents kilos, jusqu'au dernier. Asseyez-vous. Vous êtes l'agent de l'Abwehr de retour des États-Pacifiques d'Amérique. » Heydrich déploya une liasse de dossiers à la manière d'un éventail, farfouilla parmi les chemises puis finit par en sélectionner une, qu'il ouvrit. « Je me suis renseigné sur vous. La gestion japonaise vous a plu ? C'est du travail bâclé, vous ne trouvez pas ? On ne fait guère mieux ici, évidemment, avec ce sale petit rat handicapé de Goebbels, ce sournois qui s'est arrangé pour devenir chancelier… momentanément. Il nous tuerait tous dans notre sommeil. Voilà pourquoi j'ai envoyé des hommes vous chercher à l'aéroport.

— Je vous remercie de l'attention, déclara Wegener, inexpressif.

— À notre avis, continua Heydrich, imperturbable, Bormann a été assassiné. Goebbels ne saurait donc être légalement chancelier. Plusieurs avocats SS m'ont rédigé des démonstrations à cet effet. Il va falloir organiser des élections pour faire voter les membres du Parti. Le nouveau dirigeant de l'Allemagne doit appartenir au Parti, comme Hitler le voulait à l'origine. En admettant que Goebbels obtienne le poste légalement, il est trop vieux… de même que tous les *Altparteigenosse*. Quant à moi, je ne rentre évidemment pas dans cette catégorie.

— Pas du tout, acquiesça Wegener.

— Vous avez progressé, dans l'information des Japs sur l'opération Pissenlit ? Ça a intéressé le général Tedeki ?

— Je… ne vois pas de quoi vous voulez parler.

— Vous êtes pourtant bien allé là-bas dans le but d'informer les Japonais que nous nous préparions à les attaquer, déclara Heydrich d'un ton sec, agacé, comme s'il s'adressait à un étranger. L'opération Pissenlit… l'attaque du Japon. Votre mission ; vous vous êtes fait passer pour un homme d'affaires suédois. » Il feuilleta le dossier. « Vous avez quitté l'aéroport de Tempelhof dans une des nouvelles fusées 9-E de la Lufthansa sous l'identité de M. Baynes. Un agent du SD a discuté avec vous pendant le voyage ; il s'est présenté sous le nom d'Alex Lotze, peintre de son état ; vous avez prétendu être dans les plastiques et les polyesters. À l'aéroport de San Francisco, vous avez été accueilli par un représentant de l'Estimable Mission Commerciale japonaise, un certain M. Nobusuke Tagomi. Quelques jours plus tard, vous avez rencontré dans son bureau de l'immeuble du *Nippon Times* un chef d'état-major de l'armée impériale japonaise à la retraite, le général Tedeki, que vous avez informé de l'attaque imminente des îles nipponnes organisée par la Wehrmacht… un assaut surprise dont la police secrète japonaise, la Tokkoka, n'avait pas eu vent.

— Vous m'en apprenez beaucoup. Je n'avais jamais entendu parler de ça, affirma Wegener.

— Foutaises, répondit Heydrich avec impatience. En fait, durant votre conférence avec le général Tedeki et M. Tagomi, une escouade d'hommes du SD a tenté de s'introduire par la force dans les locaux pour vous éliminer tous les trois. Elle n'y est pas parvenue. »

Il y eut un silence.

« M. Tagomi est bon tireur, dit enfin Wegener d'une voix rauque. Il collectionne les armes de la guerre de Sécession américaine et s'exerce à leur maniement.

— Nous nous demandions ce qui s'était passé. Bruno Kreuz von Meere, qui dirige le SD de San Francisco, en était arrivé à la conclusion que des tireurs d'élite de la Kempeitai – la police civile japonaise – avaient dû se poster dans le bureau de M. Tagomi ou à sa porte. Mmh. Alors ce Tagomi s'est occupé lui-même des agents. » Heydrich hocha la tête, visiblement satisfait de voir le mystère s'éclaircir. « Vous avez donc trahi votre pays. L'Abwehr tout entière est-elle impliquée, ou cela ne concernait-il que vous ? Qu'en est-il de l'amiral Canaris ?

— Il n'est pas au courant de mon voyage », répondit Wegener, en se demandant si Heydrich disposait d'informations capables de le persuader du contraire.

Il avait l'air au courant de tout le reste ; alors pourquoi pas de ça aussi ?

Le Reichsführer se désintéressa cependant de la question pour passer à un autre sujet.

« Vous étiez aux États-Pacifiques… Vous êtes tombé sur ce livre juif dans lequel notre effort de guerre a échoué, cette histoire de sauterelle ?

— Il est disponible là-bas, acquiesça distraitement Wegener.

— Vous avez entendu ce que j'ai dit au Reichsmarschall ; il veut que j'enlève Abendsen et que je l'amène ici, mais il refuse de me donner ses raisons. »

Heydrich fixait son interlocuteur d'un regard perçant. « Nous savons qu'il existe à Albany, dans l'État de New York, un projet commun impliquant votre organisation et la Luftwaffe. Êtes-vous informé de quoi que ce soit à ce sujet ?

— Non, répondit Wegener – avec sincérité.

— Autant que nous puissions en juger, la mise en œuvre de ce projet part du principe qu'il existe des mondes parallèles, dont le nôtre et celui d'Abendsen, qu'il décrit dans son roman comme fictif. Nous ignorons quels résultats a obtenus Sacher – le chef de projet. Peut-être aucun. Il se peut que les présupposés soient faux. Ou alors… (Heydrich agita le bras) il a obtenu des résultats apportant la preuve des présupposés, mais sans réussir à ouvrir une porte sur un monde parallèle. » Le SS énumérait à présent les hypothèses méthodiquement, en les comptant sur ses doigts. « À moins qu'il n'ait trouvé une porte, mais que l'autre univers… le *Nebenwelt*, comme ils l'appellent, paraît-il… ne soit pas tel que le décrit le Juif dans son livre de pseudo-fiction. Et ce ne sont pas les seules possibilités. » Le Reichsführer s'interrompit, pensif. « Au mieux, ils ont réussi à atteindre plusieurs autres mondes, y compris celui d'Abendsen.

— Mmh.

— Ce qui m'intrigue, c'est que le Reichsmarschall s'intéresse brusquement à Abendsen… pas pour le faire tuer, mais pour le faire enlever et amener ici ; plus spécifiquement, à son quartier général *pro tempore* de la Luftwaffe, à Miami. » Heydrich examina ses doigts tendus puis en choisit un. « Sa demande m'incline à penser qu'il veut interroger cet homme sur le monde de la *sauterelle*… ce qui m'incline ensuite à penser que ces messieurs ont remporté un certain succès. » Il releva les yeux pour fixer son interlocuteur avec attention. « Vous êtes sûr de ne rien savoir du tout ? Vous êtes un membre de l'Abwehr, laquelle, si j'en crois mes informations, fournit à Sacher les agents qu'il charge... qu'il a peut-être déjà...

— J'ai passé un bon moment à m'occuper exclusivement de la préparation de ma mission aux P.S.A., coupa Wegener. La voilà terminée. Cette discussion ne sert à rien ; je ne peux rien pour vous. Jusqu'ici, je n'avais seulement jamais entendu parler de ce projet... en admettant qu'il existe, comme vous l'avez dit vous-même. »

Il en doutait : ça ressemblait surtout aux échafaudages imaginatifs construits par les esprits brillants, quoique dérangés, des SS de plus haut rang, y compris son hôte.

« Alors, réfléchissez. » Heydrich croisa les mains et pencha son fauteuil en arrière, jusqu'à l'appuyer contre le mur. « Vous êtes légalement un traître à l'Allemagne ; vous avez délibérément et systématiquement transmis des informations militaires ultra-secrètes à l'ennemi en les confiant à un général japonais en personne. Je pourrais vous faire étrangler et pendre à un crochet de boucher sans même une convocation du Reichsgericht. Après vous avoir fait écraser les testicules avec des tenailles. Je pourrais vous obliger à ingurgiter une solution de soude caustique...

— Vous ne pouvez rien contre un agent du contre-espionnage naval, répondit Wegener, d'une voix qu'il réussit à garder raisonnablement ferme. Si je dois être jugé, une cour martiale s'en chargera... présidée par mes supérieurs de l'Abwehr.

— Vous voulez parier ?

— Je sais de source sûre que votre organisation... la SS tout entière, en fait... est opposée à l'opération Pissenlit. Vous avez d'ailleurs reconnu que vous m'aviez fait suivre ; vous saviez pourquoi j'allais là-bas avant que je ne voie le général Tedeki ; vous auriez pu m'en empêcher.

— Nous avons essayé, dit tranquillement Heydrich. Dans l'immeuble du *Nippon Times*.

— Que cherchez-vous au juste ?

— Vous vous trouvez en ce moment au centre névralgique de la division des Waffen SS. Leibstandarte. Ni l'Abwehr, ni la Wehrmacht, ni le Parti, ni les trois réunis ne peuvent vous en tirer. Si vous faites affaire, ce sera donc forcément avec moi. Or je suis dur en affaires, vous l'avez peut-être entendu dire. Ce dossier, qui vous est consacré... (Heydrich montrait les papiers étalés devant lui) contient une documentation détaillée sur votre trahison. Il s'agit à l'heure actuelle d'un dossier plein de potentiel, mais malgré son contenu, je dispose de l'autorité nécessaire pour le rendre perpétuellement inactif. Jamais un agent du SD ne se présentera à cinq heures du matin, prêt à vous emmener dans un camp de la solution finale ; jamais une action de *Nacht und Nebel* ne sera exercée contre vous... je vous le garantis. À vrai dire, je vous nommerai colonel honoraire dans la Waffen SS ; le général Dietrich en personne vous décernera votre citation. » Il décrocha son téléphone. « Passez-moi Sepp Dietrich.

— Je connais le mécanisme, déclara Wegener. Ça ne m'intéresse pas. »

Sitôt nommé colonel honoraire dans la SS, il se trouverait automatiquement placé sous juridiction SS, à prendre ses ordres d'Heydrich, voire d'un de ses subordonnés. D'innombrables hommes de la Wehrmacht avaient bénéficié au fil des années de commissions de ce genre, sans avoir conscience de leurs conséquences. *Le SS instantané*, songea-t-il sombrement. *Créé d'une ligne du stylo d'Heydrich.*

Lequel raccrocha en haussant les épaules.

« Si vous préférez rester capitaine dans une organisation qui aura sans doute cessé d'exister d'ici un an, ça vous regarde. Voilà des années que l'amiral Canaris patine sur une glace fort mince ; il va tomber au travers, ce n'est qu'une question de temps... en vous entraînant tous avec lui.

— Que voulez-vous de moi, pour me laisser partir ?

— Je ne vais pas seulement vous laisser partir, mais aussi garantir votre sécurité permanente, je vous l'ai déjà dit... vous éviter les représailles de votre organisation, par exemple. Être sous la protection du SD, c'est se trouver virtuellement hors d'atteinte ; vous vous apercevrez que vous dormez de nouveau la nuit, paisiblement, une anomalie en ces temps de conflit politique imprévisible. Quant à ce que je veux de vous : vous allez faire votre rapport à vos supérieurs sur votre mission à San Francisco, sans parler de votre petit voyage annexe ici même. Vous avez atterri à Tempelhof ; vous avez pris un taxi jusqu'au QG de l'Abwehr. Rien à signaler.

— Et à partir de là, je devrai vous tenir régulièrement informé du projet de Sacher, vous ou un de vos subordonnés », compléta Wegener. Heydrich le regardait. « Je n'aurai peut-être jamais rien à y voir.

— Vous en entendrez parler. Nous en avons entendu parler, nous, alors que l'organisation de Canaris nous est restée fermée... jusqu'ici. Je ne suis pas pressé ; je suis conscient que ça prendra du temps. Du moment que l'information finit par nous parvenir. *Verstehen Sie ?*

— Je comprends. » Wegener réfléchit, ce qui le décida à prendre un risque calculé. « Vous n'allez pas me tuer, parce que ça vous arrange que j'aie prévenu le général Tedeki de l'opération Pissenlit. Vous allez vous servir de ma mission pour persuader le Parti de ne pas soutenir la Wehrmacht ; une attaque-surprise est hors de question, maintenant, puisque nous savons tous que les Japonais n'ont pas la bombe à hydrogène, certes, mais disposent d'un matériel d'interception énorme. En admettant que les îles nipponnes soient détruites, les régions chinoises, les colonies mandchoues, les Philippines, les États-Pacifiques d'Amérique, les possessions d'Amérique latine…

— Je connais la géographie de la sphère de coprospérité d'Asie de l'Est, coupa Heydrich d'un ton sec.

— Ajoutons à ça que le système de guidage de nos missiles est imparfait… comme chacun sait. Nous connaissons tous, par exemple, les performances africaines de notre armement. Il y a des années…

— Le système de guidage a été amélioré, depuis.

— Vous avez besoin que je continue à vivre parce que je suis le seul Allemand de souche à savoir, grâce à un contact direct, que l'état-major japonais est informé de l'opération Pissenlit, continua Wegener. Sans moi, vous n'avez que le dossier me concernant, qui pourrait être complètement mensonger. C'est en tout cas ce que diraient les généraux de la Wehrmacht. Notamment Rommel.

— Le maréchal est à la retraite. Et vieux, ajouta Heydrich.

— Il est censé reprendre du service. » L'Abwehr avait appris la nouvelle des mois auparavant. « En fait, c'est lui qui doit diriger l'opération, d'un point de vue militaire ; c'est, de notoriété publique, un stratège unique qui n'a pas encore trouvé son égal. Et puis sa présence rendra la campagne beaucoup plus populaire, parce que les gens voient en lui un *Übermensch*. Le seul héros des temps modernes ; il faut remonter à Hindenburg.

— Ou à Adolf Hitler.

— Sa réputation légendaire de stratège a bien pâli. À l'époque, la Wehrmacht n'ignorait pas ses faiblesses ;

maintenant, tous les Allemands ou presque les connaissent. Je ne doute pas que vous en soyez conscient. Vous vous tenez informé de ce genre de choses.

— C'était la paralysie générale, s'exclama Heydrich avec passion. Si l'UrFührer n'avait pas attrapé cette maladie dans sa jeunesse, à Vienne, cette ville de Juifs…

— En ce qui me concerne, la discussion est terminée, annonça Wegener en se levant. Je dois faire mon rapport à mes supérieurs quant à ma mission. *Guten Tag.* »

Le Reichsführer se leva aussi, prêt à répondre, mais l'interphone de son bureau bourdonna.

« Oui ? demanda-t-il en pressant un bouton.

— Le général Skorzany est là, monsieur.

— Très bien. Envoyez-le-moi. »

Les bras croisés, Heydrich se mit à se balancer sur ses talons, plongé dans ses réflexions.

Un homme grisonnant, bien charpenté, assez séduisant, avec son regard méfiant, mais intelligent, fit son entrée, vêtu de l'uniforme des généraux de la Waffen SS. Il jeta à Wegener un coup d'œil évaluateur avant de se tourner, interrogateur, vers le Reichsführer.

« Gardez mes suggestions à l'esprit, dit Heydrich à Wegener. Pendant ce temps, toute action relative à vos récentes activités aux États-Pacifiques sera suspendue. Je vous contacterai avant la fin de la semaine, en espérant que vous aurez pris une décision favorable. N'oubliez pas que vous êtes en mauvaise position. »

TABLE

10636

Composition
NORD COMPO

Achevé d'imprimer en Slovaquie
par NOVOPRINT SLK
le 12 juin 2017

1er dépôt légal dans la collection : octobre 2013
EAN 9782290082324
OTP L21EPGN000551G008

éditions J'ai lu
87, quai Panhard-et-Levassor, 75013 Paris
Diffusion France et étranger : Flammarion